CW00741003

Olivier Truc

LE DÉTROIT
DU LOUP

ROMAN

Éditions Métailié

Les éditeurs remercient J.-P. Métailié et le laboratoire Géode
de l'université de Toulouse-Le Mirail pour les cartes.

TEXTE INTÉGRAL

ISBN 978-2-7578-5479-2
(ISBN 978-2-86424-963-4, 1ʳᵉ publication)

À Malou

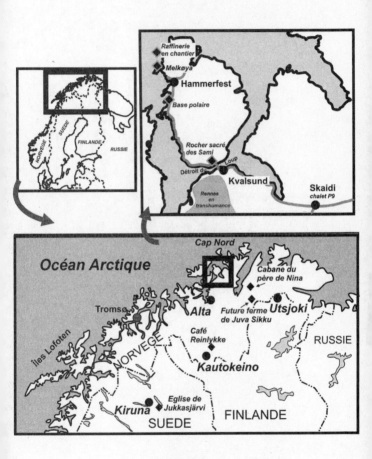

Laponie

«Une de plus, mauvaise nuit, pourquoi j'écris encore, comme si les autres nuits étaient bonnes. Étouffement. Coussin sur la gueule. Saloperie. Cauchemar. Noyé, encore. Envie d'en finir. Comme les autres nuits. Le salut, encore, en sortant sur la pierraille. Lunaire, mais à l'air. Il faut du déglingué, comme moi, pour survivre ici. L'air, de l'air, ivre de rien, bourré à l'oxygène, les poumons, expirer, inspirer, du vertige. C'est mieux. Et vous, foutez le camp ! Je peux vous baiser ! Foutez le camp, mes nuits sont à moi, pigé ? Je peux me foutre en l'air, et vous ne m'aurez plus ! En l'air, de l'air, enfin. Non, non, j'ai promis. Pas me foutre en l'air. Promis. Promesse. Caresse. Elle, où est-elle ? Où es-tu ? J'ai tellement mal, j'ai tellement peur. Pourquoi j'ai promis ?»

1

Jeudi 22 avril.
Lever du soleil : 3 h 31. Coucher du soleil : 21 h 15.
17 h 44 d'ensoleillement.

Détroit du Loup, Laponie norvégienne. 10 h 45.

Depuis plus d'une heure, la plupart des hommes demeuraient invisibles.

Certains se cachaient depuis bien plus longtemps. Ils patientaient, placés stratégiquement sur les deux rives distantes de cinq cents mètres. Ceux en embuscade sur Kvaløya, l'île de la Baleine, occupaient leur poste depuis la veille au soir.

Loin là-haut, le soleil dominait la scène depuis un long moment.

Difficile de somnoler. Difficile de bouger sans être vu.

En cette mi-avril, la lumière imposait sa présence même en pleine nuit.

Mais personne ne parlait encore de nuit. Ils veillaient, attendant patiemment le signal.

Une forme brune allongée dans une barque conservait la même attitude impassible.

Les insectes virevoltants autour des hommes les laissaient insensibles. Ils avaient la peau tannée des coureurs

13

de toundra, les yeux clignant à peine pour ne rien perdre du moindre mouvement. Certains fumaient pour tromper l'ennui, trop loin pour que l'odeur les signale, et uniquement après s'être assurés de la direction du vent. D'autres buvaient de leur thermos de café. Ils grignotaient des tranches de renne séché, lisaient les dernières nouvelles sur leur téléphone mobile, regardaient des vidéos sur YouTube, avec une seule oreillette, l'autre oreille aux aguets.

Allongé dans la barque, Erik Steggo observait le ciel. Le jeune homme commençait à sentir la chaleur, signe qu'elle allait bientôt devenir pénible. La température atteignait pourtant à peine 3 ou 4 degrés, mais ses couches de vêtements le maintenaient au chaud.

La neige couvrait encore la rive, même si la fonte s'amorçait. La blancheur dominait aussi les montagnes aplanies.

Il les apercevait en se tournant un peu, lentement. Erik reconnaissait les sentiers courus si souvent.

Il songea à enlever une épaisseur de vêtements, mais renonça, cédant à la torpeur agréable dans laquelle il baignait. Le simple clapotis de l'eau suffisait à le rafraîchir, le bruissement des vagues à le tenir éveillé.

La barque attendait du côté terre ferme, vers le sud.

Sans la voir de son angle de vue, Erik imaginait la pierre sacrificielle qui se dressait sur l'autre rive, roc pointé vers le ciel.

Par le passé, des générations d'hommes s'y étaient recueillis avant l'opération qu'Erik et les siens allaient entreprendre. Ils connaissaient les risques. Ils savaient comment les éviter. Quand le destin se montrait clément.

Le jeune homme dans l'embarcation n'avait pas eu le temps d'y déposer une pièce d'offrande. Il avait demandé à Juva de s'en occuper. Juva avait promis. Une promesse, c'était important.

Le bruit s'approcha. Un groupe se détachait. Venait vers lui. Erik se recroquevilla au fond de la barque. Il sentait le souffle nerveux à quelques dizaines de mètres, l'entrechoquement sur les galets. Mais le souffle ne se rapprochait plus, maintenant. À nouveau calme, puissant toujours, mais plus calme.

Cette alerte avait mis Erik en sueur. Il respira profondément. Il oublia le souffle lourd et laissa sa pensée vagabonder vers le roc pointu et son offrande. Erik n'y croyait pas complètement. Mais il aimait la poésie de ces lieux mystiques.

Anneli, elle seule avait pu lui ouvrir les yeux et l'âme sur ces beautés cachées. Anneli. C'est pour elle aussi, pour eux, qu'il fallait réussir.

Il essaya de se concentrer à nouveau. Il ne pouvait se relever pour regarder, mais la tension qui allait grandissant indiquait que le moment approchait.

Tout près de lui, quelque cinq cents rennes s'entassaient sur les galets de la berge, broutant ce qu'ils pouvaient, cherchant des algues gavées de sel, relevant parfois nerveusement la tête vers la berge opposée, sur l'île de Kvaløya. Depuis la grande île qui était leur destination finale, le vent du nord de la mer de Barents leur apportait des effluves d'herbe. Ce n'était pas encore l'herbe grasse de juin. Mais, pour ce troupeau-ci, un appel irrésistible après six mois d'un régime sec constitué de lichen enfoui sous la neige. Les bêtes étaient nerveuses, impatientes. Trop impatientes. Les femelles ne mettaient bas qu'une fois de l'autre côté. Cela ferait encore des tensions avec la ville, comme chaque année. Mais les rennes de tête savaient ce qui les attendait de l'autre côté. Le renne blanc de Juva était le plus expérimenté. Il lancerait sans doute le mouvement. Était-ce signe de vieillesse qu'il engage ainsi cette avant-garde du troupeau avec plusieurs semaines d'avance ? Mais il est vrai que les pâturages, sur la route de la transhumance, n'avaient pas été bons, poussant le renne blanc et les autres toujours plus vers l'avant. Ils sentaient instinctivement qu'il allait se passer quelque chose. Et les bergers n'avaient qu'à suivre. Telle était la loi du vidda, des hauts plateaux désertiques de Laponie.

Erik pouvait ressentir la tension des rennes sans les voir. Leur souffle saccadé venait battre contre ses tympans. L'écho de leurs pattes glissant sur les galets humides le renseignait mieux que tout.

Avec la même force et le ciel pour seul horizon, Erik voyait un par un les hommes embusqués, cachant leur nervosité sous un masque dur. Comme lui, ils savaient que rien ne saurait aller de travers. Ils ne pouvaient pas se le permettre. Pas maintenant. Un mouvement, et toute une journée de travail partait à l'eau. Dans le meilleur des cas. Le pire des scénarios, il ne voulait même pas l'envisager. Il se remit à rêvasser.

Quand il se retrouvait sur le dos un peu longtemps, Erik se demandait souvent ce qui se passerait si un accident devait le paralyser. Réminiscence d'une enfance sauvage où il avait souvent fait les quatre cents coups en bande.

Quand il était très jeune, il ne se posait jamais de telles questions. Mais il savait d'où lui venait cette idée de paralysie, d'un oncle resté handicapé après un accident de scooter, un soir où il avait dû partir en plein hiver chercher des rennes égarés sur le mauvais pâturage. Drame banal du vidda. Ça l'avait pourtant impressionné, car il devait à cet oncle sa parfaite maîtrise du scooter des neiges. Un oncle complice avec qui il avait appris à fumer aussi, en gardant la cigarette à l'intérieur de la paume, comme un vrai berger. Mais maintenant, à vingt et un ans, Erik était un homme.

La rencontre avec Anneli l'avait calmé. À la surprise de ses amis restés turbulents. À son propre étonnement. Aux côtés de cette femme solaire, il avait mûri plus vite.

Il avait été bouleversé de la même façon lorsqu'il avait bu pour la première fois. C'est le sentiment qu'il en gardait. Bouleversé. Malade. Honteux. Il n'avait plus jamais bu.

Il n'avait plus jamais pu se passer d'Anneli.

Tout l'un ou tout l'autre.

Les paroles d'Anneli l'avaient chamboulé avec la même force. Toute la beauté du monde le pénétrait quand elle parlait. Ses mots semblaient sortir d'un nuage. Ils en avaient la blancheur pure, la douceur ouatée.

Il se répétait souvent les mots de la jeune fille. Et souriait de sa propre maladresse. Dans sa bouche, les mots sortaient en rang, disciplinés et comme il fallait, mais sans saveur. Les mêmes syllabes s'envolaient du bout de la langue d'Anneli pour faire tourner les esprits attrapés dans leur sarabande. Les gens s'arrêtaient pour l'écouter. Dieu sait qu'elle était belle. Mais ses mots le bouleversaient.

Il oublia soudain Anneli.

Il sentait que c'était parti.

Le renne blanc s'était décidé.

L'animal aux bois imposants venait de se jeter à l'eau et, comme prévu, les autres devaient suivre derrière lui.

Cela prendrait du temps, mais les rennes hésiteraient peu, même les plus jeunes. Leur poil creux les aiderait à flotter.

Quand le bruit des galets roulant s'amenuisa, Erik releva enfin doucement la tête pour observer le déroulement de l'opération. Les rennes ne pouvaient plus le voir, tout entiers concentrés sur la rive opposée vers laquelle ils nageaient en une longue file qui ressemblait à la pointe d'une flèche.

Autour, tout était calme. Les hommes étaient dissimulés.

Au loin, Erik apercevait le pont reliant la terre ferme à Kvaløya. Il leva un peu plus le nez et aperçut le roc où Juva avait déposé l'offrande. Le connaissant, il avait dû n'y mettre qu'une couronne.

Sur les rives, les bergers étaient toujours invisibles.

Mais Erik sentit soudain une inquiétude émanant du troupeau.

Il se passait quelque chose.

Erik se redressa un peu plus.

Sa gorge se serra quand il fixa la rive opposée. Il n'en croyait pas ses yeux.

L'espace d'une seconde, il se dit que ça ne pouvait pas être vrai. Mais il réalisa immédiatement ce qui se tramait et se jeta sur l'arrière de la barque pour démarrer le moteur.

Peu importait maintenant si les rennes le voyaient.

Au lieu de rejoindre la rive opposée, les rennes de tête s'étaient mis à tourner en rond, au milieu du détroit. Une ronde mortelle.

Plus les rennes y seraient nombreux, plus le tourbillon généré serait violent. Plus ils risquaient d'être aspirés et de se noyer. De part et d'autre de la rive, les hommes surgissaient maintenant. D'autres barques aussi étaient en route.

Erik était le plus proche, et il savait qu'il lui revenait de foncer dans ce cercle infernal pour disperser les rennes et tuer le tourbillon.

L'eau lui fouettait le visage. Il voyait déjà de jeunes rennes désespérés et fragiles qui suffoquaient et commençaient à disparaître vers le centre du tourbillon, aspirés vers le fond.

Erik ralentit à peine en arrivant près de la masse compacte des rennes affolés, il fallait briser le cercle à tout prix, éparpiller les bêtes, il s'accrocha tant les remous étaient violents, dans une écume blanchâtre qui se confondait avec la bave moussante qui coulait de la gueule des rennes.

Erik criait, avançant toujours, se cognant tant il était secoué par les vagues toujours plus violentes, heurté par les rennes dont il croisait l'œil terrorisé.

Le berger aperçut le renne blanc de Juva. Il avait l'air épuisé à force de combattre le courant. D'autres rennes plongeaient, le souffle rauque.

La barque tanguait mais Erik voyait que certains rennes commençaient à s'éloigner. Une partie du troupeau avait rebroussé chemin. Il glissa et se cogna contre le bord. Il sentit qu'il saignait. Il resta groggy deux secondes, la barque dangereusement ballottée. L'impression d'être au beau milieu d'une tempête alors qu'à quelques dizaines de mètres, l'eau était calme et le ciel presque entièrement dégagé.

Erik tenta de se relever, le moteur avait calé, il le redémarra, essuyant le sang qui l'aveuglait, il entendait les cris des bergers sur la rive, voyait ceux qui s'approchaient en barque lui faire des signes, les rennes râlaient, cognaient sa barque, insensibilisés par la terreur, brisant leurs bois en s'entrechoquant, les vagues frappaient la coque, embarquaient de l'eau, Erik était maintenant presque au milieu du cercle tourbillonnant.

Deux rennes entraînés heurtèrent la barque de plein fouet et leurs bois s'accrochèrent dans les cordes qui dépassaient du rebord. Ils secouaient furieusement la tête pour se détacher. Erik bascula.

Juste avant d'être définitivement avalé par les flots bouillonnants, son dernier regard attrapa un nuage blanc et ouaté.

2

Hammerfest. 16 h 35.

Nils Sormi offrait son visage satisfait aux rayons du soleil.

Il trônait tel un pacha, entouré de sa petite bande habituelle, plongeurs et autres. Certains venaient lui donner une tape sur l'épaule.

Sur un coup de tête, Nils avait acheté quelques jours auparavant un zinc complet pour compléter la terrasse du pub branché où il aimait se détendre. Et se montrer. Il l'avait fait venir par hélicoptère.

Le pub Black Aurora datait de quelques années à peine. Il reposait en aplomb d'une falaise sur les hauteurs d'Hammerfest, le long de la côte ouest de l'île de la Baleine.

Face à lui, mer scintillante et montagnes enneigées s'entrelaçaient. En contrebas, on apercevait le centre-ville et le port. De là, la route côtière longeait la baie jusqu'à une petite presqu'île où l'on apercevait des hangars et des dépôts de pétrole. La majeure partie de la cité s'entassait ainsi sur une bande de quelques centaines de mètres de large qui serpentait le long de la côte, coincée entre mer et montagne.

Hammerfest, complètement rasée par les Allemands lors de leur retraite à la fin de la Deuxième Guerre mondiale, n'était pas d'une beauté époustouflante, loin s'en faut. Mais sa situation, à l'extrême nord de l'Europe, tournée vers l'Arctique et ses horizons inconnus, lui conférait une part de mystère et une aura d'aventure qui séduisaient plus sûrement encore.

Au-delà de la baie, vers l'horizon, la route continuait pour plonger sous terre et ressortir sur l'île artificielle de Melkøya, construite pour accueillir l'usine de transformation de gaz du gisement de Snø-Hvit, au large. Drôle d'idée d'appeler un gisement «Blanche-Neige». Les deux torchères crachaient consciencieusement leurs flammes aux couleurs de leur fortune.

Une couverture posée sur les genoux, Nils ferma les yeux en sentant la main d'Elenor qui le caressait discrètement. Une ombre passa et vint se mettre devant lui.

– Nils, ce bar... t'es vraiment trop dingue, toi. C'est trop génial ! Il n'y a que toi pour faire des machins comme ça.

– Tu peux t'écarter du soleil, lui répondit Nils avec un geste de la main.

Le flatteur s'éloigna, une canette de bière Mack à la main, pour s'écrouler dans un transat, toujours épaté. L'air était frais, mais au sortir de l'hiver, quelques degrés au-dessus de zéro et un rayon de soleil suffisaient à installer une ambiance printanière. Il se tourna vers Elenor, sa Suédoise. Il posa sa main sur celle de la jeune femme pour arrêter son mouvement. Elenor, sa bombe plaquée or. Les autres en bavaient. Il avait les moyens avec une nana comme elle. Plongeur dans l'industrie pétrolière, en Norvège, ça vous posait son homme, même si les Norvégiens passaient pour des provinciaux en Suède. Une autre ombre s'approcha.

– Alors, t'es au repos pour combien de temps cette fois ?

– Je reprends le boulot demain.

– Tu vas où ?

– Où on me dira d'aller.

– Sur une plateforme ?

Nils prit le temps d'enlever ses lunettes de soleil et passa lentement l'autre main dans ses cheveux noirs coupés en brosse. Elenor avait sorti la main de sous la couverture et la passait sur la poitrine de son homme, pleine d'admiration et de frissons comme à chaque fois qu'il évoquait son travail et renvoyait les autres à leur triste condition. Cette nana était disjonctée. Les machos, ça lui manquait à Stockholm. Il paraît que son arrogance la faisait littéralement fondre. Nils regarda l'ombre.

– Pourquoi, tu penses être capable de plonger en binôme avec moi ?

L'autre tourna les talons. Elenor lui pinça le téton à travers la chemise. Elle avait aimé. Quand lui et sa bande de plongeurs venaient ici, ça rameutait toujours une foule de jeunes, mecs et nanas, qui voulaient se frotter à eux. Quelques plongeurs restaient assis dans leur coin. Ils rentraient à peine d'une mission pourrie et cela se voyait à leur mine encore tendue. Et à leur façon de lever le coude. C'était toujours ça les premiers jours de repos. Nils sentit une vibration et sortit son téléphone. Leif Moe, l'un des superviseurs de sa compagnie Arctic Diving.

D'un mouvement de bassin qui marquait la désapprobation, Elenor se leva et commença à danser seule, aguicheuse. Nils voyait que les autres mecs ne pouvaient détacher leur regard d'elle, mais ils détournèrent les yeux quand Nils se leva lentement. Il ignora Elenor qui s'accrocha à son cou et l'embrassa, et continua vers le parking pour parler au calme.

– La police nous a appelés, elle a besoin d'un plongeur pour aller récupérer un type qui s'est noyé. La boîte n'a pas dit non.

– Ah ouais ?

– On leur doit bien ça pour toutes les fois où on leur a demandé de fermer les yeux sur vos conneries.

– Vous faites vraiment chier, je suis avec ma copine au Black Aurora.

– Tu es le seul dispo et en état de plonger. Les autres sont en mission ou viennent juste de rentrer.

– Merde ! C'est payé combien cette histoire ?

– On vient te chercher. Bouge pas.

Nils raccrocha. De toute façon, il commençait à en avoir marre. Il s'étira, regarda à nouveau le paysage magnifique qui s'étendait à ses pieds. Des montagnes encore largement enneigées barraient tout l'horizon. Sur la terrasse, les mecs se rapprochaient pour mater Elenor qui brandissait un verre en se trémoussant.

– Il faut que j'y aille.

– Oh non, on commence juste à s'amuser !

– Une urgence. Tu peux rester si tu veux. Tiens, prends les clefs.

– Tu m'énerves, je monte exprès de Stockholm et tu me claques entre les doigts au bout du monde, mais tu rigoles ou quoi ?

Elle prit son air boudeur, «catégorie chieuse». Bras croisés, ce qui fit ressortir ses seins pour le plus grand plaisir des autres, Elenor lui décocha une nouvelle pluie de reproches. Le son de sa voix fut bientôt couvert par le vacarme d'un hélicoptère qui atterrit sur le parking du Black Aurora, devant l'air ébahi du groupe, exception faite des plongeurs. Nils posa un doigt sur les lèvres d'Elenor. Elle le fusilla du regard, prit sa main d'un air déjà moins énervé. Niels lut la fierté dans ses yeux quand il embarqua dans le Super Puma.

L'hélico ne mit pas longtemps à atteindre le sud de la petite île. Arrivé sur la berge du détroit du Loup, Nils termina d'ajuster ses bouteilles. Le plongeur leva les yeux sur les bergers sami restés à distance, la mine grise. Quelques corps de rennes avaient déjà été récupérés.

Le soleil venait de se réveiller, la lumière ne manquerait pas. Nils décida de ne pas attendre la police. Un éleveur à l'allure défaite lui indiqua l'endroit où le berger avait disparu. Le courant ne tirait pas trop.

Moins d'une heure suffit à Nils pour découvrir le corps. Il le ramena difficilement sur l'autre berge, défit ses bouteilles.

Sur la rive opposée, les bergers discutaient avec les policiers qui avaient fini par arriver. En apercevant Nils, tout le groupe embarqua dans les voitures pour le rejoindre par le pont.

Nils retourna le corps du berger. Un haut-le-cœur le secoua. Les voitures approchaient, police en tête. Le plongeur fit deux pas de côté et vomit, essoufflé.

Personne ne l'avait prévenu. Erik. Il venait de remonter son ami d'enfance. Il donna un violent coup de pied dans un caillou. Comment avaient-ils pu ? Il s'essuya la bouche de la manche de sa combinaison et revint vers le corps, nauséeux. Personne ne l'avait vu. Il regardait Erik, sans savoir que faire. Trop d'images en tête.

Les policiers arrivaient maintenant, suivis par un groupe de bergers sami. L'un d'eux les engueulait. Il était ivre. Les autres ne s'en préoccupaient pas. L'ivrogne reprochait aux policiers leur absence au moment de la traversée.

Nils reconnut le policier en treillis bleu marine. Il était accompagné d'une jeune équipière blonde plutôt mignonne. Ce salaud de Nango a sûrement dû essayer de la sauter, se dit-il. Nils ne fit pas d'efforts pour sourire.

– Merci Nils, lui dit Klemet Nango en s'approchant du corps.

– Qu'est-ce qui s'est passé ? demanda le plongeur.

Les Sami se rassemblaient autour d'eux. Au loin, une ambulance approchait. Un berger s'avança, il le connaissait aussi depuis longtemps. Juva Sikku. Il lui expliqua l'accident.

– Mon renne blanc aussi s'est noyé, ajouta Juva. Qu'est-ce que je vais faire sans lui ?

Nils s'en fichait. La jeune policière paraissait choquée que Juva Sikku se lamente sur son renne.

– Tu penses que c'est le moment ?

Sikku la regarda sans émotion.

– Tu sais ce que c'est un renne de tête ?

Il cracha par terre et quitta le groupe. À côté, le Sami ivre gesticulait autour de Klemet.

– Bande d'incapables de flics, toujours à arriver après la bataille. La police des rennes ! Des bons à rien ! Tout juste bons à contrôler les scooters. Vous auriez dû être là, c'est vous qui l'avez tué. C'est vous, c'est vous !

Klemet commençait à s'énerver. Nils se tourna vers la policière.

– Vous travaillez depuis longtemps avec lui ?

– Nina Nansen, dit-elle en tendant la main. J'ai rejoint la patrouille P9 depuis assez peu de temps. Et la police aussi d'ailleurs. C'est mon premier poste depuis l'école.

Nils hocha simplement la tête. La policière continuait.

– C'est terrible ce qui est arrivé à ce berger. Je ne savais pas que ça pouvait être si dangereux.

– Si vous voulez du vrai danger, vous n'avez qu'à venir plonger sur un puits de pétrole.

Nina lui lança un regard noir et il vit qu'elle prenait sur elle pour ne pas répliquer. Mais elle gardait le silence.

Visiblement blessée. Il s'en foutait. Peu de gens savaient se comporter face à des mecs comme lui qui pouvaient risquer leur vie au quotidien. Une ahurie de plus.

– Il faut que j'y aille maintenant, je suis attendu.

Il jeta un regard sur le corps d'Erik que les ambulanciers emmenaient. Klemet discutait avec des éleveurs, tournant le dos à celui qui continuait à l'insulter en titubant.

Nils souleva son équipement et le porta dans l'hélicoptère. Le rotor se mit en marche. Klemet s'approcha de lui, toujours suivi par le Sami qui hurlait, ses insultes déjà perdues dans le vacarme des pales.

– Ça te plaît toujours la police ? lui cria Nils avec un ton blessant.

Klemet le regarda longuement, tandis que Nils accrochait sa ceinture de sécurité. Puis il montra du doigt sa combinaison.

– On dirait du vomi là, cria à son tour Klemet. Et puis ça sent aussi.

L'hélico s'envola. Klemet s'éloignait, le regard de Nils planté dans le dos.

3

Vallée du détroit du Loup. 21 h 20.

— Décidément, dit Nina en regardant son petit appareil photo, tu peux encore faire des progrès. Je te montrerai comment on se sert du stabilisateur.

L'air fermé, Klemet conduisait le pick-up de la patrouille P9 de la police des rennes. Nina croyait comprendre que la scène au détroit du Loup l'avait passablement énervé. L'heure tardive n'arrangeait rien. Le caractère renfermé de Klemet non plus.

— Je t'assure, j'ai bien failli sortir les menottes pour cet ivrogne.

— Oh là là, ah ça oui, il les aurait bien méritées.

Klemet ne pouvait pas voir son petit sourire. Mais elle savait aussi que Klemet et plusieurs autres collègues gardaient un souvenir éprouvant de leur service dans des petits commissariats du Grand Nord, où il fallait intervenir, parfois seul, dans des histoires de beuveries qui se terminaient souvent violemment. Intégrer la police des rennes représentait pour eux une pause dans une carrière sous tension permanente. Après être passé, pour certains, par la case dépression nerveuse.

— Tu as remarqué ce grand rocher pointu près de la berge, il y avait des espèces d'offrandes. Jamais vu ça avant.

Elle se tourna vers Klemet qui gardait son air renfrogné. Ça lui passerait.

Le soleil venait juste de se coucher et il faisait encore très clair. En cette saison, le corps ne sentait souvent que trop tard le besoin de s'arrêter, et la fatigue s'accumulait. Nina ne s'en plaignait pas. Elle découvrait un phénomène inconnu dans ce sud de la Norvège où elle avait grandi. Elle n'en voyait encore que le bon côté.

Klemet freina brutalement. En contrebas de la route, Nina aperçut un petit camping-car. Elle se tourna vers son équipier, interrogative.

– Contrôle de routine. Sont garés trop près de la route. Dangereux.

Klemet semblait d'humeur tatillonne. Et peu bavarde. Depuis son arrivée en provenance du sud de la Norvège quelques mois plus tôt, Nina avait eu le temps de jauger son partenaire au cours de patrouilles où ils vivaient l'un sur l'autre des jours durant.

Autant le laisser faire, se dit Nina, ça le calmera peut-être. Klemet frappa à la fenêtre du camping-car. Une tête dégarnie aux cheveux fins et courts s'encadra. Un homme au visage bronzé et sportif, belle mâchoire énergique, un foulard rouge à motifs autour du cou et l'air surpris.

– Je voudrais voir vos papiers.

L'autre réussit à expliquer qu'il était allemand et ne parlait pas le norvégien. Il essaya en anglais mais Klemet le parlait mal, et Nina sentit que la situation allait bientôt l'énerver encore plus. Elle s'avança et servit d'interprète. Klemet poussait le zèle jusqu'au bout. Il fit le tour du camping-car tandis que Nina consultait les papiers.

– Viens voir ça, Nina. Tu ne viendras pas dire, après, que je n'ai pas de nez.

À l'arrière du véhicule, un homme en combinaison de randonneur était allongé. Klemet le secoua. Un autre Allemand, en train de cuver cette fois. Une bouteille de cognac traînait dans le petit lavabo. Ces deux-là s'adaptaient vite aux traditions locales du café-cognac. Dans la partie coffre, Klemet souleva des bois de renne. Sous une banquette, il découvrit même un panneau de signalisation routière avec un renne dans un triangle rouge. Les Allemands adoraient ce genre de souvenir.

– Nina, procès-verbal.

Le conducteur essaya d'expliquer. Ils étaient touristes et quelqu'un leur avait vendu le panneau, ce n'est pas eux qui l'avaient arraché. Quant aux bois, ils les avaient aussi achetés à un Sami près d'un parking. Pour le reste, ils ignoraient l'interdiction de se garer là.

Nina se contenta de traduire, sentant que, si elle donnait son avis, Klemet lui ferait la tête le reste de la semaine. Il remplit le procès-verbal, leur donna un double.

Le conducteur ne protestait pas. Il semblait pressé d'en finir. Ou peut-être pensait-il que l'amende ne le retrouverait jamais en Allemagne.

Après s'être assuré que les Allemands déplaçaient leur véhicule, Klemet reprit la route. Il leur restait le sale boulot. Peut-être était-ce ça qui mettait Klemet dans cet état ? Ils devaient prévenir la jeune épouse d'Erik. Elle campait dans les environs, proche du reste du troupeau, sur la route de la transhumance. Les policiers devaient d'abord récupérer leurs scooters à la cabane de Skaidi, qui leur servait de base en cette saison. Ils longeaient toujours Repparfjord lorsque Klemet s'arrêta à nouveau. Une camionnette de piètre allure était garée, sur un parking cette fois-ci.

– Qu'est-ce qu'il a, celui-là ? soupira Nina.

– Vieille bagnole. Vais vérifier qu'ils ont passé le contrôle technique. Dangereux, ces vieilles caisses.

Toujours aussi bavard.

Il n'y avait personne dans la cabine avant. Klemet et Nina se penchèrent pour examiner l'habitacle. Des post-it de toutes les couleurs étaient scotchés sur le tableau de bord côté passager. Accrochés au rétroviseur pendaient une petite perdrix sculptée au bec cassé et un fanion du Alta IF.

Klemet frappa à la porte latérale de la camionnette. Un homme aux yeux endormis finit par faire coulisser la porte. Son torse émergeait du sac de couchage. Derrière lui, une autre forme bougeait, également engoncée dans un sac.

Les deux hommes se présentèrent comme des techniciens travaillant à Hammerfest. Ils ne logeaient pas dans les préfabriqués alignés au-dessus de l'île-usine mais dans un des hôtels flottants loués pour héberger la main-d'œuvre du nouveau chantier de la raffinerie. Apparemment, l'un était norvégien, l'autre polonais. Ce dernier dit quelques mots en polonais, l'autre traduisit. Le Polonais ne parlait pas norvégien et son anglais ne valait pas beaucoup mieux. Les deux hommes s'excusaient de ne pas avoir leurs papiers avec eux mais se proposaient de passer au commissariat d'Hammerfest dès que possible, ils ne voulaient surtout pas créer de problèmes. Le Polonais restait prostré au fond de la camionnette. Mais ni lui ni le Norvégien ne semblaient avoir bu. Klemet écoutait en observant l'intérieur du véhicule. Il ne voyait rien de suspect.

– Pas de papiers, je vous dresse un procès-verbal, bougonna Klemet. Il remplit le document, leur donna un double en leur rappelant de passer avec leurs documents au commissariat d'Hammerfest et referma la porte.

– Important de contrôler. Important. Avec les cambriolages des cabanons, les squatters et tout ça.

Nina avait l'impression qu'il essayait de se convaincre lui-même.

Une fois dans la voiture, elle se tourna vers lui.

– Tu comptes contrôler tout le monde ce soir ? Tout ça parce qu'un vieux Sami alcoolo t'a insulté ? Tu n'as pas oublié qu'on doit prévenir la femme d'Erik ?

Klemet lui renvoya un regard mauvais. Il prit les deux procès-verbaux, et d'un geste hargneux les déchira en petits morceaux qu'il jeta à l'arrière du pick-up.

– Voilà, on peut continuer maintenant ?

Il démarra sans attendre la réponse et demeura silencieux jusqu'à la cabane de la police des rennes à Skaidi.

Le printemps était pourri. Mais les printemps étaient toujours pourris dans le Grand Nord. En avril-mai, la neige s'accrochait encore, selon l'ardeur du soleil, mais la fonte compliquait la circulation en scooter des neiges. Le long des rivières et sur les lacs, la glace ramollissait. La fonte de la neige accumulée pendant six mois transformait la région en une immense flaque de boue. Il fallait attendre le mois de juin pour avoir de la verdure et oser parler d'été. Le printemps n'était qu'un prolongement de l'hiver, mais en moins bien. En moins froid aussi. La température atteignait ce soir les 5 degrés en dessous de zéro.

Après avoir récupéré leurs scooters à la cabane de Skaidi, Klemet et Nina partirent en direction du campement du clan Steggo. Nina s'en remettait à Klemet pour éviter les pièges de glace fragile. Il leur fallut une heure pour atteindre les tentes dressées sur une étendue de bruyère où la neige avait fondu. Ils firent la dernière centaine de mètres sur un mélange de neige et de végétation, et coupèrent leurs moteurs. Klemet retardait le moment d'aller parler à la famille. Il les regarda de loin. La nouvelle les avait probablement déjà atteints même si le téléphone passait mal sur ce versant de la montagne. En les voyant arriver, un groupe se forma. Des enfants et des femmes surtout. Les hommes étaient loin, auprès des rennes. La transhumance vers le nord avait commencé depuis un moment. Ce troupeau-ci était toutefois très en avance, lui avait expliqué Klemet. Après le drame du matin, la partie du troupeau qui avait tenté la traversée était maintenant scindée en deux, de part et d'autre du détroit. Avec la proximité des routes, notamment celle très fréquentée montant à Hammerfest, il fallait une surveillance accrue. Devant l'une des tentes, un groupe de vieux Sami était resté assis. Nina ne pouvait voir ce qu'ils faisaient.

On se salua, l'air grave. La mort d'un éleveur était toujours un drame. Celle d'un jeune encore plus, tant devenaient rares ceux qui voulaient et pouvaient se lancer. Klemet était au supplice. Sa famille avait été forcée de quitter l'élevage de rennes depuis la génération de son grand-père et il entretenait une relation ambiguë avec ce milieu. Nina s'en était rendu compte lors de l'enquête sur la mort de Mattis quelques mois plus tôt. Beaucoup de petits éleveurs subissaient la loi du plus fort.

Une femme entre deux âges s'avança. À part sa coiffe sami, Susann portait une parka bleu marine un peu trop serrée pour elle et des pantalons de combinaison. Son air énergique éclairait son visage.

— Pourquoi vous n'étiez pas là ? lança-t-elle brutalement.

La même accusation que le Sami ivre.

— Tu crois vraiment que ça aurait changé grand-chose ? répondit Klemet d'une voix lasse.

— Et pourquoi pas ? C'est ton travail de savoir que les conflits pullulent à nouveau entre éleveurs. Tu ne sais pas que c'est la course pour les meilleurs pâturages le long de la route de transhumance ?

— Bien sûr que je le sais, répliqua Klemet. Mais ça n'a rien de nouveau. Je ne vois pas le rapport avec la mort d'Erik.

À la réaction de certaines femmes, Nina réalisa que toutes n'étaient pas au courant de la noyade du jeune homme. L'une d'elles, une vieille habillée de façon traditionnelle, s'accrocha au bras de Susann pour la questionner en sami d'un air inquiet. Susann lui répondit le regard brûlant. Erik était son neveu.

– Tu connaissais Erik ? demanda Susann.

– Pas vraiment, dit Klemet. Pas depuis longtemps en tout cas. En principe, il n'est pas dans ma zone de patrouille.

– Erik était l'espoir de notre clan. Il avait pris la peine d'aller se former à l'université d'agriculture d'Umeå et à l'école supérieure sami de Kautokeino. Je n'en connais pas beaucoup comme lui.

– Qu'est-ce que tu essayes de me dire ?

– Je ne sais pas, Klemet, je ne sais pas, dit-elle en commençant à pleurer avec la vieille femme pendue à son bras.

Klemet hocha la tête.

– Anneli est au courant ?

Susann fit non de la tête.

– Elle garde le troupeau qui est resté au fond de la vallée. Suis le chemin de crête. Vas-y à pied, pour ne pas effrayer les bêtes. Tu trouveras la tente à une demi-heure en haut, d'où elle surveille les rennes en contrebas.

Quelques femelles allaient mettre bas dès maintenant. Des naissances précoces. Normalement, elles ne donnaient naissance aux faons qu'une fois sur l'île, après la traversée, à partir de la mi-mai, et pendant un bon mois, parfois jusqu'à début juillet.

– Ces faons ne pourront pas traverser à la nage, s'inquiéta Susann. On verra comment on fait. Il faudra peut-être qu'on demande la barge de l'Office de gestion des rennes.

Klemet et Nina partirent en direction de la crête. Ils passèrent devant la tente sami où cinq vieux assis entouraient un feu. Ils chantonnaient. L'un d'entre eux avait l'air hagard. Les autres ne paraissaient pas très en forme non plus. Des anciens qui partageaient les derniers moments de cette vie nomade qui n'était plus vécue aujourd'hui que pendant le temps des transhumances. La mécanisation à partir des années 1960 avait sonné le glas de leur ancien mode de vie.

Nina ressentit des frissons en les entendant chanter. Leur chant n'était pas vraiment un joïk, le chant traditionnel sami, mais il en avait la sonorité lancinante, et pouvait aussi tenir du psaume. Le Sami aux yeux hagards repoussa une mèche ondulée. Il ne chantait pas. Nina passa devant lui sans s'arrêter, mais sans le quitter des yeux, jusqu'à ce qu'ils s'attaquent à la crête.

Ils trouvèrent facilement Anneli, même si la marche dans la neige molle les fatigua. La jeune femme surveillait seule ses bêtes. Elle est presque plus blonde que moi, remarqua Nina avec étonnement. Elle avait de longs cheveux raides tombant sous les épaules, des lèvres charnues et de jolies pommettes. Le vent leur battait le visage. Anneli se tenait sur un rocher surplombant la petite vallée tachetée de bouleaux nains. Elle marqua un léger étonnement en voyant les policiers arriver, mais en même temps elle savait bien que la police des rennes allait toujours se renseigner quand des troupeaux étaient en retard ou en avance sur les périodes de transhumance. Une façon de prévenir les conflits entre éleveurs pour des questions d'accès aux pâturages. Anneli leur fit signe, d'un air enjoué. Quand ils furent assez près, elle chuchota d'un air plein d'excitation, leur faisant signe de s'approcher encore jusqu'au rocher.

— Regardez, une femelle va mettre bas.

On y voyait encore bien. Nina attrapa les jumelles et elle assista au précieux moment. Klemet était resté en retrait. Nina devrait se charger d'annoncer la nouvelle à la jeune femme.

– Le souffle du vidda appelle les jeunes rennes à la vie, murmurait Anneli tout à côté de Nina.

La policière voyait le jeune faon s'ébrouer, maladroit sur ses fines pattes. Elle sentait le souffle de la jeune femme dans son oreille.

– La sève ancestrale les traverse déjà, tu vois comment d'instinct ils trouvent leur mère et comment leur mère d'instinct s'inquiète déjà. Sais-tu qu'une mère apeurée abandonne son petit ? Le silence est leur premier voile de tendresse. Toute la magie de la vie se joue en cet instant.

Doux et purs, pensait Nina, émue par les mots d'Anneli. Le moment n'en était que plus insupportable. Elle se retourna vers Klemet, tapi dans l'ombre. Il lui fit un signe de la tête. Nina prit délicatement la main d'Anneli, et elle lui raconta.

4

Vendredi 23 avril.
Lever du soleil : 3 h 26. Coucher du soleil : 21 h 20.
17 h 54 d'ensoleillement.

Mer de Barents. 10 h 55.

Par le hublot de la pièce de commandement, Leif Moe apercevait les creux des vagues.

Cinq ou six mètres tout au plus.

Cela n'avait rien d'une tempête. De toute façon, leur navire de plongée d'*Arctic Diving* était stabilisé.

Ses deux plongeurs en dessous ne devaient pas sentir grand-chose des remous de la surface.

– Profondeur quarante mètres.

Dans la tourelle qui s'enfonçait dans la mer de Barents, reliée au navire par un câble multifonctions, le bellman, Tom Paulsen, rapportait la profondeur atteinte tous les dix mètres.

Ils avaient comme d'habitude d'abord procédé à la check-list, une bonne vingtaine de minutes, essayé les masques, les manettes, les cadrans de pression, les jointures, tout y passait. Les réglementations étaient devenues une véritable plaie sur le plateau continental norvégien.

Heureusement, ils ne plongeaient pas assez profond cette fois pour utiliser des mélanges gazeux, sinon on se rajoutait une bonne tripotée de contrôles encore.

Mais bon, tant que le client payait aussi pour ça, on s'en fichait, pensait Leif Moe. Si ce n'est que le client, les clients, les pressaient de plus en plus. Il fallait toujours travailler plus vite.

Arctic Diving avait perdu un contrat important le mois dernier et ne pouvait pas se permettre d'en perdre un autre alors que la compagnie investissait dans un nouvel ensemble de décompression.

La tourelle allait atteindre sa profondeur de travail. Une tourelle pour cinquante mètres, c'était un peu du luxe, mais bon, ils en profitaient pour tester du nouveau matériel. Il fallait dégager un puits exploratoire.

Un sous-marin télécommandé aurait pu s'en charger, mais on pressentait une complication. C'était l'explication donnée au client pour ne pas avouer que les deux sous-marins étaient en panne.

Nils Sormi allait encore pouvoir faire le beau.

Il devait finir de se préparer dans la tourelle, tandis que son binôme Paulsen le contrôlait. Même si Leif Moe n'aimait pas Sormi, il devait reconnaître que lui et Paulsen constituaient une redoutable paire de plongeurs qui fonctionnaient comme des jumeaux une fois sous l'eau. Sous l'eau autant qu'à terre.

– Profondeur cinquante mètres.

Objectif atteint.

Mise sous pression. Les deux plongeurs allaient être sonnés.

Mais il fallait faire vite. Les minutes étaient comptées, au prix de la technologie déployée pour ces plongées.

Leif Moe surveillait ses écrans de contrôle. Grâce à l'augmentation de la pression dans la tourelle, le sas avait dû s'ouvrir.

– *We got the door.*

Porte ouverte.

Allez, glisse, petit, glisse, pensait Leif Moe.

Elle est pas si froide cette eau. Dans les trois degrés, à peine plus froid que la mer du Nord. Ouais, d'accord, un peu froid. Mais glisse, glisse, avant que le client me fasse chier.

Sur une autre fréquence radio, le client Future Oil, justement, venait aux nouvelles. Chaudement installé à Hammerfest.

– *Arctic Diving*, où en êtes-vous ? disait la voix d'Henning Birge, le représentant de Future Oil.

– Le plongeur entre dans l'eau.

– Vous êtes déjà limite sur l'horaire. Vous risquez de dépasser.

– Tout est en ordre maintenant. Terminé.

De la tourelle, Tom Paulsen continuait à rapporter.

– *Diver leaving the bell.*

Allez, c'est ça, dehors maintenant, c'est bien, mon petit Nils, allez, montre aux gars de Future Oil que t'es le meilleur, qu'ils ont raison de te montrer partout après dans leurs soirées.

Nils Sormi devait être en train de tirer sur son ombilical par lequel passaient les tuyaux qui contenaient sa vie, l'eau chaude, les communications avec la tourelle et surtout l'air qui lui permettait de respirer.

La plongée n'était pas très profonde, Nils devait encore descendre de quelques mètres, mais le fond était noir. Il fallait le nettoyer de tout le matériel abandonné d'une tête de puits de forage exploratoire pour que les filets des pêcheurs ne soient pas abîmés.

Il faudrait plusieurs plongées pour ça, si les sous-marins n'étaient pas réparés rapidement – les deux sous-marins en panne en même temps, ça n'arrivait jamais, bordel –, mais Nils devait faire le gros du travail maintenant.

Il était l'homme de la situation. Un mec qui aimait prendre des risques, qui n'avait pas froid aux yeux, toujours prêt à faire ce petit quelque chose en plus qui le sortait du lot. Bien sûr, dans son métier, ce petit quelque chose en plus pouvait signifier la mort. Mais Nils n'était pas un idiot. Et son binôme valait toutes les assurances. Pour Tom Paulsen, la sécurité passait avant tout, client ou pas, quel que soit le coût. Même les clients, la plupart en tout cas, le respectaient pour ça. Si Nils Sormi avait le petit quelque chose en plus, Tom Paulsen avait le petit quelque chose en moins, ce que d'autres appelaient le principe de précaution. Une combinaison qui les rendait imbattables.

– *Give the diver more slack.*

Donner plus de mou au plongeur. Il devait être dessus ou presque maintenant.

– *Arctic Diving*, vous avez trouvé ?

Tiens, le type de Future Oil se réveillait à nouveau.

– Le plongeur arrive sur zone.

– Qui est à la manœuvre ?

– Nils Sormi dehors, Tom Paulsen en bellman.

– Ah, le petit Sormi, très bien. Mais magnez-vous quand même.

– Terminé.

Trou du cul, pensa Leif Moe. Oh, et puis «le petit Sormi» par-ci, «le petit Sormi» par-là. Il n'y en avait que pour lui. C'est bien simple, Nils Sormi était exhibé par la compagnie. Et les pétroliers adoraient aussi que le plongeur vedette d'Arctic Diving soit un Sami, le seul certes, mais la vedette. Il était l'alibi, «le bon Lapon», la preuve que les compagnies pétrolières étaient ouvertes aux autochtones et les faisaient prendre part au développement local. Le gros Texan de la South Petroleum ne jurait que par lui, on avait l'impression qu'il l'avait adopté. Et il n'était pas le seul. Tu parles ! Entre eux, ils avaient baptisé Nils Sormi «PC», politiquement correct. On sortait le dossier PC quand il fallait calmer des politiciens locaux ou épater des journalistes. Et ce con de prétentieux ne s'en rendait même pas compte. Dans la tourelle, Leif Moe entendit la voix de Paulsen s'adressant à Sormi.

– Nils, laisse tomber, tu n'as pas le temps et c'est trop risqué, ça ne respecte pas les procédures.

– Tourelle, qu'est-ce qui se passe ? demanda Leif Moe.

– La pièce qu'on doit remonter est brisée et nous ne pouvons pas l'accrocher comme prévu. Il faudra creuser dessous pour passer des câbles. Ça pourrait prendre au moins deux jours.

– Deux jours ! Putain.

– Nils ne veut pas attendre. Il dit qu'il peut faire une soudure pour accrocher le câble à la pièce. Personnellement, je suis contre. Il n'a pas tout l'équipement.

– Bon, je transmets.

Quand le superviseur expliqua la situation au client de Future Oil, la réponse était conforme à ce qu'il attendait.

– Vous vous foutez de ma gueule ? Vous savez combien ça me coûte vos heures supplémentaires en décompression et en blabla ? Vous allez dire à Sormi de se bouger le cul là-dessous.

– C'est très risqué d'aller trop vite, et vous avez bien entendu ce que je vous ai dit, il n'a pas l'équipement.

– Vous pensez qu'on le paye pour faire moniteur au Club Med ? Terminé.

Les minutes s'écoulaient, inquiétantes. Leif Moe suivait à distance, réduit à contrôler les indicateurs de la petite pièce où il se trouvait, sur le navire de plongée. Dans la tourelle, l'atmosphère confinée devait commencer à être oppressante pour Tom Paulsen. Mais Nils Sormi, même dans sa combinaison, devait commencer à sentir le froid l'engourdir. Il entendait Paulsen sermonner son binôme, et celui-ci n'en faire qu'à sa tête. Le temps alloué à la mission était de toute façon déjà dépassé.

Leif Moe comprenait que Sormi avait attaqué la soudure d'une pièce de fortune sur la structure destinée à être remontée, contre l'avis de tous. Du bricolage et de la bravade dans la plus pure tradition des balbutiements de la plongée pour l'industrie pétrolière en mer du Nord dans les années 1970. Moe ne pouvait s'empêcher de reconnaître un certain panache à Sormi. Le petit Lapon n'était pas mauvais. Arrogant et prétentieux, mais sacrément bon. Un cri de Paulsen le fit sursauter.

– Rentre tout de suite, Nils, tu es en danger maintenant !

– Paulsen, bordel, qu'est-ce qui se passe ?

– Incident sur l'ombilical. Arrivées en eau chaude et en air réduites de… trois quarts.

– Combien ?

– Trois minutes.

– Il est à combien de la tourelle ?

– Moins que ça. Mais il dit qu'il a presque fini la soudure.

– Nom de Dieu, va me le chercher par la peau du cul !

– Reçu. Terminé.

Paulsen était en principe préparé pour réagir au quart de tour. Cela faisait partie de sa mission comme bellman. Il n'avait qu'à enfiler son masque. Le temps de le dire, ça devait déjà être fait. Paulsen serait prêt à y aller sans masque pour son pote. Moe avait les yeux rivés sur les écrans et sur son chrono qu'il avait mis en marche par réflexe.

– *Arctic Diving*, vous avez décidé de vous la couler douce encore longtemps ?!

Leif Moe coupa la communication avec Hammerfest. Il serait quitte pour une engueulade. Les trois minutes

44

étaient passées. Le silence était total, à part un léger gré-sillement de la radio. À l'extérieur, les vagues venaient battre contre la coque, sans beaucoup d'effets. Il aperce-vait la plateforme mobile par l'autre hublot, insensible elle aussi au gros temps.

– *Divers back in the bell.*

Il poussa un soupir de soulagement. Et reprit le micro.

– Rapport.

Deux longues minutes passèrent.

– Nils est K-O, je l'ai récupéré évanoui. Il respire, mais il a eu le temps de se refroidir. Tu vas pouvoir rassurer Future Oil. Il a pu terminer la soudure. Prêt à remonter. Terminé.

Leif secoua la tête.

– Entamez la remontée et la décompression. Terminé.

5

Klemet Nango et Nina Nansen avaient passé la nuit dans la cabane de Skaidi. Sur les sites Internet des journaux locaux, les commentaires allaient bon train pour évoquer l'accident qui venait de coûter la vie à Erik Steggo. Beaucoup de messages de sympathie. Mais aussi ceux, aigris et opportunistes, qui ne manquaient jamais une occasion de déverser leur fiel. « Si l'île de Kvaløya avait été interdite aux rennes, cet accident ne serait jamais arrivé. » « Les habitants d'Hammerfest en ont marre de ces rennes. »

Rien de bien nouveau, se dit Klemet. Ces histoires de rennes en ville durant l'été empestaient les relations entre communautés depuis des lustres.

Le maire d'Hammerfest lui-même y mettait son grain de sel en publiant sur sa page Facebook les photos des rennes qu'il surprenait dans sa ville.

Nina et Klemet retournèrent sur les hauteurs du détroit. Ce n'était pas la première fois que des rennes se noyaient pour rejoindre un pâturage ou en revenir.

Au printemps, de nombreux troupeaux qui avaient hiverné dans l'intérieur de la Laponie, entre Kautokeino et Karasjok, regagnaient les pâturages d'été sur la côte au nord, parfois sur des îles. Certains rennes à la nage, d'autres dans des péniches de débarquement affrétées par l'Office de gestion des rennes. À l'automne, ils effectuaient le chemin inverse. De la routine. Mais jamais Klemet n'avait entendu parler de la mort d'un éleveur de la sorte. Les mots de Susann l'avaient blessé, même si elle avait tort. Leur présence n'aurait rien changé.

La réverbération l'aveuglait. Il enfila ses lunettes de soleil. Tous les rennes noyés avaient été repêchés. Une trentaine en tout. Le reste du troupeau avait traversé sans problème quelques heures plus tôt. Les autres, toujours avec Anneli, rejoindraient plus tard leur prochain pâturage.

Nina le sortit de ses pensées. Directe, à sa façon.

– C'est quoi ton problème avec Nils ?

Klemet la regarda sans rien dire. Souvent, ça marchait. Pas cette fois. Pas avec elle.

– Tu n'es pas obligée de penser que j'ai eu des problèmes avec tous les éleveurs de la région.

Klemet se plongea dans l'observation du détroit du Loup.

– Tu as vu son genre ?

Ce fut au tour de Nina de rester un moment silencieuse. Elle aussi semblait absorbée par la contemplation du détroit. Face à elle, les pentes encore enneigées scintillaient. Les rennes devaient déjà s'enfoncer dans l'intérieur de Kvaløya, les uns remontant vers la ville, les autres vers le plateau inhabité sur les hauteurs de l'île.

– Oui, dit-elle après un moment. Oui, je sais, insupportable. Et irrésistible.

– Qu'est-ce que tu veux dire ?

Pour une fois, ce fut Nina qui resta silencieuse.

Le téléphone portable de Klemet sonna alors que la patrouille P9 redescendait vers la vallée.

48

– Des traces ? Quelles traces ?

Une affaire de vol de rennes.

– Ça nous changera les idées, lança Nina après qu'il eut raccroché.

Ils retrouvèrent l'éleveur qui venait de signaler le vol sur un parking le long de la route qui s'enfonçait dans Repparfjord à l'heure convenue. Une ponctualité qui tenait de l'exploit dans cette région immense et dépeuplée où «on arrivait quand on arrivait».

Le voleur ne s'était pas embêté. Le lieu du délit ne se trouvait qu'à une quinzaine de mètres à peine de la route, plutôt à découvert, côté montagne. Une prise de risque étonnante car la lumière ne faiblissait guère même en pleine nuit. L'éleveur repartit aussitôt. Pendant la transhumance, on ne pouvait pas s'absenter longtemps.

La bête avait été dépecée sur place. Encore un signe indiquant une prise de risque inhabituelle. La plupart des vols de rennes se déroulaient à l'automne. Non seulement les bêtes s'étaient refait une santé avec l'herbe broutée le long de la côte, la viande étant alors bien meilleure, mais l'obscurité permettait aussi de braconner sans grand risque. Klemet et Nina enfilèrent des gants en plastique bleu pour retourner la peau et la tête coupée du renne, dont les bois avaient disparu. Mais pas les deux oreilles. Nina prit les devants.

– Si on a les oreilles, c'est que notre voleur n'est pas du coin, sinon il saurait que le meilleur moyen de faire classer une affaire de vol, c'est de les faire disparaître. Non ?

Klemet ne jugea pas utile de répondre. Nina n'était plus vraiment une petite nouvelle dans la police des rennes, elle avait déjà assimilé les fondamentaux. Pas d'oreilles, pas de marques ; pas de marques, pas de propriétaire ; pas de propriétaire, pas de plainte. Pas de plainte, affaire classée. La logique implacable de l'investigation policière en Laponie. Encore fallait-il le savoir. Chaque renne était marqué aux deux oreilles qui identifiaient infailliblement l'éleveur. La police disposait d'un livret qui recensait les centaines de marques usitées dans la région. Klemet et Nina se regardèrent et eurent la même idée en même temps. Ils retournèrent vers le pick-up et commencèrent à ramasser les bouts de procès-verbal jetés en vrac à l'arrière.

6

Personne ne se rappelait exactement pourquoi ni quand le plus petit des quais du port d'Hammerfest avait reçu le surnom de quai des Parias. Nils trouvait qu'il portait bien son nom.

Le quai avait beau être en centre-ville, il paraissait complètement à l'écart du reste de la cité et de ses dix mille habitants. À deux cents mètres à gauche du quai, face à la mer, se tenait la place principale de la ville, avec la mairie, l'hôtel Thon, la boutique à journaux et à bon-bons Narvesen, le kiosque à kebabs, et quelques magasins. L'immeuble hébergeant les entreprises du pétrole s'élevait juste derrière, au-dessus d'une galerie commerciale.

À quelques pas vers la droite s'érigeait le très moderne Centre culturel arctique, dont les structures s'illuminaient de bleu la nuit. Un puissant édifice construit au bord de la baie grâce à l'argent du gaz de la mer de Barents. Juste retour des choses, pouvait-on estimer, pour ce vieux village qui fut le premier à bénéficier de l'éclairage public des rues dans le nord de l'Europe.

Mais les promeneurs ne venaient pas non plus jusqu'à cette partie du port. Pour eux, ces cent mètres valaient cent kilomètres.

Le quai des Parias renvoyait l'image d'un monde à part. D'un côté, de petits bateaux de pêche venaient y accoster. Jamais très nombreux, quatre à cinq au grand maximum. Ceux de quelques pêcheurs sami et d'autres non sami mais tout aussi besogneux.

L'autre extrémité du quai des Parias était d'habitude réservée aux navires de plongeurs. Ce soir, l'*Arctic Diving* occupait l'anneau.

La particularité du lieu tenait toutefois aux deux bars quasi invisibles situés dans le prolongement du quai. Ils se tenaient côte à côte, et pourtant un fossé les séparait, avec de gros bidons de fuel en guise de ligne de démarcation. On connaissait le premier comme le repaire des plongeurs et des marins de retour de mission, bien loin du Black Aurora qu'ils réservaient aux soirées destinées à épater la galerie.

Dans leur bar du quai des Parias, le «Riviera Next», les plongeurs se retrouvaient entre eux, sans sentir le besoin d'en remontrer aux autres et de rouler des mécaniques, mais traînant leur réputation de trousseurs de filles, fêtards, bagarreurs et trompe-la-mort qui mettait mal à l'aise les habitants. Rares étaient les élus extérieurs à leur monde qui pouvaient mettre un pied dans cet antre sans s'y trouver rapidement étranger.

Le bar voisin, «Bures», bonjour en sami, avait plus piètre allure encore. On passait d'un monde à l'autre, chez les pêcheurs, sami et non sami. Des Sami de la côte, petits pêcheurs qui bataillaient pour survivre de la pêche traditionnelle dans les fjords, au bas de la hiérarchie des Sami dominée par les grands éleveurs de rennes. Mais ceux dont les bêtes séjournaient sur Kvaløya n'étaient pas de grands éleveurs. Et ne le seraient jamais plus. C'est pour cette raison que certains d'entre eux venaient parfois au Bures. Parfois. Rarement. Dans cette ville d'Hammerfest désormais complètement offerte au pétrole et au gaz de la mer de Barents, ils ne se considéraient pas bienvenus. Sur ce quai des Parias, ils pouvaient éviter de se mélanger au reste de la cité.

Un simple rideau métallique de garage fermait l'accès des deux bars. Une fois les rideaux relevés, un espace ouvert servait de fumoir, avec deux tables, des bancs, des cendriers un peu partout et des ampoules nues jetant une lumière crue. L'accès aux bars était dans le fond, de simples portes qu'aucune inscription ne venait révéler. À moins d'en connaître l'existence, on déambulait devant sans s'en rendre compte.

Après avoir passé une partie de la journée en caisson de décompression avec Tom Paulsen, Nils Sormi vint s'échouer dans le bar. L'heure du Black Aurora viendrait plus tard. Henning Birge, le représentant local de Future Oil, l'avait rejoint dès la descente du bateau. Birge, un grand type au visage étroit, aux cheveux très blonds sagement coiffés avec une raie sur le côté et des lunettes de comptable, avait passé un savon au plongeur.

Ces types se foutent bien de savoir ce qui se passe là-dessous, pensait Nils. Mais il ne broncherait pas devant les autres. Il encaissait. Question de posture. Il se savait meilleur, et ce type avec ses grands airs ne pouvait se passer de lui. Nils l'entendait gueuler, mais tout glissait sur lui. Ses histoires de retard, de surcoût, de taxe, tout cela lui importait peu. Il fallait juste que ce gars veille à ne pas dépasser les bornes. Subtil dosage qui dépendrait de la façon dont Nils estimerait que les autres, en terrasse, jaugeraient la situation. La mauvaise préparation de la mission ne relevait pas de sa responsabilité de plongeur. Birge ne réalisait même pas que lui, Nils Sormi, l'avait sorti du pétrin.

Paulsen finit par s'approcher du pétrolier et lui expliqua, à sa façon qui inspirait toujours le respect, comment

Sormi avait sauvé la mission en risquant sa peau, «tout cela pour une saloperie de bout d'acier mal arrimé».

D'autres plongeurs suivaient la scène en silence. Sormi gardait le masque. Le responsable pétrolier se ridiculisait aux yeux des autres qui comprenaient que le plongeur avait mené une action d'éclat. Nils Sormi ne fut pas étonné quand il vit Henning Birge adopter une attitude onctueuse. Il venait de sentir le changement d'atmosphère. Il le prit par les épaules pour lui donner une accolade.

– Allez, tout ça finit bien. Nils, tu dois savoir comme nous sommes fiers de travailler avec toi.

Il s'adressait autant au plongeur qu'à l'assistance des deux bars.

Nils profita du mouvement de l'autre.

– Tu as eu tort de faire ton numéro devant tout le monde, chuchota-t-il en lui écrasant l'épaule entre ses doigts. C'est la dernière fois.

Ils se séparèrent. En dépit de la douleur, Birge souriait. Il prit les autres à témoin.

– Sormi, c'est le visage du Finnmark de demain, courage et honneur, un exemple pour tout le peuple sami, celui qui prend son destin en main et qui ne se contente pas de tendre la main pour réclamer de l'argent gagné par les autres. Bravo, Nils.

Il partit sans demander son reste.

Nils alla s'asseoir à la terrasse des plongeurs. De l'autre côté des bidons, quelques pêcheurs buvaient une bière. Des Sami sans doute, qui pêchaient dans les fjords, des non-Sami sûrement aussi, mais impossible de savoir qui était sami ou pas le long de la côte. Les populations se mélangeaient depuis des siècles. Nils connaissait son origine sami, mais il n'avait jamais revendiqué cette filiation. Aucun intérêt. Si ça amusait la compagnie de l'agiter, pourquoi pas. Mais il ne voyait pas ce qu'elle avait à y gagner. À Hammerfest, les habitants ignoraient pour la plupart ce qui se passait à quelques dizaines de kilomètres de là, sur la toundra. Il but une longue gorgée de bière en fermant les yeux. Tout d'un coup, il entendit un applaudissement lent, comme un écho venant du recoin le plus sombre du Bures.

– Belle prestation, tu peux être fier de toi.

Les applaudissements résonnaient dans un silence lugubre, provenant de l'autre côté des bidons. Nils aperçut Olaf qui sortait de l'ombre, une bière à la main. Tiens donc, l'Espagnol était en ville. Que faisait-il ici, celui-là ? Olaf Renson siégeait au parlement sami de Suède tout en travaillant comme éleveur de rennes. Son militantisme en énervait plus d'un. Il affichait souvent une hargne provocatrice et son attitude fière lui avait valu ce surnom d'Espagnol.

– Décidément, tu es bien différent d'Erik, continua Olaf Renson. Jamais il ne se serait laissé humilier de la sorte. Il savait rester debout.

Nils ne répondit pas immédiatement. Il venait d'apercevoir, derrière le Sami, la femme d'Erik Steggo. Il la connaissait à peine.

– De quoi vous vous mêlez ? leur répondit-il méchamment. Et vous êtes ensemble maintenant ? Tu n'as pas honte de t'afficher ici avec lui alors que ton mari vient de mourir ! ?

– Olaf me conseille sur mon troupeau. Je suis seule maintenant, tu le sais bien puisque tu as ramené Erik à la surface et je t'en remercie. Cela a dû être dur pour toi aussi. Tu n'as pas besoin de salir mon ami Olaf au prétexte qu'il demeure fidèle à sa tradition. Cela n'enlève rien à tes choix.

– Sa tradition ! Parlons-en. C'est vrai que les rennes, ça n'a jamais été ma culture, ces bestioles-là. Et puis vous me parlez de courage ? Mais quelle rigolade, vous entendez, vous autres ? Regardez-les, ces beaux Sami, ils se gargarisent de mots sur la survie de leur culture, mais ils n'ont pas les tripes pour aller au bout de leurs idées et demander l'indépendance alors qu'ils ont une terre, un Parlement, un drapeau et tout le bazar.

Autour de Nils, les plongeurs étaient au spectacle. Quelques-uns cognaient leur verre sur la table. Nils ne semblait même pas faire attention, regard froid planté dans celui des deux Sami.

– Vous auriez tout, on verrait bien ce que vous feriez alors, hein ? Et vous savez pourquoi on l'appelle l'Espagnol celui-là, parce qu'il a la fesse fière comme les toreros à ce qu'il paraît. C'est surtout un roi de l'esquive quand il faut prendre des responsabilités. Mais moi, quand je suis au fond, je les prends, mes responsabilités.

Des plongeurs lancèrent des sifflets pour encourager Nils tandis que d'autres applaudissaient en rigolant. De l'autre côté, les mines se durcissaient. Certains, qui ne se sentaient pas concernés, rentrèrent dans le bar.

– Tu oublies que les choses ont changé.

Olaf s'approcha des bidons et pointa le doigt sur Nils.

– Nous allons avoir notre autonomie maintenant. Et les choses vont changer !

– Ah oui, et vous allez la financer comment, votre autonomie ? En vendant des peaux de rennes ? Le pognon, c'est le pétrole qui est là, dans la mer.

– Cette autonomie sera la tienne aussi. Et puis toi, pauvre type, tu es quoi alors ? Et cet argent, ce pétrole, il est à nous, les Sami. Ces terres, ce pétrole, cette eau, tout ça c'est à nous !

À leur tour, plusieurs Sami applaudirent et crièrent. Des plongeurs se levèrent. Klemet arriva à ce moment précis.

– Je pense que tout le monde va se calmer, dit le policier.

Nils se rassit. De toute façon, il était fatigué. Olaf posa brutalement sa bière.

– Ah, les deux collabos ! siffla-t-il. Allez, j'ai plus rien à faire ici.

– Change de disque, répliqua le policier d'un air fatigué. Anneli, j'étais venu pour te voir. Il faut qu'on parle de ton troupeau.

De part et d'autre des bidons, chacun retourna à son verre. La passion retomba vite, absorbée par la grisaille du jour. Nils leva son verre en les regardant partir.

– À la vôtre, les parias.

7

La Société royale et ancienne de l'ours polaire, «le club» pour les habitués, partageait ses locaux avec l'office du tourisme d'Hammerfest dans un de ces immeubles bas et tristes qui entachaient le centre-ville.

L'entrée se situait au rez-de-chaussée, tournée vers un quai en eaux profondes où venaient aborder chaque jour en fin de matinée les gros ferries de l'*Hurtigruten*, l'Express côtier qui reliait Bergen à Kirkenes. Cinq cents mètres le séparaient du quai des Parias. Le club était fermé au public depuis plusieurs heures, mais la salle du fond, dédiée aux cérémonies, restait éclairée ce soir.

Markko Tikkanen avait bien fait les choses. Comme d'habitude.

«Je fais toujours ce qu'il faut faire.»

Il bougeait sa lourde carcasse avec vélocité, replaçant une mèche rebelle sur ses cheveux bruns mal gominés, pour s'assurer une dernière fois du bon ordre de chaque ustensile.

La petite table octogonale centrale, ornée d'un ours blanc taillé dans l'ivoire, aux pieds en bois renforcés de corde, était encore dégagée. Ses invités aimaient apercevoir cet ours avant qu'il ne soit recouvert d'une nappe. Ils en tiraient de la force, disaient-ils.

Si ça les amusait.

Les deux chaises et les deux banquettes à deux places qui encadraient la table étaient tout aussi précieuses à leurs yeux. Des peaux de phoques les recouvraient tandis que des reproductions de figures rupestres retrouvées dans la région en constituaient l'ornement. D'autres peaux de phoques tendues, des photos de l'épopée arctique norvégienne et des ossements d'animaux décoraient les murs de la pièce.

Dans un petit recoin, protégé du sans-gêne des touristes par une vitre, un os d'une quarantaine de centimètres intriguait généralement les visiteurs. Il servait à introniser les nouveaux membres du club, ces derniers ignorant qu'on les adoubait au moyen d'un énorme os de pénis de morse.

La pièce aveugle ne profitait pas de la douce lueur orangée et mauve du soleil couchant. Mais les lumières tamisées donnaient le change.

Les invités arrivèrent bientôt. Markko Tikkanen, servile à souhait, s'inclina légèrement devant chacun d'eux, leur souhaitant la bienvenue dans la langue rocailleuse qu'il conservait de ses origines finlandaises. Les hommes qui se réunissaient maintenant comptaient parmi les plus puissants de cette petite ville en passe de devenir le Singapour du Grand Nord. Ou le Dubai de l'Arctique, selon les préférences. Markko Tikkanen essayait en tout cas de s'en convaincre. Il avait parfois du mal quand il observait la cité coincée sur un bout de l'île, au pied d'une montagne battue par les vents, face à la mer de Barents. Mais Tikkanen était Tikkanen. «Ma mère m'a fait naître optimiste. Sinon, en voyant dans quel gourbi je naissais, j'aurais dû mourir de désespoir sur-le-champ.» Tikkanen voyait les choses ainsi. Avec sa poésie à lui. Ou ce qu'il considérait être de la poésie. Ou du bon sens.

Bon, c'est bien, tout est prêt. Ah, et voilà le Texan. Et voilà, un beau sourire. Bill Steel était un authentique Texan, puisqu'il avait un cigare. Tikkanen se serait de toute façon décidé à l'appeler le Texan même s'il avait été du Michigan. Le cigare sûrement. On considérait Bill Steel comme un original car ce devait être le seul Texan de la planète à être coiffé d'une casquette des Chicago Bulls. Personne n'avait jamais su pourquoi. Il en imposait tellement avec son cou de taureau formidable aux veines palpitantes que personne n'avait jamais osé le sonder car on soupçonnait un motif frisant l'inavouable. Il en imposait d'autant plus. Si Tikkanen, homme gras et mou, amusait son entourage, surtout quand il s'empressait, ce qui ne manquait jamais de piquant, l'énorme Texan impressionnait par sa masse tout en muscles, ce qui expliquait que le Finlandais se laissait appeler Tikka, même s'il n'appréciait pas le ton employé.

En hôte d'exception qu'il estimait être, Tikkanen connaissait le pedigree de ses invités. Certains auraient pu s'en offusquer, mais la vérité exigeait d'avouer que Tikkanen fichait les gens. Il adorait connaître l'occupation de chacun, ses origines, ses petites habitudes. Tout. Tikkanen se persuadait que cette manie se justifiait pour le bien de ses affaires. Rien de glauque là-dedans.

Tikkanen révisait avant chaque rencontre. Steel le Texan, vétéran de l'épopée pétrolière norvégienne, arrivé en mer du Nord au milieu des années 1960, à l'époque où les Norvégiens commençaient à sentir l'odeur du pétrole mais savaient tout au mieux écailler leurs morues. Des paysans et des pêcheurs qui ne connaissaient rien aux hydrocarbures et qui avaient fait venir des gens de partout. Steel s'était taillé une réputation dès cette époque avec sa façon très particulière d'insulter tout être vivant passant à moins de cinq mètres de lui. Avec les années, il s'assagissait. D'où sa nomination comme représentant dans le nord de la Norvège de la compagnie américaine South Petroleum, un des poids lourds du milieu.

Il se courba à nouveau devant Henning Birge. Tikkanen se méfiait de ce grand type blond au visage étroit et à la raie sur le côté trop parfaite. Regard de fouine. Bien trop sûr de lui. Sa compagnie, Future Oil, suédoise, ce qui la rendait suspecte en soi, ne comptait pas parmi les majors, mais son galon tenait à sa spécialisation dans les endroits à risque. On la trouvait dans toutes sortes de pays peu recommandables. Le pétrole dans l'Arctique ? Sulfureux à souhait, excellent, Future Oil baignait dans son élément. Tikkanen ne tournait pas le dos aux affaires risquées. On n'obtenait rien sans s'exposer, il le savait mieux que quiconque. Mais lui, Tikkanen, il connaissait Tikkanen. Il savait qu'il pouvait se faire confiance. À lui-même en tout cas. La plupart du temps. Sauf quand les éléments se dressaient contre lui. Et la malchance. Et la bureaucratie. Et tout ce que cette terre comportait de médisant vis-à-vis de gens comme lui. Tikkanen se dandina jusqu'à une table à roulette qu'il approcha. Les bouteilles s'entrechoquèrent. Il fit un signe vers la table à l'ours.

Ce grand blond de Future Oil, qui chuchotait maintenant à l'oreille du Texan, venait en outre du sud de la Norvège. Un Norvégien qui travaillait pour les Suédois… Et on savait bien ici que les gens du Sud ne valaient pas grand-chose par là-haut. Ils débarquaient avec leurs idées, leur accent et croyaient vous apprendre la vie. Mais ils apportaient aussi beaucoup d'argent et plein de projets d'investissements. Et il fallait des terrains pour ça. Et les terrains, c'était son affaire à lui, Tikkanen. Car Tikkanen ne se contentait pas d'établir des fiches sur tout le monde, il pouvait également nommer le propriétaire de presque chaque parcelle de terrain de toute l'île, et même préciser où les rennes allaient paître du printemps à l'automne. Bref, là où les conflits potentiels avec les éleveurs de rennes pouvaient survenir. Et ça, ça valait de l'or, Tik-kanen le savait, car les multinationales, ça ne leur faisait rien de fermer des usines, on disait que ça faisait partie du business. Mais un conflit avec un peuple autochtone, ça vous fichait tout de suite une sacrée mauvaise publicité. Alors les grosses boîtes essayaient d'éviter. Tikkanen l'avait bien compris. Et il regorgeait d'idées pour régler ce genre de problèmes.

Tikkanen offrit un sourire avenant à Birge en lui dési-gnant son siège. Gunnar Dahl arrivait enfin au côté de Lars Fjordsen. Deux natifs d'ici, rien à redire. Des types directs, pas de chichi. D'après sa fiche, Lars Fjordsen était au moins un quart sami. Mais lui-même l'ignorait pro-bablement. Et, vraisemblablement, il s'en fichait comme d'une guigne car sur la côte, presque tout le monde avait sans doute un bon demi-litre de sang sami, au bas mot. Fjordsen était petit, presque chauve, avec des petits yeux bleus rieurs qui pouvaient soudain vous épingler au mur.

Avant de se lancer en politique, Fjordsen avait travaillé comme ingénieur géologue pour Norgoil, la compagnie publique norvégienne de pétrole et de gaz. Il avait connu son heure de gloire, grâce à ses études sismiques, en contribuant à la découverte du champ de Troll en mer du Nord, le plus gros gisement de gaz au monde à l'époque. Militant social-démocrate ambitieux, il connut une pro-gression rapide. Une vraie bête de politique qui connais-sait tout le monde, sans avoir besoin de faire de fiches, ce qui suscitait l'envie de Tikkanen.

Tikkanen cernait avec bien plus de difficulté le dernier des quatre qui lui inspirait une certaine crainte. Pas une crainte. Bon sang de Satan, Tikkanen n'avait peur de rien ni de personne. La plupart du temps.

On remarquait chez Gunnar Dahl sa haute taille, sa pilosité sombre et sa maigreur, du maigre qui tournait au ridicule, estimait Tikkanen. Il portait ce genre de barbiche en collier, sans moustache. À la Lincoln. Mais surtout comme ces pasteurs protestants qui avaient hanté la jeunesse de Tikkanen. Pour quelqu'un qui sévissait dans le pétrole, Dahl dénotait. Il n'affichait pas son air de pasteur pour rien car il fréquentait assidûment le temple. Dahl était aussi le plus âgé. Il appartenait à la première vague des pionniers de Norgoil partis à la conquête des gisements du monde entier, une fois que l'emprise norvégienne avait été assurée sur les frontières nationales. Quand Norgoil commença à s'enquérir de nouveaux territoires, la compagnie se tourna vers le réseau des missionnaires norvégiens aux quatre coins du monde pour comprendre les sociétés et profiter de leur logistique. Les missionnaires appartenaient à l'Église d'État, et Norgoil travaillait pour l'État, donc entre serviteurs de l'État, on se comprenait et on s'entraidait. Tikkanen considérait depuis toujours que cela relevait de la plus parfaite hypocrisie. La plupart des cadres de Norgoil se fichaient de l'Église. Mais Gunnar Dahl était différent. Il ne fumait pas, ne buvait pas, ne baisouillait pas. Cela lui valait le surnom de Monseigneur, ce qui renvoyait un écho franchement bizarre dans ce milieu brutal et peu scrupuleux.

Tous étaient là. Tikkanen organisait ce type de rencontre au moins une fois par mois, toujours un vendredi. Rencontre informelle, sans agenda précis, mais les invitations de Tikkanen passaient pour irrésistibles, avec bonne table, bonnes boissons et, parfois, bonne compagnie. Ce n'était pas le cas ce soir. Tikkanen espérait quand même grappiller quelques infos intéressantes.

Après avoir mis une nappe, Tikkanen commença à servir ses invités. Ces derniers ne se donnaient pas de mal pour le faire participer. Birge tendait son verre sans le regarder, Fjordsen le pressait d'amener la nourriture.

– Tikka, pas de petites copines ce soir ? râla le Texan en vidant la moitié d'un verre de bière.

Tikkanen jeta un air gêné vers Monseigneur, qui ne se mêlait jamais à leurs petites histoires plus olé olé. Mais le pétrolier à tête de pasteur ne se révoltait jamais contre ces pratiques. Il devait croire à la vertu de l'exemplarité et, conscient de sa réputation, ne voulait pas en rajouter en faisant la morale. Lui aussi venait partager quelques soucis professionnels et éventuellement des solutions.

Sans attendre la réponse, le Texan partit d'un rire tonitruant puis se jeta sur les tartines de saumon. Tikkanen hocha la tête pour l'encourager. Une fois encore, il assistait à leurs messes basses. En sa présence, c'était toujours ainsi. On le tenait à l'écart. On l'envoyait chercher plus de vin pour l'écarter. C'était devenu une espèce de rituel auquel lui-même se pliait car on lui avait fait comprendre une fois pour toutes depuis longtemps que ce qu'il devait savoir, il le saurait en temps voulu. Tikkanen connaissait sa place. Et il n'était pas perdant. Sauf s'agissant d'amour-propre. Il était un pion et il le savait. Il leur avança des cocktails de crevettes les plus fines, des émincés de baleine dont le Texan raffolait, des tranches de phoque fumé qui semblaient la seule faiblesse de Monseigneur tandis que Fjordsen se jetait sans retenue sur les roulés de renne, ce qui faisait toujours rire les autres car il était connu pour chasser les rennes qui s'aventuraient en ville. Seul Henning Birge faisait systématiquement la fine bouche, semblant s'étonner que ces victuailles puissent avoir un quelconque goût, alors que Tikkanen lui-même semblait en être tellement dépourvu.

– Mais ça n'a rien de méchant, tu le comprends bien, Tikkanen ? disait Birge avec un air parfaitement hypocrite.

– Birge, tu es un sacré trou du cul, s'esclaffait alors le Texan. Tu n'y connais rien, et tu devrais baiser un peu plus. Oh pardon, Monseigneur ! Tikka, de la bière !

Puis il se penchait vers Tikkanen pour lui parler à l'oreille.

– Alors, nos copines, tu avais promis ?

Tikkanen avait du mal à se pencher à cause de son ventre énorme, il était tout essoufflé de la tentative, il s'épongea le front et il invita plutôt Steel à le suivre dans la pièce voisine où il entreposait ses réserves.

– Trois filles arrivent de Mourmansk par le bus dans une semaine. Je crois que ce sera une soirée mémorable.

– Sacré Tikka, *you are the best, motherfucker* !

– Et… les projets de South Petroleum, vous avez décidé ?

– Ah ah, petit coquin de Tikka, tu es un malin, toi.

– Juste pour vous servir, dit-il en s'épongeant le front.

– Je t'ai déjà dit, mon petit Tikka, si tu me trouves un bel endroit où on se fasse pas emmerder par des éleveurs, tu seras mon homme, Tikka Tikka.

– Vous savez que ces terres-là sont rarissimes ici.

– Ne me fais pas chier Tikka avec tes putains de détails, tu entends ?

Le Texan n'avait plus l'air sympa du tout. Ses veines du cou avaient au moins doublé de volume. Tikkanen lui mit une bière dans chaque main, en prenant l'air contrit.

– Je vois des solutions se dégager, mais ça prendra un peu de temps si on ne veut pas attirer l'attention.

– Ça je m'en fous, Tikka, on ne balance pas deux cents millions de dollars du jour au lendemain. Mais il me faut un plan pour rassurer mes patrons à moi à Dallas, Tikka, tu comprends ?

Le Texan revint s'asseoir avec ses deux bières tandis que Tikkanen revenait les bras chargés de différents petits-fours délicats. Bill Steel disait tout le bien qu'il pensait du petit Sormi, un plongeur qu'il considérait comme son fils.

– Comme mon fils, dit-il en beuglant à l'adresse d'Henning Birge. Ne le fais pas chier, tête de serpent.

Il éclata de rire et prit soudain un air sérieux en s'avançant vers les autres. Les quatre hommes étaient penchés et chuchotaient sans que Tikkanen ne puisse les comprendre distinctement. Le Finlandais comprenait très bien le message : il ne faisait pas partie de leur club. Ils lui faisaient sentir sans se gêner pour épargner son amour-propre. Mais au fond, il savait que lui, il resterait toujours. Eux… eux, ils ne seraient qu'un temps ici. Un jour le vent de l'océan arctique les balaierait loin vers le sud. Même Monseigneur et Fjordsen. Et il remplit leurs verres de cognac trois étoiles avec un sourire modeste et mielleux.

Midday,

De si longues années sans nouvelles. J'ai été contacté par un ancien, un pionnier, il en veut au monde entier. Il est revenu dans ma vie quand je m'y attendais le moins, quand j'étais au plus bas. Lui aussi est au plus bas. Il pense qu'à deux, on peut faire quelque chose. Il parle de justice. Je ne sais pas. En tout cas, nous voilà là-haut. Ça ne me réjouit pas. Lui non plus. Je ne sais pas comment, mais il nous faut faire ce que l'on a à faire. Un rendez-vous avec les hommes.

8

Samedi 24 avril.
Lever du soleil : 3 h 20. Coucher du soleil : 21 h 26.
18 h 06 d'ensoleillement.

Quartier de Praerien (La Prairie), sur les hauteurs
d'Hammerfest. 7 h 30.

La patrouille P9 avait été réveillée tôt ce matin-là. Un coup de fil de Lars Fjordsen, le maire d'Hammerfest. Très en colère. Fjordsen n'était pas le genre à tourner autour du pot. Il avait vu des rennes dans sa ville en se rendant à pied à la mairie comme il le faisait chaque matin aux petites heures de l'aube. C'était un peu tôt, non ? s'était-il plaint.

Déjà à partir de mai c'était la plaie, mais s'ils venaient dès avril, ça allait devenir n'importe quoi. Et qu'on ne vienne pas lui dire qu'il s'agissait de bêtes isolées. Les éleveurs disaient toujours la même chose et Fjordsen n'avait pas besoin que la police des rennes reprenne leur refrain. Qu'elle vienne plutôt les en débarrasser avant qu'un bus scolaire ait un accident.

Klemet avait reçu l'appel. Heureusement, s'était dit Nina, car elle n'était pas d'humeur ce matin à supporter les récriminations de l'élu. Mal dormi. Trop de lumière trop tôt. Fatiguée dès le réveil. Impression pénible. Chez elle dans le Sud, à deux mille kilomètres de là, les nuits étaient plus obscures, même en cette saison. Elle avait toujours eu l'habitude de dormir sans rideaux, pour sentir le rythme des saisons, vivre au gré de ce que la nature lui offrait, lumière y compris. L'éducation de sa mère. On reçoit avec gratitude les dons de Dieu. Mais ici, cela dépassait les bornes. Dans la cabane de Skaidi où Klemet et elle avaient à nouveau passé la nuit, sa couchette était orientée vers l'est. Et, ce matin, le soleil brillait de tous ses feux pendant la phase la plus fragile de son cycle de sommeil. Des rennes en ville. La journée ne s'avérerait peut-être pas si triste que cela. Klemet paraissait tout aussi bougon, mais sûrement pour d'autres raisons.

Petit-déjeuner rapide et silencieux. Sur une partie de la table traînaient les débris des procès-verbaux. Leur reconstitution s'avérait plus fastidieuse que prévue. Klemet devait être vraiment énervé quand il les avait déchirés. Ils s'étaient lassés. La patrouille arriva une heure plus tard sur les hauteurs de la ville, dans le quartier de Praerien, derrière le petit aérodrome. En contrebas, les rangées de villas descendaient en courbes parallèles des flancs de la montagne jusqu'à la mer. Le quartier, comme la piste unique et le reste de la ville d'ailleurs, s'adossait à la montagne, surplombant la baie. Des maisons spacieuses mais sans le luxe tapageur que pouvaient afficher certaines demeures plus récentes. Les jardins étaient encore à moitié couverts de neige mais la vigueur printanière déjà palpable, préparait son assaut de couleurs et de senteurs. Il faudrait encore deux longs mois avant que tout cela n'explose, mais Nina percevait dans l'air une impatience inédite pour elle. Il ne lui fallut pas longtemps pour apercevoir le troupeau de rennes qui avait gâché le petit matin du maire. Une dizaine de bêtes à peine. Elles broutaient le long de Måneveien, le chemin de la Lune.

– Fais le tour du quartier d'abord, lui conseilla Klemet.

Nina relança le pick-up Toyota. Le quartier consistait en six ou sept parcelles d'une trentaine d'habitations chacune. Ce troupeau s'aventurait visiblement seul. Aucune autre bête à l'horizon. Nina revint garer la voiture à une cinquantaine de mètres des rennes. Certains s'intéressaient à des fleurs en pot plantées récemment. Irrésistible après six mois de diète au lichen. La maison semblait vide, ses occupants déjà partis travailler.

– Comment réagissent les gens quand ils voient les rennes comme ça, ici ?

– Ben, ils ne sont pas trop contents. Tu vois bien qu'ils broutent leurs fleurs. Tu peux t'imaginer. Tiens, regarde, le vieux qui sort là-bas.

Un homme âgé, un voisin, venait d'apercevoir les rennes. Il s'appuyait difficilement sur une canne mais on sentait la nervosité de ses gestes. Il s'avança jusqu'à la barrière en bois de son jardin et la frappa violemment de sa canne pour effrayer les bêtes. Celles-ci relevèrent la tête, mais décidèrent de l'ignorer.

– Normalement, ça arrive surtout l'été, ces histoires de rennes en ville. Tu aurais dû voir l'été dernier, avant que tu arrives. On a eu des dizaines de rennes ici qui ont fichu une pagaille pas possible. Ils cherchaient la fraîcheur du bord de mer bien sûr, et puis l'ombre des bâtiments. Et alors ils bouffent ce qu'ils peuvent. La tête de Fjordsen ! Là, il était vraiment en pétard.

Au loin, le vieux s'avança encore de quelques pas, sur le trottoir, et frappa sa boîte aux lettres métallique. Cette fois-ci, les rennes déguerpirent aussitôt. Une voiture qui surgissait évita de justesse un renne et le troupeau s'éparpilla. Le vieux les regarda un instant puis rentra.

Il se retourna pourtant, comme s'il venait de réaliser quelque chose. Il tourna son regard en direction de la Toyota et agita sa canne vers eux.

– Pas besoin de lire sur les lèvres, dit Klemet. Bon, on ferait mieux d'y aller.

Nina refit le tour du quartier pour faire en sorte que les rennes soient entre la voiture et la clôture qui longeait le flanc de la montagne et encerclait en principe toute la ville, pour empêcher les rennes d'entrer.

– Visiblement, la barrière du maire n'est pas tellement efficace.

Klemet ne répondit pas tout de suite. Il examinait la clôture aux jumelles.

– Il y a des portails, mais les gens qui vont se balader en montagne oublient parfois de les refermer. Tu en as même qui les ouvrent exprès parce qu'ils n'aiment pas cette idée d'être parqués.

– Ils ont l'impression que ce sont eux les rennes ?

– Quelque chose dans le genre, j'imagine.

Klemet posa les jumelles et descendit de la voiture. Il lissa sa parka, regarda autour de lui et s'avança vers les rennes. Nina s'installa confortablement, avant-bras et menton sur le volant, au spectacle. Klemet marchait très lentement. Les rennes broutaient à une trentaine de mètres de lui, indifférents. Klemet approchait à pas lents, un peu comiques avec sa silhouette alourdie par l'uniforme. Nina ne put s'empêcher de sourire en imaginant la scène qui se préparait. Klemet déplaçait les pieds à la façon d'Armstrong foulant le sol lunaire, lourdement, avec un dandinement d'ours. Puis il commença à relever les bras lentement, à l'horizontale, comme un oiseau cherchant son envol. Il les rabaissa tout aussi délicatement et recommença son geste ample en poursuivant sa marche lunaire. Nina souriait largement maintenant. Elle tira son appareil photo de la poche de sa parka et immortalisa la scène. Sa fatigue du matin avait complètement disparu. Des rennes relevaient la tête et regardaient cette créature bizarre s'avancer vers eux. Nina comprenait que Klemet ne voulait pas que les rennes prennent peur et s'éparpillent à nouveau. Il fallait les repousser tranquillement dans la direction souhaitée, vers la clôture distante de deux cents mètres. Les rennes les plus proches commencèrent à réagir. Ils relevèrent la tête et firent quelques pas. Jusque-là, tout va bien, pensa Nina. Elle avança la voiture de quelques mètres derrière Klemet pour bloquer la route et resserrer l'étau. Klemet s'arrêta un instant, regardant autour de lui comme pour s'assurer que personne ne le surprenait se livrant à cette procession burlesque. Apparemment tranquillisé, il reprit sa délicate marche d'oiseau lunaire lorsqu'une voiture déboucha d'une rue transversale. Le conducteur klaxonna à répétition en voyant les rennes et le policier qu'il salua bras tendu par la fenêtre. Affolés, les rennes s'égaillèrent aussitôt dans tous les sens, tandis que la voiture s'éloignait à plein klaxon. Les efforts de Klemet venaient d'être réduits à néant. Il s'élança pour tenter de bloquer le passage vers la gauche. Il courait en agitant les bras. Une porte s'ouvrit, une tête dépassa. Klemet arrêta sa course et baissa les bras, reprenant une démarche digne. Quand la porte fut refermée, il reprit sa course les bras en croix. Nina riait franchement. Klemet courait toujours et s'étala soudain de tout son long dans un fossé. Malgré elle, Nina éclata de rire. Les rennes s'étaient calmés et arrêtés, quelques dizaines de mètres plus loin. Ils recommençaient à brouter les platebandes fraîchement plantées d'autres jardins. Une voisine sortit sur son perron et observa Klemet qui prit un air mauvais en frottant sa parka maculée de boue et de neige. Nina n'entendait pas ce que disait la vieille femme, mais ça n'avait pas l'air de calmer Klemet. La jeune policière hésitait à venir l'aider. Klemet évitait de regarder dans sa direction, tentant de reprendre une attitude respectable. Il s'adressait à nouveau à la vieille femme qui se retourna vivement et rentra chez elle, secouant la tête l'air outré. Les rennes étaient maintenant répartis en trois petits groupes au moins. La mission devenait compliquée. De fait, Klemet revenait vers la voiture. Il claqua la portière.

– On dresse un constat. On nous a appelés pour dire qu'il y avait des rennes. Et on a vu les rennes. Voilà.

– Voilà ?

– Oui, voilà. Fin de mission. Une belle petite mission de la grande police des rennes, bougonna Klemet, encore vexé. On va appeler Morten Isaac, c'est lui le chef du district ici, ce sont des rennes d'un de ses éleveurs. Après tout, c'est à lui de les récupérer, ses rennes, s'il ne veut pas qu'ils se fassent tirer dessus.

– Oui, ça paraît un peu difficile pour nous, dit Nina en se mordant la joue pour ne pas sourire.

Klemet ne la vit pas, il pianotait sur son téléphone.

– Allô, Morten, ici Klemet. Oui, oui, oui, celui de la police des rennes. Tu as encore des rennes sur Praerien. Il faut que tu envoies des gars tout de suite.

Klemet écartait le téléphone de son oreille. Au bout du fil, le chef du district tonnait d'une voix coléreuse.

– Ça m'est égal, poursuivit bientôt Klemet. On passe te voir. Et il faudra qu'on te parle d'autre chose aussi, alors sois là. On arrive. Et envoie tes bonhommes, nom de Dieu !

Klemet raccrocha et secoua la tête.

– Quelle tête de mule, celui-là.

Nina roula en direction du centre-ville.

– Où retrouve-t-on Morten Isaac ?

– Kvalsund.

Klemet alluma la radio, c'était l'heure des infos régionales sur NRK Finnmark. Les chiffres régionaux du chômage pour le mois de mars, au plus bas comme d'habitude, Norgoil annonçait la signature d'un nouveau contrat de maintenance électrique avec une compagnie locale pour quelque cent cinquante millions de couronnes, deux accidents de scooters des neiges sur une rivière où la glace avait lâché, les conducteurs s'en étaient tirés. Le présentateur lançait à nouveau une mise en garde pendant le week-end où les gens partaient en scooter en famille dans les montagnes pour pique-niquer. Le presque accident d'un plongeur était évoqué très vaguement. Il y avait une longue interview avec Fjordsen qui se plaignait à nouveau des rennes dans Hammer- fest. C'était les premiers cette année, et franchement, s'indignait-il, la situation n'allait pas s'arranger parce que la ville avait besoin de s'étendre pour accueillir les entreprises qui devaient se développer, tout le monde le comprenait si on voulait maintenir l'emploi au plus haut niveau. Le festival de Pâques de Kautokeino battait son plein, avec de nombreux artistes attendus pour le soir même. Et en match d'entraînement, Alta IF venait de remporter un petit mais bienvenu 1-0 contre le TIL sur le terrain de ce dernier à Tromsø.

Klemet tourna le bouton.

– Pas un mot sur la mort de Steggo, nota Nina.

– Ils en ont parlé hier. Que veux-tu qu'ils rajoutent ?

– Que t'a dit la vieille femme tout à l'heure ? Appa- remment tu lui as répondu plutôt durement.

Klemet prit une mine indignée.

– Les accusations habituelles. Que les Sami avec leurs rennes n'avaient rien à faire ici, qu'ils gênaient tout le monde, que c'était des incapables.

– Elle a eu le temps de dire tout ça ? s'amusa Nina.

– Ils disent toujours tous la même chose.

– Et tu lui as répondu quoi ?

Klemet haussa les épaules.

– Qu'elle aille donc regarder dans ses albums photo et elle y trouverait sûrement un arrière-grand-père sami. Apparemment, ça ne lui a pas plu.

Nina éclata de rire.

– Alors là ! Et elle rit encore. Quand même, ce n'était pas très gentil, ajouta-t-elle.

– Et pourquoi donc ? Ce serait méchant de prétendre qu'on a du sang sami ? Sur la côte, tout le monde a du sang mêlé, mais tout le monde se tait. C'est du grand n'importe quoi, ces histoires.

– Tu as raison. Je ne voulais pas te blesser. Excuse-moi.

Ils restèrent silencieux le reste du trajet. La voiture roulait depuis un moment. Ils sortaient du tunnel au sud de l'île et s'engagèrent sur le pont suspendu. D'un même mouvement, ils regardèrent vers la droite, là où Steggo s'était noyé.

– Tu as une idée de ce qui a pu se passer ?

– Tu penses à l'éleveur ?

– La femme que nous avons vue au campement…

– Susann.

– Elle évoquait des problèmes sur la route de la trans-humance.

– Les éleveurs empruntent certaines voies tradition-nelles le long des vallées pour leur transhumance, là où les rennes trouveront de quoi se nourrir, parce que ça peut durer des semaines d'arriver jusqu'aux pâturages d'été le long de la côte.

– Et où est le problème ?

– Eh bien après les mois d'hiver, les rennes sont très affaiblis et, dans certains cas, vraiment très très affaiblis. Ils n'ont mangé que du lichen tout l'hiver, ce qu'il faut pour se maintenir en vie. Certains éleveurs peuvent avoir la tentation de vouloir être les premiers sur les meilleurs pâturages pour que leurs rennes se remplument, même si l'usage veut qu'un certain ordre soit respecté.

– Et tu penses qu'il y avait des conflits de ce genre entre des éleveurs qui étaient là avant-hier ?

– Nous essaierons de savoir.

Quelques minutes plus tard, la voiture s'arrêta à côté de la station-service. Klemet alla frapper à la porte d'une étroite maison en bois. Un homme âgé de la soixantaine en sortit, cheveux ébouriffés. Il portait un gros pull de laine, un collant et une grosse paire de chaussettes. Il tenait son pantalon à la main et se préparait à sortir. Sans un mot, il s'effaça pour les laisser entrer.

Le chef du district 23 alla préparer du café. Par la fenêtre on apercevait le bras de mer, le pont suspendu et, en face, Kvaløya, l'île de la Baleine. De la maison, on ne pouvait apercevoir le lieu de la noyade ni le rocher sacré.

– Tu connais Nina Nansen, elle m'a rejoint à la patrouille P9 cet hiver.

– Connais pas. Mais entendu parler. Une belle petite blondinette qui nous vient tout droit du Sud. Qu'est-ce que tu as fait de mal à l'école de police pour être envoyée ici, ma mignonne ? demanda Morten Isaac. Dis donc, Klemet, ils ne trouvent plus de mecs pour la Laponie ?

– Ça te pose un problème, Morten ? répliqua Nina. J'ai cru comprendre que, même chez les Sami, on trouve des femmes qui sont éleveuses.

– Et tu crois que l'élevage de rennes va mieux s'en porter ? Et puis elles sont combien ? C'est bon pour les journalistes et les politiciens d'Oslo, ça. Avec leurs idées de mettre des quotas partout.

– C'est vrai qu'avec des hommes éleveurs, les rennes sont mieux gardés, ironisa Nina. À propos, tu sais pourquoi nous sommes là…

Klemet déplia une carte sur la table de la cuisine, évitant de se mêler à la conversation. Terrain glissant. Morten

Isaac servit le café. Sans attendre l'explication de Klemet, il montra la ligne qui entourait la ville d'Hammerfest.

– On s'est bagarrés pendant des années avec la commune à cause de ça. Maintenant, ils ont réussi à faire installer une clôture de vingt kilomètres pour empêcher les rennes de venir les déranger en ville. Mais qu'on le veuille ou non, la ville, elle est sur le passage qui donne accès à une zone de pâturage très importante pour les rennes pendant leur séjour sur l'île.

Nina regardait autour d'elle. La cuisine était meublée simplement, comme ce qu'elle avait pu apercevoir de l'entrée de la maison. Les éleveurs n'habitaient que provisoirement le long de la côte. Leur résidence principale était en Laponie intérieure, du côté de Kautokeino, Masi ou Karasjok, en pleine toundra. Elle remarqua que Morten Isaac suivait son regard.

– Tu ne trouveras pas d'éleveurs très riches dans ce district. Nous sommes une vingtaine, un des plus petits districts de Laponie. Deux mille rennes en tout, c'est peu. Mais c'est comme si c'était encore trop pour les gens d'ici.

– Peut-être, mais il y a des règles, le coupa Klemet. Vous êtes censés empêcher vos rennes d'aller en ville. Pas la peine d'envenimer la situation.

– Mais ce sera de plus en plus comme ça, gronda Morten Isaac en tapant du poing sur la table. Tu ne vois pas ce qu'ils font partout ? Avec leur pétrole qu'ils vont chercher dans l'Arctique et qu'ils veulent ramener à terre. Ils veulent une raffinerie en plus. Et pour tout ça, il faut toujours plus de terres. Et à qui on les prend les terres, tu crois ? Sortez maintenant, il faut que je rassemble mes gars. Je vais aller les chercher ces rennes, une fois de plus, et on va encore se faire insulter.

Nina voyait que Klemet allait répondre, mais elle le prit doucement par la manche. Le message était passé. Cela suffisait. Il fallait poursuivre.

Elle se rappela Susann. Le chef de district finissait de s'habiller, sans plus faire attention à eux.

– Morten, des éleveurs avaient-ils des problèmes sur la route de la transhumance, parmi le groupe qui passe l'été sur l'île de la Baleine ?

Morten Isaac boutonna son pantalon de combinaison en rentrant le ventre, regarda Nina, puis Klemet.

– Tu n'as pas entendu ce que je viens de dire ? On a toujours moins de terres. Qu'est-ce que tu crois que ça a comme effet sur les éleveurs ? Bon Dieu, il faut tout expliquer comme à des gamins de dix ans ?

Nina retrouvait cet air de désespoir déjà familier. Celui d'un Mattis par exemple, cet éleveur paumé qui avait lentement dérivé jusqu'à la mort quelques mois plus tôt. Elle se remit à penser à Erik Steggo, l'éleveur noyé, et à sa veuve, Anneli. Elle ne pouvait effacer de sa mémoire le regard que lui avait lancé la jeune femme lorsqu'elle avait fini de lui raconter la disparition de son mari. Elle n'avait plus émis un son, son regard s'était juste inondé de larmes. Toujours sans un mot, elle avait reposé la main de Nina sur le rocher, avant de lui tourner le dos et de descendre dans la vallée.

9

Markko Tikkanen appréciait cette heure ambiguë où le soleil prenait son temps avant de disparaître derrière les montagnes de l'île de Sørøya, juste à l'ouest de l'île de la Baleine. Un peu comme si l'astre narguait les hommes, leur donnait l'espoir d'un réconfort éternel. Mais le soleil était immuable, comme Tikkanen lui-même.

Des phares s'approchaient. Son contact était à l'heure.

Tikkanen regardait autour de lui. Le paysage était époustouflant, comme toujours à cette heure. Tikkanen aimait donner certains rendez-vous de ce point de vue. Du haut de la falaise, il avait le sentiment de dominer la ville, Melkøya et ses installations gazières. Et c'était assez vrai après tout. Tikkanen dominait la ville. Il en avait l'ambition en tout cas. Il en connaissait tant de secrets. Des secrets soigneusement répertoriés dans ses fiches.

La voiture de sport vint se garer près de lui. Nils Sormi en descendit et vint s'asseoir dans son large 4×4 sud-coréen.

Le plongeur d'origine sami affichait son air suffisant, comme toujours. Pour un peu, Tikkanen le trouvait plus insupportable encore que les pétroliers avec leur habitude de le traiter comme quantité négligeable. Eux au

81

moins avaient vraiment du pouvoir, et Tikkanen pouvait le supporter. Mais ce Sormi, c'était quoi, c'était qui ?

Le plongeur ne faisait pas d'effort de courtoisie. Il tendit à Tikkanen un bout de papier. L'agent immobilier le regarda.

– Ça ne devrait pas être trop compliqué ni trop long. Ton ami est pressé ?

– Comme d'habitude. Il est logé à l'hôtel pour l'instant, mais son contrat est de deux ans, il veut s'installer rapidement, pas dans six mois.

– Bien sûr, bien sûr.

Markko Tikkanen regardait le bout de papier comme s'il y voyait défiler tout son catalogue de maisons et d'appartements disponibles. Nils Sormi lui servait de rabatteur dans le milieu des plongeurs et des cadres des compagnies pétrolières pour lesquelles il travaillait. Les ouvriers étaient logés dans des préfabriqués ou sur le gros ferry-hôtel ancré vers Melkøya. De toute façon, il n'y avait pas de quoi loger convenablement tout le monde à Hammerfest depuis que le boom des hydrocarbures avait bouleversé la petite ville. On y comptait dix mille habitants maintenant. Il fallait faire preuve d'une imagination pas toujours recommandable pour dépanner ces jeunes gens pressés mais heureusement très bons payeurs.

– Et mon terrain sur la corniche, c'est pour quand ?

– J'en ai parlé au maire il y a quelques jours, c'est en bonne voie.

Tikkanen n'avait pas osé en parler à Fjordsen lors de leur dernière rencontre au club, il n'avait pas trouvé la bonne occasion. Le Texan ne l'avait pas lâché de la soirée, tant il voulait de détails sur les trois filles de Mourmansk. L'Américain était devenu tellement chaud et rougeaud qu'il avait lancé une grande claque sur son postérieur en éclatant de son rire gras et terrible.

– Ça fait un moment que c'est en bonne voie…

– Mais il faut dire que tu es un client très exigeant. Vouloir un terrain pour une maison d'architecte qui domine tout Hammerfest et le fjord, avec chemin d'accès privé, et terrain d'…

Nils Sormi frappa violemment le tableau de bord du plat de la main.

– Depuis combien de temps ?

Le ton du plongeur n'avait rien d'agréable. Tikkanen ne l'aimait pas. Il ne le craignait pas. Tikkanen ne craignait personne. Il savait courber l'échine pour amortir les coups. Mais ce Sormi avait un statut à part. La coqueluche des compagnies, au prétexte qu'il était sami. La belle affaire. Les compagnies internationales qui travaillaient ici avaient compris depuis longtemps qu'il fallait s'attirer les faveurs des Sami. Pas simple. La population autochtone locale était protégée par les lois internationales, même si les pays nordiques ne transposaient pas toujours ces obligations dans leur législation nationale. Mais les sociétés avaient besoin des terrains pour se développer.

– Calme-toi, Nils. Calme-toi. Il va se passer beaucoup de choses sous peu.

– Tu es vraiment sûr que c'est en bonne voie à la mairie ?

Tikkanen sourit. En réalité, ça n'allait pas du tout bien avec le maire pour cette histoire de terrain. Sans dire ce qu'il avait en tête, Tikkanen en avait parlé à Fjordsen voici plusieurs mois. Le Finlandais lui avait juré ses grands dieux que cet emplacement exclusif n'était pas pour lui personnellement. Cela n'avait pas suffi à rassurer le maire. Il s'agissait d'une zone non construite et protégée. Tikkanen savait tout cela, bien sûr. Mais le projet était magnifique, une future attraction qui embellirait la montagne. Tikkanen ne pouvait pas donner le nom de son client, mais tout serait réalisé dans les règles de l'art.

– Absolument. Mais les projets sont tellement nombreux en ce moment, la mairie est débordée. Ce projet-là n'est pas prioritaire pour eux.

Tikkanen réalisait qu'il devait donner plus à Sormi.

– L'adjoint au maire est un ami. Il comprend très bien où est l'intérêt collectif, lui aussi. Encore mieux que le maire d'ailleurs. Prends patience, Nils, et rassure ton ami. Il aura son appartement d'ici deux semaines, parole de Tikkanen.

10

Dimanche 25 avril.
Lever du soleil : 3 h 14. Coucher du soleil : 21 h 31.
18 h 17 d'ensoleillement.

Route 93. 9 h 30.

Le pick-up de la patrouille P9 roulait depuis le petit matin. Le soleil était déjà haut et faisait scintiller la toundra, après avoir passé les contreforts escarpés de la côte. Ce dimanche de Pâques aurait dû être jour de repos, mais le coup de fil qu'avait reçu Klemet deux heures plus tôt ne lui avait pas laissé le choix. L'oncle Nils-Ante avait été impératif. Klemet devait venir au plus vite à Kautokeino pour le voir. Il devait lui montrer quelque chose d'urgence. Son oncle était resté flou mais lui avait assuré qu'il serait le pire des policiers et la honte de la famille s'il ne rappliquait pas immédiatement. Nils-Ante avait le don pour exagérer, et il se contrefichait bien que son neveu policier soit un bon flic ou pas.

Klemet se méfiait des histoires de son oncle, même si elles avaient pimenté son enfance mieux que tous les livres qu'il n'avait pas lus. Depuis le départ de leur cabane de Skaidi, où ils étaient stationnés pour les semaines à venir, Klemet avait en vain cherché les

85

véhicules verbalisés. Cette histoire de vol de rennes l'exaspérait, il avait conscience d'en avoir trop fait mais devait sauver la face vis-à-vis de sa collègue.

Nina dormait en boule à côté de lui. Elle avait encore eu du mal à trouver le sommeil la veille au soir. Ils avaient passé Alta depuis un bon quart d'heure et roulaient maintenant vers le sud, pour rejoindre Kautokeino. Le téléphone sonna.

– Je suis en route, dit-il sans prendre le temps de saluer son oncle.

– Je pense bien que tu es en route, depuis quand tu désobéirais à ton oncle. Dépêche-toi avant qu'ils ne bouclent la route principale pour la course de rennes. À 10 h 30.

– La course de rennes, il ne manque plus que ça. Mais j'y serai.

Ils raccrochèrent. Nina s'étirait.

– Une course de rennes ?

– Jour de Pâques à Kautokeino, ça veut dire course de rennes. Et ce n'est pas tout.

Nina bâilla et attrapa le thermos de café. Elle en servit d'autorité un à son collègue, puis remplit sa tasse en bouleau, en but deux gorgées en faisant la moue.

– Et c'est quoi le reste ?

– Tu verras, peut-être. Il y a le mariage bien sûr, ou plutôt les mariages. Les éleveurs aiment bien ce jour-là pour se marier, juste avant de partir en transhumance.

Nina buvait son café à petites gorgées. Klemet sentait qu'elle le regardait du coin de l'œil.

– Et tu aimes bien ça, toi ?

– Qu'est-ce que tu veux dire ?

– Ben je sais pas, je pensais que ces histoires folklo et tradi, c'était pas trop ton truc.

– J'ai pas dit ça. Mais c'est un peu mon monde quand même, non ?

– Ne me demande pas, c'est toi qui le sais… Remarque, quand je me rappelle la tente que tu as plantée dans ton jardin de Kautokeino, je me dis que si. À propos, tu as revu Eva Nilsdotter ?

Klemet lui tendit sa tasse. Je me suis encore fait piéger, pensa-t-il.

– Tiens, il est trop amer pour moi.

Nina sembla avoir compris. Elle ne le relança pas.

À bien y réfléchir, Klemet n'avait rien contre cette petite expédition à Kautokeino. Dans ce gros village de deux mille habitants majoritairement peuplé de Sami, les traditions étaient fortes et ce jour de Pâques était sans doute le plus important pour eux.

«Pour eux.» Je ne pense même pas «pour nous». Même en pensées, se dit Klemet.

Ils passèrent bientôt le café Reinlykke, à l'intersection avec la route menant vers Karasjok. De part et d'autre de la voie, des plaques de toundra émergeaient de la neige. Il faudrait encore de longues semaines avant que cette blancheur ne disparaisse.

Son portable sonna à nouveau.

Klemet grogna.

– Incroyable ce qu'il peut être impatient, celui-là. Allô, quoi encore, je suis sur la route, je te l'ai dit !

Le silence se fit au téléphone. Klemet écoutait, hochait la tête.

– Ça nous regarde en quoi cette histoire ? dit-il enfin.

Klemet raccrocha après un instant.

– C'était la patronne à Hammerfest. Incroyable… Crois-le ou pas, le maire a été retrouvé mort. Il a fait une sale chute, apparemment. Du côté du détroit du Loup. Vacherie.

– Et qu'est-ce que ça a à avoir avec nous ? demanda Nina.

– Rien de spécial, je crois. Mais bon, la mort du maire, tu vois, tout le monde est sur le pont, même s'il a glissé dans son escalier. Il va y avoir du mouvement d'officiels, il était quand même sacrément important ici, un vrai personnage, ce type. Tous les policiers du coin seront mobilisés pour les cérémonies et tout ce bazar. Même si c'est étrange qu'il aille casser sa pipe là où le petit Steggo s'est noyé il y a quelques jours.

Nina hochait la tête à son tour, sans rien dire. Elle semblait réfléchir.

– Tu n'as aucune idée de ce que te veut ton oncle ?

– Tu le connais un peu, non ? S'il ne veut rien lâcher, il ne lâche rien.

– Ça pourrait avoir un rapport avec ce vol de rennes ?

Klemet ne répondit pas tout de suite, encore à digérer la nouvelle de la mort du maire. Il imaginait mal son oncle dénoncer quelqu'un.

– Le vol s'est passé trop loin de chez lui pour qu'il puisse avoir des renseignements de première main. Et je le vois mal se mêler d'une histoire pareille. Ici, les gens regardent ailleurs quand il se passe certaines choses. Un jour tu voles, le lendemain tu es volé. Personne ne gagne, personne ne perd.

– Sauf quand c'est du vol massif. Tu m'as bien dit que des petits éleveurs pouvaient tout perdre en quelques saisons à ce jeu.

– Mais ici, on n'a qu'un renne. Ce n'est pas ça qui va faire plonger un éleveur.

Nina se renfonça dans le siège, sirotant son café.

– J'aime bien ton oncle. Il est toujours avec sa Changounette ?

– Plus que jamais.

– Dis, tu me ramèneras sous ta tente ?

Klemet se rappelait la claque que Nina lui avait mise cet hiver. Il s'était appliqué à la maintenir à distance depuis cet épisode cuisant, mais cela relevait souvent de l'exploit vu leur promiscuité quasi permanente. La fraîcheur et l'ouverture de Nina n'arrangeaient rien.

– Ouais, peut-être, on verra…

– Oh, Klemet, s'il te plaît…

Elle jouait avec lui, il le sentait. Ils arrivaient maintenant à Kautokeino. Le village sami vivait à l'heure du festival. La route n'était pas bloquée et ne le serait pas, Klemet s'en était douté mais on ne referait pas son oncle. La course de rennes se déroulait sur la rivière gelée qui traversait le village. Klemet l'apercevait, déjà noire de monde, de scooters et de longues bandes en plastique orange tendues entre des poteaux pour délimiter les pistes. Certaines familles avaient aussi monté des tentes sur la rivière.

Klemet s'arrêta un instant au petit carrefour qui montait vers l'église. La cérémonie des mariages avait l'air terminée. Des dizaines de personnes en costume traditionnel sami descendaient vers la rivière.

– Klemet, s'il te plaît.

Nina fouillait déjà dans sa combinaison pour sortir son appareil photo. Elle prit quelques clichés par la fenêtre. Ils roulèrent jusqu'au bord du cours d'eau envahi, et juste à ce moment-là ils virent déboucher les concurrents d'une course de rennes. Les bêtes harnachées couraient, langue pendante sur le côté, tirant difficilement des traîneaux en bois sur lesquels les conducteurs étaient allongés à plat ventre. La vitesse n'était pas très impressionnante mais le public paraissait adorer les équipages.

Nina, l'œil rivé à son appareil, tira soudain la manche de Klemet.

– Anneli se prépare. Elle est sur la ligne de départ de la prochaine course.

La course suivante était d'un autre genre. Les concurrents chaussés de skis se tenaient directement derrière les rennes, et ces courses-là étaient bien plus rapides et risquées. Le coup de départ fut donné et les quatre rennes bondirent, tirant brutalement leur conducteur. Seule Anneli ne portait pas de casque. Une imprudence pouvant s'avérer lourde de conséquences. La jeune femme ne le comprenait-elle donc pas ? Nina suivait la course, fascinée, à travers son objectif. Klemet comprit que la jeune bergère prenait des risques insensés. Il saisit ses jumelles. La douce Anneli venait de bousculer un concurrent à sa gauche. Cela pouvait donner l'apparence d'un hasard, mais Klemet, de son point de vue, interprétait la scène différemment. La jeune femme allait au contact, se rapprochait des poteaux, faisant tantôt une queue de poisson, provoquant enfin des réactions plus agressives des autres concurrents. Son renne filait, langue pendante. Klemet n'entendait rien du souffle de l'animal, mais les réactions de la foule l'atteignaient. Les gens sentaient que cette course n'était pas comme les autres. Anneli entamait une courbe, coude à coude avec un autre équipage. Les skis s'emmêlèrent et elle trébucha. Les gens criaient. Elle était maintenant traînée sur le ventre, mais elle ne lâchait pas. Elle semblait rebondir et ne faisait rien pour s'arrêter ou lâcher son animal. Elle heurta des poteaux en bois, toujours sans rien lâcher. Le renne finit par ralentir et, à l'approche de la ligne d'arrivée, Anneli réussit à se remettre sur le ski qui lui restait. Elle passa la ligne, juste en tête, sous les applaudissements du public survolté.

Klemet ne pouvait détacher son regard du visage de la jeune fille. Elle avait une blessure à la tête, que des gens se précipitaient déjà pour soigner. Elle boitait, se tenait les côtes d'une main, mais dans le prisme de ses jumelles Klemet aperçut le regard dur et halluciné de la jeune femme. Ses yeux se relevèrent en direction de la voiture de la police et, sans vraiment le voir, se fixèrent sur Klemet qui l'espace d'un instant la sentit perdue.

– Quelle course ! s'exclama Nina. On aurait dit Ben-Hur. C'est toujours comme ça ?

À côté de la voiture se tenait une vieille femme qui avait assisté à la course de loin.

– C'est la petite Steggo, dit la vieille Sami avant que Klemet ait le temps de répondre. Elle descendait du mariage et partait rejoindre la rivière gelée. La pauvre, elle vient de perdre son mari.

– Vous la connaissez ? demanda Nina.

– Elle aurait dû être témoin du mariage aujourd'hui, et elle n'a pas supporté, la pauvre petite. Il y a un an, c'est elle qui s'était mariée ici. Quel malheur. Et tous ces risques qu'elle a pris maintenant. Quelle folie. La pauvre petite.

La vieille repartit vers la rivière. Des gens emportaient Anneli, enveloppée d'une couverture. Les autres concurrents se plaignaient auprès d'un organisateur avec des gestes explicites. Klemet rangea ses jumelles et redémarra en direction de la sortie du village.

Quelques minutes plus tard, il se gara devant la maison de son oncle Nils-Ante, à la sortie de Kautokeino. Des tas de neige sale dégoulinaient d'une eau brunâtre devant l'entrée. Le dégel était à l'œuvre. Klemet et Nina avancèrent dans la boue jusqu'aux marches. Ils enlevèrent leurs bottes sous l'auvent et entrèrent sans frapper. Klemet grimpa à l'étage où son oncle passait le plus clair de son temps. Il se racla la gorge plusieurs fois, mais n'entendit rien.

– Ton oncle est encore en train d'écouter de la musique.

La porte du bureau s'ouvrit, et ils virent une tête souriante. Le sourire s'élargit encore en apercevant Klemet. Le policier fit un geste de la main à la jeune copine chinoise de son oncle. Ces deux-là étaient inséparables. La jeune fille ouvrit la porte en grand. Assis à l'ordinateur, Nils-Ante enleva son casque en découvrant son neveu et Nina.

– Ces jeunes sont d'une impudence sans limites.

Nils-Ante paraissait en colère.

– Ils croient pouvoir combiner le joïk avec n'importe quoi. Le rap-joïk, d'accord, le jazz-joïk, bien sûr, mais le joïk black-metal, là je dis stop.

Sa réaction outrée surprit Klemet qui considérait son oncle comme le plus bel adepte de la transgression. Il devait vieillir, lui aussi.

– Eh bien, tu en as mis du temps pour venir jusqu'ici. Tu as encore oublié la route, neveu de malheur. C'est vrai que tu viens si souvent voir ton vieil oncle. Heureusement que Mlle Chang est entrée dans ma vie. Elle, au moins, elle ne m'oublie pas. Ma Changounette d'amour, ma perle de la toundra, nous allons montrer la photo à mon neveu sans cœur. Tu veux bien aller chercher le portable dans la chambre et le descendre dans la cuisine ?

Une fois en bas, Nils-Ante servit du café à tout le monde. Klemet bouillonnait mais il connaissait trop bien son oncle pour savoir que celui-ci prenait son temps pour le punir de ses longues absences.

– Nina, vous savez que durant toute son enfance j'ai assommé ce pauvre Klemet de mes joïks, mais il a dû déjà vous le dire.

– Mon oncle, tu ne devais pas nous montrer une photo ? l'interrompit Klemet.

– Ah, tu étais moins impatient dans le temps, neveu sans gratitude.

Le vieil homme au visage sec et fripé gardait toujours une étincelle malicieuse dans les yeux. Klemet ne savait jamais quand il se moquait de lui.

Mlle Chang descendit avec un ordinateur et le posa avec grâce sur la table. Elle portait un chemisier assez transparent pour laisser deviner ses petits seins et un pantalon moulant que Klemet ne pouvait s'empêcher de détailler. La jeune Chinoise vint déposer une bise tendre sur le crâne de Nils-Ante, ébouriffant en riant sa chevelure longue et grise. Nils-Ante l'attrapa par la taille et l'embrassa sur un sein, avant de lui mettre une claque sur la fesse pour l'éloigner.

– Elle me ferait perdre la tête, cette jolie perdrix des neiges. Et toi, mon neveu, ramène donc tes yeux sur cet écran et écoute-moi bien. On était l'autre jour avec Changounette au détroit du Loup.

– Quand ça, l'autre jour, quand...

– Oui, le jour où ce pauvre Erik s'est noyé.

– Et tu te baladais dans cette zone interdite pendant les périodes de traversée ?

– Écoute-moi plutôt et ne fais pas ton flic tatillon. Tu sais que Changounette a rejoint la région il y a quelques années comme ramasseuse de baies. Et pour mon plus grand bonheur, elle est restée. Figure-toi qu'elle s'est mis en tête d'inviter sa famille. Elle veut se lancer dans le business des baies, cette magnifique airelle boréale qui a réveillé mes nuits. Nous étions donc en vadrouille pour photographier les environs et les convaincre de venir de Chine. Changounette, les photos.

La jeune Chinoise approcha, tourna le portable vers les policiers et lança un diaporama. Des images de nature commencèrent à défiler. On voyait des plans larges de toundra, des gros plans de bruyère, des rochers à moitié mangés de lichen jauni, des tapis de plantes à baies, des cours d'eau. Klemet commençait à s'impatienter mais il ne disait rien pour ne pas brusquer son oncle. Il s'était attardé sur les baies. Sur certains clichés, on voyait Mlle Chang montrant des buissons ou certains emplacements. Elle portait des chaussettes qui remontaient sur les genoux et une jupe longue, une chemisette. Klemet se rappelait qu'il faisait beau ce jour-là. Il repensa au Sami ivre, au mépris de Nils Sormi. Les photos continuaient de défiler et l'attention de Klemet grandissait maintenant, car il reconnaissait les alentours du détroit du Loup. On y arrivait enfin. Nils-Ante et Mlle Chang avaient dû se trouver sur les hauteurs du détroit. Sur une photo on avait une vue complète des lieux, avec les deux rives. Tout était encore calme. On voyait au loin, sur la berge méridionale, des petits points qui devaient être les rennes. Mlle Chang était dans le cadre, montrant les rennes du doigt avec un large sourire. Elle s'appuyait à un rocher et on ne devait pas les voir d'en bas. La photo suivante arracha un rire à Nina, un pouffement à Mlle Chang, une exclamation à l'oncle Nils-Ante et un silence à Klemet. On voyait la jeune Chinoise, l'air coquin, brandissant sa petite culotte devant l'objectif.

– Ma Changounette en sucre d'orge, je t'avais demandé de… nettoyer les photos.

– Ooups, j'avais oublié, gloussa-t-elle en mordillant l'oreille de Nils-Ante.

Il se tourna vers Klemet, qui n'avait toujours émis aucun son.

– Ah, la jeunesse… Tu as enlevé les autres, j'espère, ma Changounette très extraordinaire ? Très bien. Nous les regarderons ce soir. Et toi mon neveu, garde la tête froide, c'est maintenant que ça devrait t'intéresser.

Nils-Ante, témoin imprévu de cette traversée des rennes, avait photographié sans le savoir la scène de l'accident, car le sujet principal restait son amie chinoise et ce qu'elle montrait au premier plan. Son petit appareil ne permettait pas de gros plans à cette distance, mais on avait un sens général de la situation derrière Mlle Chang. La scène de fond était presque aussi nette que le premier plan. On percevait quelques taches de couleur sur les berges, derrière des rochers, qui devaient être des bergers en embuscade, se cachant pour ne pas être vus des rennes. Puis on vit des points en file indienne à l'eau. Les rennes s'étaient mis à traverser. On ne distinguait pas clairement les animaux, mais on devinait sans mal qu'il pouvait s'agir de rennes. Sur une photo suivante, on voyait une barque détachée de la berge, qui allait vers le centre du détroit. On voyait clairement un cercle qui s'était formé. Il ne faisait pas de doute pour Klemet qu'il s'agissait des rennes qui s'étaient mis à nager en cercle, ce fameux cercle infernal qu'Erik Steggo avait tenté de briser avec sa barque.

– Et c'est ça que tu voulais me montrer, interrompit Klemet. Je peux les verser au dossier, mais je ne vois pas bien en quoi cela pourrait changer quelque chose. Erik s'est noyé accidentellement.

– Tu vas emporter quelques-unes de ces photos et tu les regarderas mieux en détail, répliqua Nils-Ante.

Il tapota le clavier. Il revenait quelques photos en arrière, sur un cliché où l'on voyait la croupe tendue de Mlle Chang en premier plan et son doigt fixé sur une plante. En arrière-plan, on apercevait la berge nord du détroit.

– Je ne sais pas pourquoi, je voulais faire la mise au point sur l'adorable perspective de ma jeune aimée, mais cet appareil de misère n'en fait qu'à sa tête. Et regarde maintenant.

L'oncle mit le doigt sur la partie droite de l'écran. On distinguait une vague silhouette. Impossible à identifier à cette distance.

Un berger vraisemblablement, comme les autres taches. Mais à la différence des autres, celui-ci était debout.

Et ses bras étaient levés, en croix.

Midday,

Longtemps j'ai cru avoir eu de la chance. Et cette merde m'a rattrapé. Je le sens. Je me suis cru plus fort que je ne l'étais. Et toi, ça te fait pareil ? Tu te rappelles les hommes que nous étions ? Je n'ose plus regarder ces anciennes photos. Trop de souffrance. Comment peut-on autant changer ?

Et la suite ? Avec cet ancien dont je t'ai parlé, nous vivons en reclus. Je n'en peux plus. Il n'en peut plus. Trop longtemps sur les routes. Trop longtemps au fond. J'ai passé des années dans le brouillard jusqu'à ce qu'il me retrouve. Mon état ne lui a pas fait peur. Pour cela, je lui en serai éternellement reconnaissant. Il ne m'a pas tourné le dos alors que tout le monde le faisait et que je me tournais le dos à moi-même.

Nous avons quelqu'un à trouver. On le lui doit. Au nom des autres. Ne laisser personne derrière. Sinon, on n'est pas des hommes. Mais est-ce qu'on est encore des hommes ?

11

Lundi 26 avril.
Lever du soleil : 3 h 08. Coucher du soleil : 21 h 37.
18 h 29 d'ensoleillement.

Refuge de Skaidi. 8 h 15.

Klemet et Nina étaient remontés dès la veille au soir jusqu'à leur refuge de Skaidi. Une nouvelle journée de repos allait passer par pertes et profits, Nina en était sûre, mais cela ne lui importait guère. La jeune femme avait peu dormi, d'autant que le soleil l'avait à nouveau frappée dès les petites lueurs de l'aube. Fatiguée de se retourner dans son lit, elle s'était levée très tôt, épuisée, agacée de voir que Klemet dormait encore profondément.

Même après plusieurs mois de service au sein de la police des rennes, Nina vivait difficilement ces nuits presque blanches du Grand Nord. Au fil de ces missions où ces longues patrouilles de plusieurs jours s'enchaînaient et les obligeaient à cohabiter dans la promiscuité, les deux policiers avaient établi une sorte de mode opératoire. Les regards de Klemet s'attardaient parfois sur elle et elle pensait à autre chose. La tente-garçonnière de son collègue avait attiré plus d'une conquête. Mais depuis

99

l'épisode de la gifle, il se tenait à distance respectable et elle s'amusait à en jouer.

Ses gesticulations finirent par sortir Klemet de ses rêves. Nina était pressée de repartir au détroit du Loup. La photo de Nils-Ante l'intriguait. Les photos. Le cliché suivant, où la compagne chinoise, toujours avec son air coquin, commençait apparemment à soulever sa jupe, montrait clairement les premiers rennes entamer un demi-tour, alors que la silhouette se tenait encore debout, les bras dans une autre position, signe qu'elle bougeait les bras, faisait des signes, des mouvements en tout cas. Elle ne voyait pas encore comment interpréter cette information, mais cela semblait plus intéressant que cette histoire de vol de renne qui ne serait sans doute jamais élucidée.

Une heure plus tard, la patrouille P9 se trouvait sur la berge nord. Klemet et Nina se tenaient non loin de l'endroit où le corps d'Erik avait été ramené à terre par Nils Sormi. Ils avaient imprimé les clichés de Nils-Ante, en essayant de les grossir autant que possible mais le matériel dont ils disposaient au cabanon les limitait. Ils regardaient autour d'eux. Nina, à l'ombre du rocher à offrandes, cherchait un angle de vue. Elle s'accroupit un instant, observa ce rocher à la forme si particulière. Elle aperçut de petits objets déposés dans des failles du rocher, pièces, ossements, écorces de bouleau, des offrandes qui pouvaient prendre l'allure de sculptures taillées dans divers matériaux. Une camionnette arriva vers eux. Morten Isaac, le chef du district 23, en descendit.

– J'ai vu passer votre voiture. Alors, du nouveau depuis samedi ?

Nina s'apprêtait à répondre quand Klemet la devança en lui prenant les photos des mains.

– Un type debout les bras en croix quand un troupeau traverse à la nage, ça te dit quoi ?

– Bon Dieu, comment tu veux que je sache ? Montre-moi ça.

Le chef des éleveurs de la zone resta un moment à détailler les photos.

– C'est de la merde, tes photos.

– Tu sais très bien de quoi je veux parler, Morten.

Il regarda tour à tour les policiers, puis sembla reconstituer la scène.

– Ce serait plus facile de se faire une idée avec une vidéo, bien sûr. Vos photos ne sont pas assez rapprochées pour qu'on puisse comprendre vraiment. Mais cette silhouette debout ne l'était pas sur la photo d'avant, c'est tout ce qu'on peut dire avec certitude.

– D'après les détails de prise des clichés, une à deux minutes s'écoulent entre les deux photos, précisa Nina. Et on voit qu'il bouge les bras, et qu'entre ces deux clichés où il est debout, les rennes ont commencé à faire demi-tour.

– Ouais, mais on ne sait pas quand ce type, ou cette bonne femme, dit-il avec un regard appuyé sur Nina, s'est levé. Il avait peut-être remarqué quelque chose d'inhabituel avant, mais en tout cas ce n'est pas normal.

– Comment ça, pas normal ? poursuivit Nina.

– Ça fait pas longtemps que vous êtes ici, hein... Les rennes, vous voyez, c'est plutôt craintif comme animal. La plupart, en tout cas. Un geste, un mouvement, et ils se tirent. Quand ils traversent un détroit comme l'autre jour, ils ne doivent pas être dérangés. S'ils aperçoivent un mouvement en face d'eux, alors qu'ils nagent, ils peuvent prendre peur et faire demi-tour, et là, c'est le bazar. Et, dans le pire des cas, ils tournent en rond. Et vous avez vu le résultat l'autre jour.

– Mais alors, cette silhouette debout, les bras en croix, face aux rennes... ?

Morten Isaac restait silencieux, plongé dans ses pensées. Sa mâchoire semblait crispée, tendant son visage, lui donnant un air inquisiteur.

– Je ne sais pas, dit-il enfin.

– Il a pu vouloir prévenir Erik ou quelqu'un d'autre sur la berge d'en face ? suggéra Klemet.

– Vous ne pensez pas que c'est lui qui a pu effrayer les rennes avec son geste ? dit Nina. On peut imaginer qu'il mouline avec ses bras, que ça effraye les animaux et provoque leur demi-tour.

– Moi j'imagine pas. Sur la toundra, c'est jamais bon de trop imaginer. Ça énerve les esprits.

Il resta un moment silencieux, regardant à nouveau le détroit. Il montra le rocher pointu.

– Dans le temps, les éleveurs venaient y poser des offrandes. Justement avant que leurs rennes ne traversent le détroit. Pour s'assurer la chance du renne.

– La chance du renne ?

– Oui, ce…

Il allait ajouter quelque chose mais se retint. Il jeta un regard appuyé à Klemet.

– Ce n'est pas quelque chose dont on parle facilement chez les éleveurs. À trop l'évoquer, les éleveurs pensent qu'ils perdent cette chance du renne.

– La perdre ?

Elle regardait le chef de district. Morten fit une espèce de grimace, comme s'il se mordait la lèvre.

– Écoutez, j'aimerais bien ne pas avoir à parler de ces choses-là. Vous avez ce rocher sacré, et on doit le respecter.

– Vous voulez dire qu'aujourd'hui encore on y dépose des offrandes ?

– Aujourd'hui ? Bien sûr que non. Ce sont des vieilleries, tout ça. Mais on n'empêche pas quelques superstitions de survivre.

– Et vous, ça vous arrive d'y déposer des offrandes ?

– Puisque je vous dis que ce sont des vieilleries !

– Oui, mais pour revenir à notre histoire, Nina a raison, intervint Klemet. On peut se demander pourquoi quelqu'un a fait ces gestes à ce moment-là. Parce que si c'est délibéré, que c'est un éleveur, il sait ce qui peut arriver. Et alors là, ça change beaucoup de choses, tu ne crois pas, Morten ?

– Moi j'en sais rien.

– Et vous avez une idée de qui ça peut être ? demanda Nina.

– Pas idée non, j'étais pas là ce jour-là. Et maintenant faut que j'y aille.

Morten repartit en camionnette. Klemet regardait encore les photos, puis les rendit à Nina.

– Les éleveurs n'aiment pas trop qu'on vienne mettre le nez dans leurs affaires, dit-il.

Nina se garda de préciser à Klemet que les éleveurs étaient d'autant moins enclins à se confier quand ils avaient affaire à une femme. Elle montra la roche sacrée.

– C'est par là que le maire a eu son accident ?

Aucun de leurs collègues n'était sur place, mais l'emplacement était délimité par des rubans de la police.

– Deux morts au même endroit à quelques jours d'intervalle, c'est pas courant par ici, nota Klemet.

Il était encore tôt mais le soleil atteignait déjà les hauteurs du ciel. Les ombres se détachaient nettement. Klemet ouvrit le coffre du pick-up. Il sortait le réchaud et de quoi leur préparer un café. Nina remarqua qu'il prenait soin d'éviter de marcher sur son ombre. Encore un mystère. Bizarrement, ça l'intéressait. Klemet portait les stigmates d'une sale histoire vécue dans son enfance lorsqu'on l'avait forcé à abandonner sa langue sami. Nina ne pouvait s'empêcher de se poser des questions, sans oser les adresser à son collègue. Elle laissait venir. Cet ours mal léché n'était jamais méchant avec elle. Cela viendrait, peut-être.

Klemet lui tendit sa tasse de café sans un mot ni un sourire. Trop de choses les séparaient. Ou les rapprochaient.

Au cours des premiers mois passés ensemble, après l'affaire du meurtre de Mattis et le rôle joué par Aslak, l'éleveur ami d'enfance de Klemet, ce dernier avait évité d'évoquer l'histoire. Le corps de l'éleveur n'avait jamais été retrouvé. Nina y repensait parfois, lorsque ses doigts effleuraient le bijou d'Aslak qu'elle conservait dans une poche. Mais ça ne semblait jamais le bon moment d'en parler.

Elle avala une gorgée. L'ombre de Klemet n'était qu'à une trentaine de centimètres d'elle. Elle avança d'un pas et effleura l'ombre de son collègue mais retira son pied. Klemet n'avait rien remarqué.

La police des rennes consistait en son premier poste à la sortie de l'école de police, une affectation imposée car personne ne se portait candidat pour ces contrées éloignées. Étant boursière de l'État, elle n'avait pas eu le choix. Mais elle ne regrettait rien, même si les petits faits divers de leur brigade n'avaient pas le vernis des grandes affaires criminelles ou que le rythme de travail plus lent qu'ailleurs à cause des distances et du climat ne manquait pas de la surprendre.

– Tu penses quoi de cette histoire de photos ?

Klemet regarda à nouveau les clichés posés à l'arrière du véhicule, près du thermos.

– Celui qui se lève est-il bien un éleveur ? Après tout, Nils-Ante et Mlle Chang se trouvaient dans les environs aussi. Peut-être n'étaient-ils pas seuls à batifoler. Et une personne extérieure au milieu ignore à coup sûr le risque qu'elle fait courir au troupeau avec de tels gestes.

– Il faudrait que l'on puisse voir s'il adresse ces signes à quelqu'un sur l'autre rive, alors.

– Pourquoi pas. Mais je pense que cette histoire ne mène nulle part. En plus, on ne peut pas être sûr que ce sont ces gestes qui ont provoqué le demi-tour des rennes.

– Et la barque, tu ne crois pas qu'on devrait y jeter un coup d'œil ?

– Pourquoi ?

Nina haussa les épaules.

– Je ne sais pas, moi, juste une idée comme ça. Et le maire ?

Klemet la regardait sans répondre. Elle sentait qu'elle commençait à l'énerver.

– Il était bien connu pour aller chasser les rennes qui s'aventuraient sur l'île, non ?

– Qu'est-ce que tu insinues ? Que le maire s'est levé pour effrayer les rennes ?

– Je ne pensais même pas aussi loin.

– Eh bien n'insinue pas alors ! Et puis quel rapport ? La noyade d'Erik a eu lieu il y a quatre jours. Et cette chasse aux rennes que mène le maire ne veut rien dire. Tu mélanges tout, Nina. Deux morts au même endroit à quelques jours d'intervalle ne signifient pas qu'il faut y voir un lien. Surtout quand les deux morts sont accidentelles. La faute à pas de chance, c'est tout. Contente-toi des éléments prouvés, et laisse les suppositions aux amateurs.

Nina ne répondit rien. Elle se sentait soudain très fatiguée. Elle rangea sa tasse, pour signaler que la pause-café était terminée. En regagnant son siège, elle s'arrangea tout de même pour piétiner l'ombre de Klemet.

12

La soirée au Black Aurora avait commencé une petite heure auparavant mais Nils avait d'abord emmené Elenor dîner à la pizzeria du port. Ce n'était pas le grand luxe, comme l'exprimait la moue d'Elenor, mais l'endroit était à la mode. Et il n'y avait pas trop le choix de toute façon. Une soirée au Black Aurora en pleine semaine n'avait rien d'extraordinaire. La boîte de nuit vivait au rythme des travailleurs du pétrole et du gaz et, s'ils travaillaient le week-end, on organisait les fiestas à leur retour ou juste avant leur départ, rien d'étonnant à cela. Les propriétaires du lieu savaient qui les faisait vivre.

En atteignant la corniche d'où l'on dominait la ville, Nils passa le parking du club et s'engagea le long d'un sentier à l'écart. Le sentiment de domination grandit encore. Nils avait enfin l'impression de dompter cette mer qui s'étalait sous lui. Depuis sa jeunesse, il entretenait une relation ambiguë avec la grande bleue. Il s'y sentait bien, les pros l'y avaient accueilli, elle était devenue son lieu de travail, l'environnement familier qui pouvait aussi signifier sa mort à la moindre erreur. Vue d'en haut, ainsi, elle ne dévoilait qu'une palette pastel à peine scintillante, rassurante, coulée dans le décor grandiose des sommets encore enneigés qui en atténuaient l'infini. Vu d'en haut, cette mer-là paraissait à portée d'homme. Nils Sormi était bien placé pour savoir combien l'impression pouvait se révéler trompeuse. Cette mer si calme et alanguie cachait de redoutables secrets. Il se considérait chanceux jusqu'ici. Il était encore jeune. Et doué. Il la dominait encore. Et cela durerait tant qu'il le faudrait. Nils en avait la certitude. Il connaissait suffisamment bien son corps et sa mécanique pour évaluer jusqu'où il pourrait aller. Sa force était là. Il dominait la mer, il dominait les autres, et les autres le savaient.

– J'ai froid, bougonna Elenor.

– Bientôt, j'aurai un terrain ici. Et alors, tu verras…

Ils remontèrent en voiture et Nils se gara sur le parking du Black Aurora. En entrant dans le pub, Elenor à son bras, Nils aperçut tout de suite à sa gauche Bill Steel, casquette des Chicago Bulls renversée sur le crâne, en grande discussion avec Henning Birge, le représentant de Future Oil qui avait osé lui passer un savon trois jours plus tôt. Les deux hommes trônaient sur des tabourets au zinc qui courait le long du mur gauche du pub. Un jacuzzi au milieu duquel pendait une bâche transparente occupait le fond de la salle. On pouvait ainsi passer de la chaleur du bar à l'extérieur, tout en restant dans le bain, en poussant simplement le rideau de plastique qui conservait la chaleur à l'intérieur. Deux jeunes femmes et un homme y dégustaient un cocktail, côté terrasse, surplombant la ville.

Nils Sormi comprit tout de suite que le type de Future Oil l'ignorait, prenant une mine soudain passionnée par les éclats de voix du Texan. Bill Steel, à son habitude, ne se souciait pas le moins du monde du qu'en-dira-t-on.

– Bordel, Birge, il faut boire encore à la santé de ce pauvre Fjordsen, putain, Birge, ce con de Lars, mais qu'est-ce qu'il foutait là-bas à c't'heure-là ? Putain, tu peux me le dire, ah, il me manque, ah, il va me manquer ce fils de pute. Et toi, ressers-moi, plus vite ou il faut que je gueule pour de vrai, et file-moi toute ta bouteille ! hurla-t-il en claquant des billets sur le zinc.

Sur le tabouret voisin, Henning Birge gardait l'air pincé. Il buvait une bière à petites gorgées. En l'observant Nils se demandait ce que cette vipère pouvait bien avoir en tête. Elenor le tirait vers le centre de la piste – il fallait toujours qu'elle soit au milieu, sûre d'être regardée par tous – mais il résista un peu pour voir jusqu'à quand le type de Future Oil réussirait à éviter son regard.

Ce fut finalement le Texan qui poussa un rugissement en apercevant le plongeur sami. Il fit des grands gestes et, en titubant à moitié, tira un tabouret après avoir repoussé un client qui ne demanda pas son reste en voyant l'état inquiétant de l'Américain.

– Laisse ta cocotte se bouger le cul et viens t'asseoir là, Nils, mon fils.

Le Texan à casquette des Bulls tapota le tabouret. Nils acceptait le ton de Steel parce que c'était Steel. Le Texan s'était entiché de lui dès son arrivée. Il ne jurait que par son courage et le présentait partout comme son fils. De la foutaise, bien sûr, mais en phase avec le caractère exubérant de l'Américain.

– Viens, petit fiston, il faut rendre hommage à notre Fjordsen. Allez viens, tiens, prends ce verre et bois, parce que aujourd'hui on est tous tristes, pas vrai, Birge, même toi, tête de serpent, t'es triste, hein ! ?

Henning Birge fit une espèce de grimace qui pouvait passer pour un assentiment. Il finit par regarder Nils Sormi dans les yeux et soutenir son regard plus de deux secondes. Il lui adressa un sourire mièvre.

– Alors, dis donc, qu'est-ce qu'il foutait ce con de Lars là-bas, franchement, tu le sais toi, Nils, tu connais le coin, non, qu'est-ce qui lui a pris à ce bâtard ?

Nils commença à boire sa bière en regardant Elenor qui se déhanchait déjà sur la piste, entourée par deux types qu'il n'avait jamais vus. Normal, se dit-il, des types d'ici n'auraient jamais approché Elenor. Il laissait faire. Si besoin était, d'autres veilleraient pour lui. Il se tourna vers Steel.

– Aucune idée, Bill. Mais il va falloir le remplacer maintenant. Ça sera peut-être plus facile pour débloquer certaines situations, qui sait ?

– Ah ah, petit Nils, t'as une idée en tête, toi, ricana l'Américain. Il lui tapa la cuisse de sa large main et prit Birge à témoin. Tu vois, tête de fouine, le petit Nils est un malin.

Steel l'embrassa sur le front, affectueusement.

– Il pense déjà à l'après, lui, il ne fait pas sa pleureuse comme nous. Mais je suis un sentimental moi, hein, Birge, toi aussi, hein ?

Birge tapota l'avant-bras du Texan en prenant un air compatissant. Il n'en pensait rien, Nils le sentait bien. Mais lui non plus n'en pensait rien. Dans cette petite ville, la course à l'argent prenait une telle ampleur que les valeurs traditionnelles volaient en éclats. Nils ne ressentait aucune mauvaise conscience, son éducation le préservait d'atermoiements stériles. Au contraire, on avait toujours essayé de lui faire sentir combien il était différent des autres, combien il valait mieux. Et il était bien la preuve que ses parents avaient eu raison. Il avait réussi, non ?

– Eh Nils, t'as vu ces petites dans le jacuzzi, tu les connais, toi ? Tu les connais pas. Dis donc, Birge, ça me file un sacré braquemart, moi, oh, tiens, ça me fait penser, la petite soirée que nous prépare ce bâtard de Tikka, ouh ouh ! Les petites garces doivent être en route, non ?

Nils n'était pas au courant d'une telle soirée, mais il comprit que Birge l'était. Le pétrolier semblait ne pas avoir entendu la remarque de l'Américain.

Steel chantonnait, puis il se leva d'un coup, renversant son tabouret, et fila vers la piste, face à la baie vitrée qui offrait un spectacle magnifique sur tout le golfe, et, au-delà, sur l'île où le gaz était transformé. On voyait aussi le ferry tout éclairé qui servait d'hôtel flottant, ancré entre l'île et la terre ferme. Des centaines de travailleurs et de cadres y logeaient, faute d'habitations suffisantes en ville. Les hommes venaient des quatre coins d'Europe construire la phase deux du programme d'Hammerfest, destiné à raffiner le pétrole du gisement de Suolo.

Sur la piste, Steel commença à se déhancher, bousculant les autres danseurs, dans un état second. Il faisait le vide autour de lui, riant à gorge déployée. Il se retrouva derrière Elenor qui continuait à danser. L'Américain l'attrapa par la taille et la retourna vers lui. Elenor accepta de bonne grâce et entra dans son jeu.

Nils observait la scène et les gens alentour.

Le Texan se faisait de plus en plus entreprenant et Elenor se laissait emballer.

Nils Sormi tourna la tête et vit que Henning Birge regardait le plongeur avec un sourire narquois. Il changea lentement de masque. Sans aucune précipitation. Bien trop lentement au goût du plongeur. Nils regardait autour de lui et, dans la salle, certains commençaient à regarder dans sa direction. Ils attendaient une réaction de sa part.

Steel était maintenant collé à la Suédoise, avec ses grosses pattes. Il avait beau le voir comme son fils, ce n'était pas une raison pour se faire sa copine devant tout le monde.

L'instant d'après, Nils était sur la piste. Dans le même mouvement, Paulsen avait surgi derrière Bill Steel, comme s'il n'avait attendu que le signal de son binôme de plongée pour intervenir. Nils tira Elenor par la main. Sans aucune douceur. Mais sans fébrilité. Nils reprenait simplement ce qui lui appartenait, le message devait être clair pour tous.

Bill Steel fit un geste pour la retenir, mais la poigne ferme de Paulsen s'abattit discrètement sur l'avant-bras du Texan. Surpris, celui-ci se tourna vers le plongeur et lança son autre poing dans sa direction.

Paulsen l'évita sans problème.

Nils voyait que son binôme, sobre comme à son habitude, pouvait gérer le lourd Texan qui déjà, après deux mouvements des poings dans le vide, commençait à s'essouffler.

Henning Birge finit par se lever pour tirer le Texan vers la sortie. Celui-ci rugissait et lançait les poings autour de lui mais il ne battait que de l'air et la musique couvrait ses cris.

Nils était encore assez proche pour l'entendre traiter Elenor de salope et menacer les plongeurs de les laisser croupir au fond d'un putain de caisson. En passant près d'une table l'Américain renversa les verres et bouscula un client. Steel l'attrapa comme une plume et le jeta en direction de Nils.

Les videurs finirent par intervenir.

Pitoyable, pensa Nils. Mais pour la deuxième fois en quelques jours, il avait été humilié en public. Il fit un signe de tête à Paulsen. Les deux hommes se comprenaient sans se parler, vieille habitude des couples de plongeurs. Demain, une mission de trois jours les attendait. Ils devaient rentrer.

Nils retourna au bar finir son verre, Elenor derrière lui. Elle se donnait une contenance en se recoiffant. Il regardait crânement la piste et les fauteuils, cherchant un regard ironique ou autre. Personne n'osait. Il paya et entraîna Elenor qui arborait un sourire satisfait.

— Raccompagne-moi au ferry.

— Tu ne préfères pas rester avec moi avant ta mission, je te ferai oublier tout ça et ce gros Américain dégueulasse qui posait ses mains partout sur moi, non mais tu as vu ça ?

— Tu sais que je suis toujours avec les gars la nuit précédant une mission. Roule, maintenant.

Discuter avec Elenor dans ces cas-là était inutile. Trop déjantée comme nana. Elle s'excitait toute seule de ce genre de situation. Il la baiserait à l'arrière de la bagnole sur le parking devant le ferry, ça irait bien pour ce soir.

13

Mardi 27 avril.
Lever du soleil : 3 h 02. Coucher du soleil : 21 h 43.
18 h 41 d'ensoleillement.

Refuge de Skaidi. 7 h 30.

Klemet s'était levé tôt pour préparer les motoneiges, remplir les jerricans d'essence et les bidons d'eau à la station-service du croisement. Skaidi était le nœud d'où partaient les routes vers Hammerfest, au nord-ouest, vers le cap Nord au nord-est et Alta au sud-ouest. Une cabane en bois de la police leur servait de quartier général lors de leurs missions de printemps.

Le temps se couvrait mais la luminosité demeurait forte. Le thermomètre cloué près de la porte affichait à peine plus de deux degrés. Il faudrait encore plusieurs semaines pour que l'herbe trouve la force de se redresser et l'envie de verdir. Klemet languissait de cette période magique. Dans ces moments-là, il regrettait de ne pas avoir le talent de son oncle Nils-Ante pour célébrer d'un joïk ou même de mots simples la victoire de la nature sur la dureté du climat.

Plusieurs rivières se croisaient ici. Le petit hameau ne possédait aucun charme, mais la situation des cours d'eau attirait les pêcheurs et plusieurs campings s'y étaient installés. Leur cabanon se tenait sur les hauteurs de l'un d'eux, le long d'une rivière. Celle-ci était encore gelée, sans doute plus pour longtemps car la débâcle avait commencé. Il faudrait redoubler de prudence en scooter. Cette période était la plus dangereuse pour s'aventurer sur la toundra. Les habitants du Grand Nord la chérissaient toutefois particulièrement car elle offrait la neige et le soleil en même temps. Les week-ends de cette période de Pâques étaient ainsi sacrés pour les locaux.

Klemet avait décidé de laisser dormir Nina un peu plus longtemps ce matin. Il voyait qu'elle commençait à souffrir de l'excès de lumière, sans le réaliser vraiment. Elle devenait plus susceptible. Petite nature du Sud. Elle s'habituera. Elle s'était déjà bien acclimatée. Lui aussi tenait le coup. Plutôt bien. Il n'avait pas rechuté. Tant mieux. Nina le poussait parfois. Elle ne savait pas tout. Elle ne pouvait pas savoir. Elle saurait bien assez tôt.

Klemet avait récupéré la liste des éleveurs du district 23. Heureusement, ce district était l'un des plus petits de la zone du Finnmark occidental.

– Déjà au travail ?

Nina venait de se lever. Ses longs cheveux blonds étaient en fouillis, et cet air chiffonné lui allait bien, se dit Klemet. Le petit air mutin du réveil, et seulement au réveil. Il détourna le regard du pyjama trop suggestif. Son œil avait eu le temps de capter, une fois de plus. Formes musclées, sveltes, galbées. Elle ne réalisait pas l'effet qu'elle produisait, trop scandinave pour ça, trop habituée à dormir près d'un garçon, en copain. Encore combien de jours de bivouac côte à côte ?

– Habille-toi, on a du boulot.

Klemet sortit pour lui laisser le refuge. Il se frotta le visage avec de la neige. Nina le rejoignit rapidement, lui tendant une tasse fumante. Il la suivit à l'intérieur.

Elle avait adopté le chignon. Elle se maquillait à peine. Ses formes avaient disparu sous le treillis de l'uniforme. Bien, bien.

Klemet étala la liste des éleveurs et la carte du district sur la table de leur petit salon-cuisine, en prenant soin de ne pas déranger le puzzle inachevé des procès-verbaux. La pièce était sobrement meublée, tout en bois, décorée de photos de paysages accrochées aux rondins. Rien de personnel. Les équipes de la police des rennes se succédaient dans ces abris et personne ne voulait embarrasser les autres de ses propres lubies.

– Nous avons une vingtaine d'éleveurs. Tous n'étaient pas présents, comme Morten Isaac par exemple. Mais dans ce genre d'exercice comme la traversée d'un troupeau à la nage, on fait souvent appel à la famille. J'ai demandé ce matin à Morten de trouver les éleveurs qui étaient sur place le jour de la mort d'Erik.

Il ne leur fallut pas longtemps pour rejoindre Kvalsund en voiture, le temps d'un flash radio qui revenait encore en détail sur la mort de Fjordsen. Les messages de sympathie affluaient et l'impressionnante carrière du maire se transformait en feuilleton-fleuve de journal en journal. Morten Isaac les attendait. Il les fit entrer, leur servit une tasse de café et resta debout, bras croisés, attendant les questions.

Klemet présenta la carte puis sa liste des éleveurs. Nina sortit son carnet. Elle remplit page après page les renseignements que Klemet arrachait au chef du district. Sept éleveurs du district avaient participé à l'opération. La police établirait avec eux quels autres membres de la famille ou amis avaient aussi été présents.

Morten ne ferait pas d'efforts supplémentaires. Il devait ressentir la même chose que lui-même. On ne savait pas très bien où on mettait les pieds. Nina brisa le silence.

– Sept éleveurs sur les vingt du district, c'est assez peu non ?

Morten desserra les bras et s'avança vers la carte.

– Les éleveurs avaient leurs rennes durant l'hiver dans les environs de Kautokeino, ici, et là, à peu près. On entame en principe la transhumance dans le courant du printemps, ça dépend des années, du climat, des pâturages. La transhumance vers les pâturages de printemps doit être terminée avant que les femelles ne mettent bas, à peu près en ce moment.

– Pourquoi maintenant ?

– Les rennes sont toujours affaiblis après l'hiver. Ils n'ont mangé que du lichen. Les faons risquent d'être trop faibles pour traverser une rivière ou un détroit. Les femelles qui mettent bas pendant la transhumance sont souvent laissées derrière. Elles rejoignent plus tard toutes seules avec leur petit, ou bien ça peut être l'éleveur suivant qui la récupère.

– Et le troupeau qui a traversé jeudi dernier ?

– Ce n'était pas le gros du troupeau. Il a traversé en avance. Ça arrive parfois. Il peut y avoir des tas de raisons à ça. C'est rare, mais ça peut arriver. Pas grand-chose à faire. Pour les éleveurs, il faut suivre. Pas le choix. On accompagne, on ne commande pas. C'est la loi de la toundra, quoi qu'en disent les autorités qui veulent nous mettre des règles partout. Faut bien te dire une chose, le renne, c'est rentable comme animal seulement s'il cherche et trouve lui-même son pâturage. S'il faut l'encadrer au plus près, ou pire, le nourrir, ce sera la fin.

Klemet et Nina laissèrent leur voiture sur un parking en bordure d'une rivière. Ils descendirent les scooters embarqués sur la remorque et accrochèrent des petits traîneaux en bois chargés de caisses métalliques. Ils quittèrent enfin la route pour s'engager sur la toundra. Les éleveurs n'étaient pas trop dispersés, mais il leur faudrait deux jours pour les visiter. Klemet avait prévu une nuit de bivouac en route, dans un des petits gumpis dont disposait la police des rennes à travers la Laponie.

Le premier éleveur qu'ils découvrirent se reposait dans son propre gumpi. Il ne leur avait pas fallu plus d'une demi-heure prudente de piste. La neige tenait encore assez bien et Klemet avait évité les points risqués sur les rivières où la glace lui paraissait déjà instable. Le gumpi était placé dans un vallon, au bord d'un petit lac encore gelé. Un trou avait été fait dans la glace et une petite canne à pêche d'une vingtaine de centimètres était posée à côté d'une peau de renne étendue au bord du trou. Les collines qui les entouraient, encore enneigées sur le versant nord, commençaient à se brunir sur le flanc sud. Des bouleaux nains formaient une sorte de barrière naturelle au pied de la colline la plus proche du gumpi. Une fine fumée s'échappait de l'abri. L'éleveur cassait la croûte. Il ne parut pas surpris quand Klemet et Nina entrèrent. Il invita les policiers à se glisser au chaud dans son refuge plus que sommaire, comme tous les gumpis de la toundra. Une simple petite cabane de chantier montée sur patins, afin de pouvoir la déplacer derrière son scooter. Le gumpi contenait deux lits superposés, un poêle, une table et un banc. Nina en détaillait l'intérieur avec la même curiosité que lorsqu'elle avait découvert celui de Mattis pour la première fois.

Klemet expliqua rapidement ce qui les amenait.

L'homme, jeune, hocha la tête. Il avait les cheveux collés sur le crâne, après avoir été écrasés par la chapka durant toute la matinée sans doute passée dehors. Il regarda les photos que lui présentait Klemet.

– J'étais là, dit-il en mettant son doigt gras sur la photo, à l'emplacement d'un point coloré.

Sur la berge méridionale, face à l'île. Il aurait donc pu remarquer la personne qui s'était levée, mais n'avait rien vu. Il paraissait sincère.

– Tu as une idée de ce qui a pu pousser quelqu'un à faire des signes ? demanda Nina.

L'autre secoua la tête, sans répondre cette fois.

– Tu te rappelles qui occupait toutes ces places ? poursuivit Klemet.

Le jeune éleveur reprit les photos. Il fut capable de placer sept autres personnes, toutes de son côté. D'après lui, l'opération avait dû mobiliser une vingtaine de personnes, une dizaine de chaque côté du détroit.

– Et, de ton côté, tu n'as vu personne avoir un comportement inhabituel, faire un geste à celui qu'on voit sur la photo ?

– Non, rien d'étrange. Je m'en serais rendu compte tout de suite. On doit être absolument immobile. Le moindre geste est donc très visible.

– Mais tu n'as pas vu celui d'en face.

– J'étais derrière mon rocher, vous voyez bien sur la photo.

– Et d'après toi celui qui s'est levé, c'est quelqu'un de votre groupe ou bien ça pourrait être un touriste ou une personne extérieure ?

– Là ? Quelqu'un de chez nous, à coup sûr. Il est trop près des autres éleveurs. Sinon, il se serait fait jeter aussitôt.

– Donc ça n'aurait pas pu être… je ne sais pas moi… le maire par exemple ?

– Fjordsen ! ?

L'éleveur faillit s'étrangler de rire.

– Paix à son âme, mais jamais il n'aurait pu approcher à moins de cinq cents mètres de notre groupe, je vous l'assure, rigola l'éleveur.

– Ah, tant que j'y pense, tu n'aurais pas vu deux touristes allemands traîner dans le coin ?

– Ici ? Pas la plus petite trace. Pourquoi, il y en a qui se baladent ici sans savoir que c'est interdit ?

– Rien, rien, une petite histoire de vol plus bas dans le fjord.

– Vous l'aimiez si peu ? demanda Nina.

L'éleveur passa de Klemet à Nina, il ne comprenait pas.

– Fjordsen, vous l'aimiez si peu ?

L'éleveur leva les bras au ciel.

– Mais enfin, vous savez qui c'est, vous savez ce qu'il fait, non ? Non, non, Fjordsen ne serait jamais venu jusqu'ici. Il n'aurait pas pu passer inaperçu à cet endroit, à ce moment. Il était excessif, mais pas idiot. S'il avait fait ça, on partait en guerre pour dix ans. S'il y a quelqu'un que vous pouvez barrer de votre liste, c'est bien lui.

Dans les heures qui suivirent, la patrouille P9 retrouva deux autres éleveurs. L'un se reposait aussi dans son gumpi, vers le nord. Klemet et Nina tournèrent un bon moment pour trouver le second qui suivait à distance son troupeau le long d'une vallée plus au sud. Les deux hommes, prévenus par un coup de fil de Morten Isaac, répondirent sans difficulté aux questions des policiers. Les photos devenaient de plus en plus complètes. Ils mirent un nom sur toutes les personnes de la rive méridionale, et une partie de ceux de l'autre berge. Mais ils proposaient trois noms possibles pour la personne debout. Dans les trois cas, des Sami impliqués dans le travail du district. Ni le maire ni un touriste égaré ne semblaient donc pouvoir être mis en cause.

Ils atteignirent vers 19 heures le gumpi de la police des rennes. Klemet resta à l'extérieur pour téléphoner au commissariat d'Hammerfest pendant que Nina se préparait pour la nuit. Les pensées de Klemet vaguaient à l'intérieur auprès d'elle quand la voix de la commissaire Ellen Hotti, bien moins sympathique, retentit dans l'appareil.

– Je ne sais pas ce que vous fichiez ce week-end, mais nous avons reçu pas mal de plaintes. Tu sais, les habituelles doléances du week-end de Pâques… les éleveurs qui râlent contre les promeneurs en scooter trop près des femelles qui mettent bas.

– On était à Kautokeino.

– Je sais, figure-toi. J'ai envoyé une patrouille d'Alta.

– On va encore nous aimer, déjà qu'on nous soupçonne de n'être là que pour empêcher les Norvégiens de profiter de la nature pendant ce week-end-là.

– À croire que tu avais fait exprès de quitter les lieux.

– On était censés être de repos !

– Mauvaise idée un tel week-end.

– C'est Kiruna qui établit les schémas, pas moi.

– Kiruna, ils sont en Suède, tu sais bien qu'ils se fichent de ce que pensent les promeneurs du dimanche ici. Et les gens ont bien le droit de profiter de la nature aussi.

– Va expliquer ça aux éleveurs qui risquent de perdre leurs faons si la mère les abandonne.

Klemet savait ce genre de discussion parfaitement stérile. Les Norvégiens habitant la côte accusaient toujours la police des rennes de n'être là que pour les harceler au profit des éleveurs qui auraient tous les privilèges. La montagne, disaient-ils, appartenait à tout le monde.

– Et le maire ? poursuivit Klemet pour changer de sujet.

– On pratique bien sûr une autopsie. Le corps est à l'hôpital universitaire de Tromsø. Le coin où il est tombé est escarpé, tu le sais.

– On a appris ce que Fjordsen fichait là ?

– Pas exactement. Quelqu'un l'a vu partir tôt d'Hammerfest. On ignore s'il avait eu vent de la présence de rennes sur la route ou vers le tunnel. On cherche des témoignages et on vérifie son téléphone portable. Les préparatifs de la cérémonie nous occupent particulièrement. Tout le gratin sera là. C'était un brave type, je l'aimais bien.

– Je sais, tout le monde l'aimait bien à Hammerfest. Ah, une dernière chose, est-ce que deux ouvriers sont passés au commissariat montrer leur permis de conduire, des types du chantier qui habitent sur le ferry ? Il y avait un Polonais. Ils n'avaient pas leurs papiers quand je les ai contrôlés l'autre jour.

Le silence s'installa quelques instants, puis la commissaire Ellen Hotti reprit le combiné.

– Personne n'est passé pour ça ces jours-ci.

Nina sortit la tête du gumpi et lui adressa un signe du pouce. Klemet raccrocha. Le soleil s'apprêtait à disparaître derrière la montagne qui bouchait l'horizon. L'air s'était refroidi. La température chuterait vers les moins 5 cette nuit. Il faudrait partir tôt le lendemain, pour profiter de la neige durcie qui porterait mieux les scooters. Le vent se mit à souffler légèrement. Klemet frissonna tout d'un coup, rappelé à ses vieux démons d'enfance. Ce soir, il n'avait pas envie d'affronter ses souvenirs. Il se frotta le visage de neige, s'exposa au vent sans conviction et rentra dans la chaleur du gumpi, essayant de ne pas penser à Nina déjà lovée dans son sac de couchage.

14

Markko Tikkanen se dandinait sur le parking derrière Skaidikroa, l'auberge station-service de Skaidi installée au croisement des routes d'Hammerfest, d'Alta et du cap Nord. Une aile du bâtiment faisait office de motel. Il était arrivé à Tikkanen d'en utiliser une chambre pour mener ses affaires à bien. Mais, pour l'heure, le gros Finlandais avait un goût amer dans la bouche. En dépit du froid tombé avec la disparition du soleil, il s'épongeait.

Il réfléchissait à toute vitesse, passant mentalement ses fiches en revue. Fjordsen disparu, son adjoint allait pouvoir monter en puissance. Très bien. Quels obstacles demeuraient ? Quelles étaient les échéances ? Que devait-il engager comme nouvelle procédure ? Qui fallait-il contourner ? Les humiliations de Bill Steel… L'Américain tenait la clef. Sa décision d'investissement dans le futur d'Hammerfest serait déterminante.

Mais Tikkanen ne serait pas Tikkanen s'il ne savait aussi qu'à Houston, la maison mère de la South Petroleum, d'autres Américains étaient prêts à faire confiance à Tikkanen. Si tout se passait comme prévu, les prochains jours verraient le début de son apogée. Il savait précisément qui serait amené à prendre la suite de Fjordsen. Il avait toujours compté là-dessus.

On ne la faisait pas à Tikkanen. Ses fiches étaient à jour. Il savait quelles tensions secouaient le district 23, quels éleveurs pensaient quoi, quels étaient leurs besoins. District 23, 19 fiches d'éleveurs, 5 familles, 27 cousins, 2 300 rennes, 657 faons le printemps dernier, dans les 300 dévorés par les prédateurs, un endettement évalué pour l'ensemble du district à 29 millions de couronnes.

Tikkanen reprenait confiance, il voyait comme s'il l'avait devant les yeux la fiche où il comptabilisait les frais opérationnels annuels du district 23, rassemblant la location de l'abattoir mobile, les heures d'hélicoptère, les réparations des scooters des neiges, des quads, les nouveaux achats à faire à l'automne, les granulés.

Mais il savait aussi quelle famille s'était endettée pour une confirmation ou un mariage. Il ferma les yeux. Une famille pouvait dépenser jusqu'à 150 000 couronnes pour un vêtement de confirmation. Sans parler des noces. Certaines familles sami organisaient des mariages avec mille invités.

Oui, Tikkanen se sentait bien mieux maintenant. Le sentiment qu'il savait tout sur tout restait sa meilleure consolation. Il grogna intérieurement. Les humiliations lui coûtaient peu. Un peu. Ce qu'il fallait. Il savait au besoin prendre l'air peiné, juste pour que son interlocuteur ait la satisfaction de savoir qu'il avait touché Tikkanen. Cela faisait longtemps que Tikkanen avait compris qu'il devait avoir une tête de souffre-douleur. Les malfaisants aimaient s'en prendre à lui. Ça ne s'était jamais arrêté depuis la cour de l'école. On le disait déjà gros à l'époque. Mais ça n'était pas seulement ça.

Il avait passé de longues heures à s'observer dans le miroir sans jamais trouver. Tikkanen ne voyait que des traits énergiques, épais, signe de force.

Il avait entendu des horreurs, quand les gens le décrivaient comme un sac en forme de poire, avec un visage flasque, lourd, difforme, avec de petits yeux bleus délavés, enfoncés et noyés dans la graisse, des cheveux rares et gras qu'il coiffait en une banane d'un autre âge, avec des oreilles aux lobes ridiculement petits et des replis du cou qui s'affalaient en cascade sur le col toujours trop serré de sa chemise. Certains disaient ça. Parfois dans son dos, parfois devant lui, avec un air méprisant.

Mais Tikkanen était Tikkanen, il avait la chance d'avoir un amour-propre trempé dans l'acier de Laponie. Résistant à tout. Et ses traits n'exprimaient que la force. Tout le reste n'était que jalousie.

La petite Skoda se gara enfin près de sa voiture. Tikkanen regarda sa montre. Il fit signe à Juva Sikku de rester au volant. Le Finlandais fit le tour de l'auberge, observa la station-service, puis revint derrière. Il alla jusqu'à la chambre du motel qu'il louait à la semaine, selon les occasions, pour ne pas avoir à se justifier dans des cas comme ce soir. Même s'il n'avait rien à craindre du patron dont la fiche était assez chargée. Il fit à nouveau signe à Juva et lui montra la chambre.

L'éleveur ouvrit une portière et indiqua la direction aux trois Russes. Il les mena jusqu'à la chambre. Tikkanen referma la porte. Les filles ne l'intéressaient pas. Tikkanen était un homme d'affaires. Il vérifia les passeports, regardant les prostituées une par une. Elles étaient jeunes, un peu maigres à son goût, pas assez maquillées. Trop étudiantes. Il faudrait réparer ça. Ce n'étaient pas des professionnelles, sauf une qui le regardait plus franchement. Il leur montra les passeports et les mit dans sa poche sans les quitter des yeux. Il regarda le carnet de santé. Tikkanen voulait des filles saines et vaccinées. Sa réputation était en jeu. Il observait Juva à la dérobée. Aucun doute sur ses intentions. Tikkanen ne s'était pas trompé sur le berger. Tikkanen se trompait rarement sur les gens.

– Tout est en ordre. Tu les emmènes dans tes gumpis et tu me les soignes jusqu'à la soirée. Mais tu ne touches pas. Tu n'auras le droit qu'après la soirée.

Juva Sikku le regardait sans aucune sympathie. Même la perspective d'une passe gratuite ne le déridait pas. Il n'avait jamais vu cet éleveur autrement qu'avec cet air sur la défensive, quel que soit son interlocuteur. Juva manquait de confiance en soi. Pas comme Tikkanen. Tikkanen savait où il mettait les pieds.

– Et cette ferme, alors ?

Tikkanen faillit s'énerver. Pourquoi étaient-ils toujours tous à lui demander des services ?

– Je crois que j'ai le terrain qu'il te faut. Près de cinquante hectares, du côté de Levajok.

– Mais c'est sur la frontière finlandaise !

– Encore mieux pour toi ! Tu pourras faire des affaires entre les deux pays, en plus de ta ferme de rennes. Alcool, cigarettes, mazout. En attendant, garde-moi ces filles aussi bien que tes rennes, au lasso s'il le faut.

15

Mercredi 28 avril.
Lever du soleil : 2 h 56. Coucher du soleil : 21 h 48.
18 h 52 d'ensoleillement.

Gumpi de la police des rennes. 8 h 15.

Au petit matin, Klemet et Nina commencèrent leur journée par une série de coups de téléphone à des éleveurs et à des proches des clans. Les témoignages des trois Sami rencontrés la veille se confirmaient. Les policiers visualisaient la place de chacun sur la rive méridionale. L'identification irait plus vite pour ceux de l'autre rive, côté île de la Baleine.

Ils quittèrent le gumpi en début de matinée, en ayant laissé le reste de bûches amenées avec eux. Klemet menait la patrouille, se fiant à sa connaissance du terrain. La neige était encore dure et il trouvait sans mal des pistes enneigées. Il lançait parfois son scooter sur des zones déneigées mais la machine les avalait sans problème. Il traversa à pleins gaz une étroite rivière où la glace avait partiellement fondu et plana sur l'eau une poignée de secondes avant d'atterrir sur l'autre rive. Il se retourna juste à temps pour voir que Nina passait facilement l'obstacle. Le franchissement de rivière en scooter des neiges était l'un des passe-temps favoris des jeunes en cette saison. Dans le cas présent, avec un traîneau en plus, l'exercice était plus aléatoire.

La patrouille P9 remonta le long de la rivière au fond d'une petite vallée bordée de bouleaux nains. De gros rochers commençaient à émerger de sous la neige, dévoilant les pièges impossibles à déceler durant l'hiver. Ils parvinrent à un petit campement de deux tentes sami. De la fumée s'échappait de leur sommet. De très jeunes enfants jouaient en riant. Klemet reconnut ce sentiment de liberté totale. Durant son enfance, il vivait ainsi dans la ferme familiale, loin de la ville. Cette époque heureuse n'avait duré que jusqu'au début de l'école. Là où tous ses problèmes avaient commencé.

L'éleveur sortit de la tente au moment où les policiers coupaient leurs moteurs. Il portait une combinaison noire avec de larges bandes orange verticales. Il s'apprêtait à rejoindre son troupeau.

– *Bures*, les salua Jonas Simba.

– *Bures*, répondirent les policiers.

Jonas Simba leur tendit une cafetière cabossée et noircie. Les policiers sortirent une tasse de leur combinaison. Ils s'assirent autour du feu.

Sans un mot, Klemet étala la carte sur un tapis de bruyères.

À l'aide d'une brindille, Jonas Simba pointa l'emplacement où il se trouvait.

– J'ai vu Erik disparaître.

Simba resta silencieux. Ses yeux s'étaient embués. Il resta sans rien dire. Les policiers respectèrent son silence. Il ne faisait rien pour retenir les larmes qui commençaient à couler.

– J'étais là et je n'ai rien pu faire. J'étais trop loin. Quand il a disparu, je suis descendu en courant. Mais on a rien pu faire. Les autres en bateau non plus. Il y avait le troupeau, les cadavres partout, les rennes qui partaient dans tous les sens. Je ne suis même pas sûr que tout le monde ait compris sur le coup qu'Erik avait disparu. Tout était tellement confus. Mais moi je l'ai vu. J'avais vu que sa barque tanguait, prenait l'eau, qu'il se passait quelque chose, et quand il a trébuché, quand…

Klemet et Nina le laissèrent boire son café.

— J'ai été son témoin l'an dernier, au mariage, pendant le festival de Pâques.

— Qui était là ?

— La silhouette debout ? Juva. Juva Sikku.

Jonas Simba cracha par terre.

— Tu es bien sûr ?

— Sikku. Sûr. Il était un peu au-dessus de moi. Il avait demandé qu'on échange nos places, et je me suis retrouvé à quelques mètres en dessous de lui.

— Tu l'as vu se mettre debout et faire un signe ?

— Non, je regardais vers le détroit, comme tout le monde, j'imagine.

— Tu sais pourquoi il s'est mis debout ?

Jonas Simba releva le visage.

— Je n'y comprends rien. Son vieux renne menait la traversée. Il l'a perdu. Est-ce qu'il a vu un problème avec son renne de tête ?

— Tu ne sais pas si les rennes ont fait demi-tour avant ou après que Sikku s'est levé ?

— Non, je vous ai dit que je ne l'ai pas vu se mettre debout. Et puis, est-ce qu'il voulait faire un signe à quelqu'un, ou bien c'était autre chose, c'est pas une photo qui peut le dire…

L'éleveur avait raison. Ces questionnaires ne menaient nulle part. Les vieux réflexes de Klemet le poussaient à ne rien négliger de ce type d'investigation systématique. Le seul problème, c'est que sur la toundra une enquête de voisinage prenait tout de suite une dimension quasi surhumaine.

– Et tu n'aurais pas vu une paire de touristes allemands ces jours-ci ? demanda Klemet.

– Des Allemands, ici ? Ben non. Quel rapport ?

Klemet secoua la tête. Il se leva pour mettre fin à l'entretien. Il jeta un regard insistant à Nina qui ne bougeait pas. Jonas Simba se redressa aussitôt. Nina demeurait les yeux plongés dans la braise.

– Nina.

La jeune femme ne semblait pas l'entendre. Elle leva les yeux et les posa sur Simba.

– Pourquoi tu as craché en prononçant le nom de Sikku ?

L'éleveur tourna la tête vers Klemet, puis s'attarda sur Nina.

– Tu ne l'aimes pas ?

Jonas Simba mordillait sa brindille en regardant Nina. Klemet se rassit, donnant du poids à la question de sa collègue. L'éleveur comprit le message.

– Ça fait des années qu'on est sous pression, nous les éleveurs du district, à cause des développements d'Hammerfest. Ils grignotent de plus en plus de nos terres pour faire de nouveaux parcs industriels. Et maintenant, avec ce nouveau gisement pétrolier de Suolo, ça va empirer.

– Et ?

– Et il se passe des choses pas sympas. Il y a beaucoup d'argent en jeu. Et nous, on pèse pas lourd.

– Je ne vois pas le rapport avec Juva Sikku, souligna Nina.

– Au sein du district, on devrait afficher un front uni. Mais ce n'est pas le cas. On a des types comme Sikku qui nous disent que tout ça c'est foutu. Je n'aime pas son attitude. On devrait se serrer les coudes, parler d'une même voix. Comme avec Erik. Avec Anneli, ils savaient toujours trouver les mots justes. Mais Sikku vient toujours râler qu'on est assis sur un trésor et qu'on devrait négocier ces terrains au meilleur prix, et qu'avec l'argent on pourrait bien trouver des pâturages à bon prix ailleurs.

Klemet réfléchissait. L'attitude de Juva Sikku devait être controversée parmi les éleveurs. Mais elle offrait une alternative face au casse-tête de l'accès aux terres sur l'île de la Baleine, là où la ville d'Hammerfest voulait se développer. Sikku n'avait peut-être pas si tort que ça.

– D'autres éleveurs partagent son point de vue ? reprit Klemet.

– Ils sont en minorité.

– Mais Sikku n'est pas seul, insista le policier.

Simba cracha à nouveau.

– Il n'est pas seul. Mais il est toujours fourré avec ce maudit Tikkanen. Ils se croient malins. Mais on les a vus ensemble au pub de Skaidi.

– Près de notre cabane ? demanda Nina en se tournant vers Klemet.

Il n'y en avait pas d'autre à Skaidi. Le portrait que Jonas Simba brossa ensuite de Sikku n'était pas avantageux pour ce dernier. Sikku était certes membre du syndicat des éleveurs. Sur le plan purement technique, Jonas le considérait même comme un bon berger, qui connaissait bien ses bêtes et les menait comme il fallait. Il suffisait de voir son renne de tête. Comme beaucoup d'autres éleveurs, il se plaignait des conditions d'élevage qui empiraient. Jonas partageait son point de vue là-dessus. Mais Sikku ne paraissait jamais satisfait de ce qu'il possédait. Et il avait cette habitude de traîner en ville.

– Je ne sais pas ce qui l'attire autant là-bas, parce qu'il faut dire que nous, les bergers, on est plutôt vus comme des parias là-bas. On nous tolère à peine.

Jonas Simba jeta d'un coup sa brindille dans le feu et attrapa un lasso plastifié orange qu'il mit en travers de sa poitrine. L'entretien était terminé. Klemet resta un instant songeur en regardant la brindille de Jonas se consumer. Markko Tikkanen l'agent immobilier et Juva Sikku. Que fichaient-ils ensemble ?

Midday,

    La survie nous prend trop d'énergie. L'autre a raison. Le cap, tenir le cap. Ne laisser personne derrière. On y est arrivés jusqu'à présent. Mais ça dérape. Ses idées l'enferment. Comme avant. Il ne laisse pas le temps à son corps de récupérer. Moi non plus. Notre corps nous échappe. Je serais fini sans lui. Il serait fini sans moi. Deux épaves. Sa dérive me fait peur. On avait toujours réussi à remonter jusqu'à présent, quand on était ensemble, toi et moi, ou quand il a pris ta place, ensuite. Mais maintenant ?

16

Après de longs détours pour trouver de la neige porteuse, la patrouille P9 atteignit le campement d'Anneli. Elle lisait, étendue sur des branches de bouleau, une peau de renne roulée en guise de coussin. Elle se leva pour venir au-devant d'eux. Elle portait un pantalon de combinaison de scooter et un sous-pull en laine polaire bleu marine. Un foulard rouge à motifs autour du cou était la seule tache de couleur, hormis ses longs cheveux raides et blonds.

Nina lui trouva un regard apaisé, bien différent de celui halluciné du dimanche précédent lors de sa course désespérée. Elle se demandait ce que la jeune bergère lisait. Dans ce monde très masculin des éleveurs de rennes, Anneli était un personnage atypique. Sa place semblait pourtant naturelle, lumineuse, évidente. Nina se rappelait la douceur et la pureté de ses mots. Mais pas seulement. La jeune éleveuse rayonnait.

Les autres tentes restaient étrangement calmes, sans trace d'activité notable à part un groupe de femmes préparant le dîner sous la direction de Susann. Les bergers, ceux qui ne partaient pas trop loin surveiller les bêtes en tout cas, dînaient tôt. Les vieux qui chantonnaient l'autre jour n'étaient pas visibles. Ils se reposaient peut-être. Anneli guida les policiers vers le feu, tira la cafetière suspendue à l'écart des braises et leur versa un jus noir.

– Comment va la tête ? commença Nina.

La jeune femme se toucha le crâne en souriant.

– Elle en a vu d'autres.

– Nous avons assisté à ta course, dimanche.

– Tout le monde n'était pas très content.

– Tu prenais beaucoup de risques.

Anneli adressa un sourire pensif à la jeune policière. Elle prenait le temps de répondre, ses beaux yeux bleu-gris plongés dans les siens.

– Ce genre de course ne comporte aucun risque. Pas pour moi. Pour les autres, oui, car ils courent pour eux-mêmes. Je ne courais pas pour moi. Il ne pouvait rien m'arriver. Rien qui ne fût écrit.

– Mais tu t'es blessée. Ça aurait pu très mal se terminer.

Anneli lui répondit d'un sourire mystérieux et replongea son regard dans sa tasse de café.

– On venait te parler d'Erik, intervint Klemet. Que peux-tu nous dire de votre travail ? Ça se passait comment ces derniers temps ?

Anneli se redressa.

– Il y a des discussions entre éleveurs. Avec Erik et quelques autres, nous essayions de revoir notre façon de travailler. Les bergers sont devenus trop dépendants d'éléments qui leur échappent, avec de très lourdes charges. Certains n'en peuvent plus. Beaucoup de bergers arrêtent, et les jeunes qui seraient intéressés ont beaucoup de mal à se faire une place, même en appartenant à un clan. Et ils n'ont pas les moyens, s'ils veulent travailler aux mêmes conditions que les autres.

Anneli les regardait tous les deux avec un sourire un peu triste.

– Est-ce une fatalité ? Erik et moi on ne le pensait pas.

– Mais tu veux dire que tout le monde n'est pas d'accord ? releva Nina.

Anneli regardait les braises. Le vent soufflait, léger, régulier.

– Des gens se donnent du mal pour nous diviser. Parfois, ils y parviennent. Ce sont des gens qui ne comprennent pas la nature d'ici, ce n'est pas leur faute. Ils ne comprennent tout simplement pas.

Anneli se leva, entraînant Nina par le coude. Elle pointait le doigt vers la crête d'une colline ondulée qui montait en pente très douce vers l'horizon.

– Le vol des oiseaux épouse les courbes des montagnes. Tu vois comme c'est doux ?

Et Nina ne pouvait faire autrement que de suivre des yeux la main fine d'Anneli qui mimait des vagues légères avec une extrême délicatesse. Sous sa caresse les montagnes étaient belles d'un éclat nouveau et les oiseaux n'auraient jamais autant de prestance que lorsqu'ils semblaient s'envoler de cette main.

Nina essaya de cacher son trouble. Les mots doux et purs de la jeune femme prenaient un écho si étrange dans le monde dur de la toundra.

Klemet rompit le silence, peu à l'aise avec ces considérations.

– Juva Sikku appartient à quelle catégorie d'éleveurs ?

Anneli se rassit. Nina l'imita.

– Juva a beaucoup d'envies. Erik et lui se connaissaient depuis l'enfance. Il n'a pas fait les mêmes études qu'Erik. Mais Juva est un bon éleveur. Il connaît bien les terres, il connaît bien son troupeau, et son troupeau le connaît bien. Mais il a des envies qui ne peuvent être satisfaites sur la toundra. C'est ainsi. Ça ne fait pas de lui un mauvais berger. Mais combien de temps tiendra-t-il ?

Nina voulait en savoir plus, mais Klemet la prit de vitesse, pressé d'avancer dans l'enquête.

– Quand les rennes ont fait demi-tour l'autre jour, Juva se tenait debout et gesticulait. Ça pourrait être ses gestes qui ont effrayé les rennes. Avec les conséquences que tu sais…

La jeune bergère resta un long moment silencieuse. Elle jouait avec une brindille de bouleau. Elle finit par sourire.

– Je ne suis pas sûre de comprendre ta question, Klemet. Mais ça n'en est peut-être pas une. Si c'en est une, tu dois la poser sans attendre à Juva.

Elle se leva d'un coup. Sembla perdre l'équilibre. Nina la soutint. Anneli se tint la tête une seconde et posa l'autre main sur son ventre.

– Ne mets pas de telles pensées en moi, Klemet.

Il avait l'air gêné. Anneli se rassit lentement.

– Erik et lui discutaient transhumance, je le sais. Juva estimait injuste d'être derrière notre troupeau, ses bêtes ne trouvaient plus assez à manger quand elles arrivaient après les nôtres. Erik me disait que Juva ne voulait pas reconnaître qu'il possédait trop de rennes, et que c'est pour cette raison qu'il ne trouvait pas assez de pâturages.

– Oui, je sais, dit Klemet, un problème classique entre éleveurs. Ces vieilles règles sont difficiles à remettre en cause. Et les éleveurs n'acceptent pas que des gens extérieurs leur disent qu'ils ont trop de bêtes, je sais, je sais.

Chacun restait sur ses positions et la situation ne faisait qu'empirer.

– C'est pour cette raison qu'Erik et moi, et quelques autres, on essayait de proposer une alternative. J'ai quelques chevaux par exemple. Je les utilise pour approcher mes rennes comme je ne pourrais pas le faire à motoneige.

S'ils arrivaient à être moins mécanisés, ils auraient moins de frais fixes et n'auraient plus besoin d'autant de rennes pour en vivre et les pâturages suffiraient pour tout le monde.

— On en parlait beaucoup avec Erik, et avec des gens comme Olaf.

Klemet hocha la tête. L'Espagnol et sa fesse fière, pensa Nina en souriant un instant.

— Tu te demandais tout à l'heure combien de temps Juva tiendrait ? Que voulais-tu dire ? demanda Nina.

— Juva Sikku a toujours été fasciné par le mode de vie de Nils Sormi. Ils se connaissent depuis l'enfance. Tous les trois d'ailleurs, avec Erik, se connaissaient depuis l'enfance.

17

Mercredi 28 avril. Fin d'après-midi.
Vallée de Klaggegga.

Juva Sikku faisait la grimace. Il reprit une dose de tabac à sucer qu'il coinça sous la gencive supérieure, dans le trou creusé au fil des ans par le snus. Il pouvait y passer le petit doigt. Juva se savait marqué en dépit de son âge encore jeune. Mais le vidda ne convenait pas aux délicats.

Il grimaça à nouveau. Les deux scooters des neiges de la police des rennes approchaient. Ils passaient le cours d'eau gelé et devaient encore effectuer un détour pour arriver par-derrière le troupeau rassemblé trois cents mètres plus bas, dans le vallon ombragé.

Juva Sikku frotta sa barbe de quelques jours. Il se rasait une fois par semaine, crâne y compris. Il se demandait ce que lui voulaient les flics. Ils arrivaient sans prévenir. Pas bon signe. Ils savaient où le trouver. Même si certains de ses rennes avaient pris plusieurs jours d'avance en traversant le détroit, le gros de son troupeau séjournait là où il devait se trouver à cette période de la transhumance.

Les trois putes se trouvaient à l'abri, dans des gumpis qu'il utilisait rarement. La police ne les connaissait pas.

Il faillit envoyer un SMS à Tikkanen, mais les gumpis étaient isolés, assez loin de son campement habituel. Personne n'irait les chercher là.

Klemet Nango venait d'arrêter son scooter à quelques mètres de lui. Sa collègue, Nansen, l'imita. Elle ressemblait à une des putes ramenées de la frontière russe, les cheveux plus longs, en blonde, et un peu plus jolie quand même. Difficile d'évaluer son cul sous la combinaison. Est-ce que Nango se la tapait ? Lui, il se la taperait à sa place. Un petit coup rapide, dans le gumpi.

— *Bures*, dit-il quand ils se présentèrent devant lui. Ça, au moins, il pouvait. Maintenant, il attendait.

Klemet Nango se posta devant lui, sa collègue Nansen à ses côtés.

— *Bures*. Nous venons vérifier deux-trois petites choses. L'autre jour, dans le détroit du Loup, tu t'es mis debout quand les rennes traversaient. On voudrait savoir pourquoi.

— Debout ?

Sikku réfléchissait à toute vitesse. C'était quoi ce bordel ? Ils avaient quoi ces flics ?

— Ben j'ai appelé, quand ils ont commencé à se mettre en rond. Fallait intervenir vite. J'avais mon renne blanc, bon Dieu.

— Oui mais… nous avons des photos. Tu es debout avant que les rennes ne se mettent en rond. On a toutes les raisons de penser que ce sont tes gestes qui ont fait peur aux rennes.

— Mais qu'est-ce que tu racontes ! s'emporta Sikku. Tu dis n'importe quoi. Tu ne sais pas de quoi tu parles ! Tu y étais, peut-être ?

Klemet sortait des papiers de la poche de cuisse de sa combinaison. Le policier, impassible, défroissait des photos devant lui. Une première photo prise dans la nature, avec une femme de dos qui montrait quelque chose.

– Et c'est pour me montrer ce cul que tu es venu jusqu'ici ?

– Regarde plutôt. Les rennes nagent encore en direction de l'île. Et là, c'est toi, nous avons vérifié. Tu es bien debout, avant que les rennes ne fassent demi-tour.

Sikku arracha la feuille des mains de Nango. Il prit le temps de la regarder, même s'il savait très bien que c'était vrai. Il prit la deuxième photo, avec le cul encore, et les rennes qui tournaient. Et son renne blanc. Des années et des années avec lui. Mais il n'était pas mort pour rien. Il gagnait du temps pour trouver une réponse. Est-ce qu'il devait répondre ? Il hésita. Ça pourrait lui amener des emmerdes. Il pensa aux putes dans ses gumpis. Tikkanen ignorait où elles se planquaient. Le gros lui répétait tout le temps moins on en sait, mieux c'est. Qu'est-ce que Tikkanen dirait aux flics ?

– J'ai vu que mon renne ne nageait pas comme il fallait. J'ai essayé de le signaler à Steggo, c'est tout. Il l'a compris d'ailleurs, mon renne blanc tirait du mauvais côté. Y avait du courant. Steggo l'a compris, la preuve, il est parti tout de suite. Hein, c'est ça, c'est le courant, la faute au courant.

Nango et l'autre regardaient la photo. Qu'est-ce qu'ils croyaient y voir, sur cette photo ? Avec cette nana qui n'y connaissait rien, et Nango qui ne valait pas mieux.

– Il n'y avait presque pas de courant ce jour-là. On a retrouvé tous les rennes grâce à ça et le corps de Steggo n'avait presque pas dérivé.

– Eh ben peut-être, mais mon renne de tête, lui, il lit pas les bulletins météo. Et puis c'était une vieille bourrique.

– Tout le monde en dit beaucoup de bien.

– Une bourrique, je vous dis.

– On nous dit aussi que tu as changé de place, continua Klemet. Tu t'es arrangé pour être au-dessus des

145

autres. Comme ça, personne ne pouvait vraiment te voir quand tu t'es levé.

– Des conneries, ça. Des conneries. J'étais là-haut, et puis c'est tout, et puis, si j'ai changé, c'était pour avoir une meilleure connexion téléphonique, il fallait que j'appelle, et c'est tout.

– Que tu appelles qui ?

– Mais bon Dieu, qu'est-ce que ça peut vous faire, vous êtes de la police ?

Les deux guignols se regardaient. Depuis quand la police des rennes jouait-elle à la vraie police ? Et la fille insistait, en plus. Sikku perdait patience.

– Je sais plus, moi. Tu sais qui t'as appelé, toi, hier à 8 heures ?

Ils lui posèrent encore quelques questions sur ses rapports avec Erik Steggo, et puis même avec Nils Sormi, le plongeur. Que du bon, il leur dit, rien que du bon. Chacun bossait dans son coin, et tout allait bien. Avec Steggo, ils bossaient bien ensemble, non ? C'était peut-être pas une preuve, ça ? Ils avaient voulu lui poser des questions sur son enfance. Son enfance !

Sikku avait senti ses genoux faiblir quand ils lui avaient demandé où était la barque qu'avait utilisée Steggo. Brûlée, avait-il répondu. Elle était foutue de toute façon. Foutue avant ou après l'accident ? Foutue, foutue, et brûlée ! Il avait tout fait pour garder son calme. Ouais, ouais, bien calme.

Là où il n'avait vraiment pas aimé, c'était quand Nango lui avait tout d'un coup demandé s'il connaissait bien Tikkanen. Quoi, quoi ? Nango avait insisté. Et la fille aussi. Elle y revenait avec sa question de téléphone. Ce serait pas Tikkanen qu'il aurait appelé juste avant de se lever ? Quelqu'un, il disait quelqu'un, pas qui, avait dit qu'on les avait vus, lui et Tikkanen, souvent ensemble, à l'auberge de Skaidi. Sikku réfléchissait encore à toute vitesse. Quelqu'un avait-il pu les voir derrière l'auberge la veille au soir ? Il n'avait vu personne en arrivant. Et Tikkanen avait sûrement fait le tour, à son habitude. Il avait répondu aux policiers que ce n'était pas interdit de voir Tikkanen, non. Il avait pris confiance en lui. Tikkanen, il valait bien autant que n'importe qui ici, même s'il était finlandais. Ça, Sikku, il avait bien senti qu'ils avaient pas grand-chose à lui répondre. Ils avaient tourné les talons et ils étaient repartis. Putain de police des rennes, ils avaient rien d'autre à foutre ? Mais tout ça, ce serait bientôt fini pour lui. Lui aussi, il aurait droit à sa part. Tikkanen avait promis.

18

Jeudi 29 avril.
Lever du soleil : 2 h 50. Coucher du soleil : 21 h 54.
19 h 04 d'ensoleillement.

Route 93, entre Alta et Kautokeino. 9 h 45.

Klemet avait insisté pour partir sur Kiruna. Ils devaient absolument prendre connaissance des résultats de l'autopsie. Celle-ci avait été effectuée à Tromsø par l'ami légiste de Klemet qui voulait leur communiquer les résultats. Comme un certain nombre de médecins et infirmiers suédois, il faisait quelques extras en Norvège pour arrondir ses fins de mois. Nina ne partageait pas l'empressement de Klemet.

– Le toubib peut bien nous communiquer les résultats par courriel. D'ailleurs la mort du maire ne nous regarde pas vraiment.

Klemet s'était presque fâché, proposant d'y aller seul. Après tout, ils étaient en récupération et ne travaillaient pas aujourd'hui. Nina avait finalement accepté. Elle avait le cafard et ne savait s'expliquer pourquoi. Quelque chose lors de sa brève rencontre avec Nils Sormi au détroit du Loup la mettait mal à l'aise, mais elle ne comprenait pas quoi. Ni pourquoi. Kiruna lui changerait les idées.

Klemet s'arrêta en route au café Reinlykke. La vieille Lapone patientait comme à son habitude derrière la caisse. Reinlykke – «la chance du renne». Ils achetèrent un café et s'assirent dans un coin.

– La chance du renne… commença Nina. Morten nous en parlait l'autre jour. Les gens croient toujours à ces choses-là ?

– Est-ce que l'on croit encore au sacré ? À ce qui nous dépasse ? Les gens croient à ce dont ils ont besoin de croire pour survivre.

Nina leva les sourcils d'un air dubitatif. Cela ne collait pas vraiment avec le strict catéchisme évangéliste que sa mère lui avait inculqué tout au long de son enfance. Le seul mystère acceptable était le mystère de la foi, et celui-ci ne souffrait aucune remise en cause. Nina se demandait parfois comment une telle femme avait pu rencontrer un homme tel que son père. Leur séparation avait dû être inévitable dès le premier instant. Mais il est vrai qu'au moment de leur rencontre, son père n'était pas encore plongeur. Sa vie devait être bien différente.

– Rappelle-toi Mattis, il y croyait, au sacré, avec le tambour volé à Kautokeino. Et regarde où ça l'a mené. Ça l'a tué.

– Mattis ne croyait pas seulement au sacré. Il était avant tout désespéré et acculé. Le sacré ? Tu as vu ce grand rocher pointu au détroit du Loup. Des pierres comme ça, tu en as dans toute la Laponie. Des cailloux parfois, qui ont une signification spéciale pour les gens d'ici.

– Les gens d'ici, tu veux dire les Lapons, ou bien vraiment tout le monde ?

– Les Lapons. Certains, en tout cas.

– Et pour toi, ils en ont une, de signification ?

– Moi ? Moi je suis policier, donc rationnel, n'oublie pas.

Nina regarda si son collègue plaisantait. Insondable. Elle pensait à sa façon de situer son ombre avant d'avancer. Cocasse parfois.

– Les joïks de ton oncle parlent de ce genre de choses ?
– Oui, de nombreux joïks sont liés à des lieux particuliers.
– J'aimerais bien voir ça de plus près.
– C'est des vieilleries, tous ces machins.
– Tant pis, j'irai voir ton oncle toute seule.
– Fais attention avec lui, il aime les petites jeunes…
– Ah, et toi, tu n'aimes pas les petites jeunes ?

Klemet la regarda, l'œil soudain pétillant. Un petit air qu'elle ne lui connaissait pas.

– Je suis difficile moi, je n'aime que celles qui tiennent debout toutes seules sur un motoneige…

À Kautokeino, ils profitèrent d'une rotation de l'hélicoptère jusqu'à Kiruna. Émerveillée, Nina découvrait pour la première fois la toundra vue du ciel. Klemet était un guide formidable. Épaule contre épaule, dans la promiscuité de la cabine d'hélicoptère, elle avait senti la chaleur rassurante de son coéquipier. La neige couvrait encore la plupart des surfaces, mais elle sentait la nature pointer sous l'épaisse carapace blanche, une nature encore écrasée qui, par petites touches brunes, émettait son désir de retour à la vie et à la lumière. Le plateau du vidda apparaissait parsemé de vallées découpant la toundra en mille territoires toujours plus inaccessibles. Cette immensité constituait pourtant leur zone de travail, aussi insensé que cela puisse paraître vu d'en haut. Toute la région était vide de rennes en cette saison. Ils survolèrent bientôt la Finlande. Les zones boisées se faisaient plus nombreuses. Nina se rappela ce que Klemet lui avait raconté, sans jamais entrer dans les détails. Son grand-père avait dû arrêter l'élevage de rennes à cause des frontières tracées en Laponie, quand les États avaient bien tardivement étendu leur souveraineté à la région. Avec les frontières, des routes traditionnelles de transhumance avaient été coupées. Les éleveurs qui passaient outre étaient mis à l'amende. Comme le grand-père de Klemet. De nombreux éleveurs avaient été privés d'une partie de leurs pâturages. Et peu à peu avaient tout perdu. Le grand-père de Klemet avait de cette façon été poussé hors du milieu des éleveurs. Terrible destin dans cette région où la fierté se mesurait en nombre de rennes. Klemet pensait-il à son grand-père en ce moment, en survolant ce bout de frontière finlandaise qui avait signé la déchéance de sa famille ? Son collègue affichait un masque impassible. Il dut sentir le regard de Nina posé sur lui et ferma les yeux, paraissant s'assoupir.

Ils arrivèrent à Kiruna en survolant la mine de LKAB. Un train minéralier venait juste de la quitter. Presque 800 mètres de long et pas loin de 7 000 tonnes de minerais, lui dit Klemet dans le casque. Klemet avait en partie grandi ici, à Kiruna, avec sa mère suédoise, avant de partir s'installer dans une vallée près de Kautokeino, côté norvégien, puis à Kautokeino même, quand il avait commencé l'école.

Après l'atterrissage, une voiture les amena en ville. Sur le trajet, des affiches annonçaient une rétrospective de l'artiste sami Anta Laula à la maison du peuple. Nina n'avait pas eu le temps de découvrir les artistes locaux. Klemet lui disait souvent que c'était là où la culture sami allait vraiment survivre, plus qu'avec l'élevage des rennes. Pouvait-il avoir raison ? Il exagérait sûrement. Il voyait tout en noir quand on évoquait l'avenir de l'élevage de rennes. Sans doute son histoire personnelle.

Le véhicule les déposa au quartier général de la police des rennes, situé dans l'ancienne caserne des pompiers.

Nina avait appris lors de son premier stage sur place que la police des rennes avait été créée en 1949 en Norvège, à une époque où les Norvégiens volaient beaucoup de rennes pour survivre après que la côte avait été dévastée par les Allemands à la fin de la guerre. Le quartier général était alors à Alta. Puis les gouvernements nordiques avaient décidé d'étendre cette police des rennes à la Finlande et à la Suède, soit aux presque 400 000 kilomètres carrés qui formaient la Laponie. Et Kiruna avait été désigné comme nouveau centre opérationnel.

L'ancienne caserne des pompiers avait une belle tour octogonale en bois peint au rouge de Falun, le sommet était surmonté d'un dôme fin et blanc qui coiffait un étroit balcon circulaire.

Le légiste les attendait sur le pas de la porte. Il venait de rentrer de l'hôpital universitaire de Tromsø, côté norvégien. Il serra chaleureusement Klemet dans ses bras. Les deux hommes avaient travaillé ensemble des années auparavant à Stockholm. Sans un mot, le médecin ouvrit sa blouse blanche et, avec un clin d'œil, montra à Klemet un polo vert d'Hammarby, le club de foot de Södermalm, dans la capitale suédoise.

– Je l'ai mis spécialement pour toi quand j'ai su que tu arrivais…

Ils montèrent dans la salle de réunion. Café, gâteaux à la cannelle. Le médecin ouvrit une chemise posée devant lui.

– Je sais que ce n'est pas de votre ressort, mais avec les histoires là-haut, j'ai pensé que ça vous intéresserait. Lars Fjordsen est bien mort de sa chute dans les éboulis. Pas de doute là-dessus. Mais juste avant il s'est battu avec quelqu'un. Il porte des traces de strangulation au cou, des hématomes. Analyses en cours, comme ce qui traîne sous ses ongles. Tout ça s'est passé juste avant sa mort. La question est a-t-il chuté seul ou a-t-il été poussé.

Sa tête a ensuite heurté un rocher de plein fouet. Et là, ciao, but en or, fin du match.

Klemet et Nina restèrent seuls dans la salle de réunion. Après le départ du légiste, ils avaient fait un point par téléphone avec Ellen Hotti, la commissaire d'Hammerfest. Si bagarre il y avait eue, la commissaire Hotti était d'avis de regarder du côté des éleveurs en conflit avec la mairie. De la logique pure selon elle. Klemet fit la moue, mais il n'opposa aucun argument à la commissaire. Il raccrocha.

– Tu n'avais pas l'air d'accord avec elle. Mais ça me paraît plutôt cohérent, non ?

– Tu vois un éleveur tuer le maire ?

– On ne te parle pas de tuer. Il est mort en tombant.

– Mais il y a strangulation. Donc peut-être intention de tuer. Mais on regardera. Pas compliqué de savoir quels éleveurs sont en conflit avec la mairie.

– Mais tu as autre chose en tête ?

Son collègue n'aimait pas les spéculations. Il luttait.

– Fjordsen a fait partie du comité Nobel, il a été ministre. On se fait des ennemis dans ces postes. Regarde Olof Palme. Une bonne douzaine de pistes tout à fait crédibles, aux quatre coins du monde.

– Et tu as enquêté sur le meurtre de Palme, je sais.

Nina hocha la tête. Elle feuilleta l'exemplaire du jour de NSD, le quotidien régional social-démocrate. Le journal parlait d'un conflit syndical à la mine, d'une présentation du projet de futur quartier de la nouvelle mairie, puisqu'il fallait déménager l'actuelle, menacée d'écroulement à terme, afin de ne pas freiner l'exploitation de la mine. En pages Culture, NSD évoquait l'exposition de cet artiste dont le visage s'affichait en ville et qui évoquait quelqu'un de vaguement connu à Nina. Sans qu'elle puisse mettre un nom dessus. Un encadré précisait que Laula était attendu au vernissage de l'exposition le lendemain. Sa présence était annoncée comme un événement car sa santé s'étant beaucoup détériorée depuis des années, ses apparitions se faisaient rarissimes, à en croire ce petit article.

– Tu connais ce Laula ? demanda Nina.

– Sale histoire…

– Comment ça ?

– Je ne sais plus exactement. Il faudrait demander à mon oncle. Mais c'est un type qui part en vrille.

Klemet tira le quotidien à lui. Il jeta un coup d'œil.

– Mais très doué de ses mains, ajouta-t-il en fermant le journal d'un geste sec.

– Bon, bon, bon, dit Nina, et donc nous voilà à Kiruna un jour de récupération pour apprendre que Fjordsen s'était bagarré avec quelqu'un, une information qui bien sûr était trop sensible pour que ton pote de foot nous la communique par téléphone…

Klemet ne répondait pas, tapotant négligemment son téléphone. Il faisait des moues avec la bouche. Il semblait jauger Nina, mais restait silencieux. Il se leva d'un bond.

– Je reviens.

Une fois seule, Nina se tourna vers un ordinateur installé en bout de table et tapa le nom de Lars Fjordsen dans le moteur de recherche. Il y avait des dizaines de milliers d'occurrences. Assurément, Fjordsen avait une dimension nationale voire internationale que Nina n'avait pas soupçonnée, en dépit des bribes de biographie captées à la radio.

Fjordsen avait pris la tête du Directorat du pétrole au début des années 1990, et pour récompenser une carrière bien remplie au service du pays et du parti social-démocrate, il avait été nommé membre du comité Nobel. Les nominations fonctionnaient ainsi : les principaux partis nommaient les cinq membres chargés d'attribuer le prix Nobel de la paix tous les ans. Il avait quitté le prestigieux comité depuis quelques années, et s'était consacré corps et âme au développement d'Hammerfest et, plus généralement, à celui du Grand Nord et de ses ressources offshore.

Nina affina la recherche. Lars Fjordsen n'avait pas été un membre effacé du comité Nobel. L'activité du comité prêtait le flanc à toutes les critiques. Les lauréats faisaient rarement l'unanimité et, si tel était le cas, c'était souvent des quasi-inconnus choisis comme compromis face à des candidats trop controversés. Du coup, on ne semblait jamais pouvoir éviter les commentaires acerbes. Fjordsen avait des sympathies politiques très affirmées. Son engagement se concentrait sur de nombreux mouvements de libération à travers le monde. Fjordsen appartenait visiblement à la fraction internationaliste du parti travailliste. Cela éloignait beaucoup Nina des histoires d'éleveurs de rennes.

Fjordsen était d'autant plus fascinant qu'il avait été ministre des Affaires sociales à une époque où de grandes réformes avaient été engagées en Norvège. Nina se demandait comment il était passé du poste de responsable du Directorat du pétrole, poste de pouvoir dans une pétromonarchie comme la Norvège, à celui plus effacé de ministre des Affaires sociales.

Elle fut interrompue dans ses réflexions par le téléphone mobile de Klemet qui vibrait sur la table. Après une courte conversation, elle reposa le téléphone, sourire aux lèvres.

Elle se replongea dans ses recherches jusqu'au retour de Klemet.

– Tu savais que Fjordsen avait été un champion des mouvements de libération ? Regarde un peu tout ça, dit-elle en poussant ses notes devant lui. Klemet regarda en silence.

– Quand je te dis que c'est du copier-coller de l'enquête sur le meurtre d'Olof Palme. On avait des pistes à ne plus savoir qu'en faire et, au final, on ne sait toujours pas qui a fait le coup. Officiellement, en tout cas.

Klemet regardait à nouveau, plus méthodiquement, les notes de Nina.

– J'ai passé un coup de fil à la mairie d'Hammerfest, dit-il. Il y avait un gros projet en cours, un projet de route qui devait être élargie pour la future zone industrielle qui servira de base pétrolière pour le gisement de Suolo. Au sud de la base actuelle, sur le côté ouest de l'île, entre cette Polar base et le pont qui va de l'île à Kvalsund. Et il y a toute une discussion à cause du rocher sacré qu'il faudrait peut-être déplacer de l'autre côté du détroit du Loup. Ça part dans les tous les sens, cette histoire.

Il resta silencieux encore un instant.

– On verra ça demain. Il n'y a pas de rotation d'hélico sur Kautokeino avant demain matin. Mais j'ai tout arrangé, on est hébergé ce soir ici, toi au QG, et moi chez mon vieux pote.

– Oh, mais quelle chance ! s'exclama Nina.

Elle tendit son téléphone mobile à Klemet.

– À propos, Eva vient d'arriver de Malå. Elle sera au restaurant comme prévu, à 18 h 30 – dans un quart d'heure exactement –, comme vous en aviez convenu hier apparemment…

19

Mer de Barents, à bord de l'*Arctic Diving*. 18 h 15.

Nils Sormi était étendu depuis plus de deux heures, écouteurs sur les oreilles. Plus aucune musique n'en sortait depuis un bon moment déjà mais il se ressourçait dans sa bulle. Dans sa bulle. Le mot était on ne peut mieux choisi. Il croupissait dans le minuscule caisson de décompression installé sur le navire de plongée de la compagnie depuis presque quatorze heures. D'habitude, ces longues heures d'attente au retour d'une mission de plongée sous pression ne l'embêtaient pas trop. En dépit de la promiscuité, il écoutait de la musique, lisait, discutait avec Tom. Ils parlaient techniques de plongée, matériel, ils pouvaient y passer des heures, avec les magazines qui traînaient. Cette fois-ci, il partageait malheureusement le caisson avec un autre binôme de plongeurs. Nils ne supportait pas l'un des deux hommes. Mais alors pas du tout.

La mission en elle-même s'était bien passée. De la routine sans grand intérêt, une mission d'inspection, sans danger, sans manipulation de matériel. Un sous-marin aurait pu faire le boulot, mais les deux opérateurs de ROV étaient absents et ça ne pouvait pas attendre. Inspection de la plateforme qui venait d'arriver pour le gisement de

Suolo. La profondeur n'était pas extrême, mais suffisante toutefois pour nécessiter une plongée en saturation et la décompression qui suivait. Qu'importe, ce temps passé à ne rien faire était grassement payé, lui aussi. Tout aurait été parfait sans le plongeur de l'autre binôme qui partageait la chambre de décompression.

L'autre s'approchait, il voulait montrer quelque chose dans un magazine à Nils. Ce dernier tapota son casque et, d'un sourire, lui signifia qu'il viendrait plus tard. Faire semblant que le mec était un pote. Nils avait appris. Aucune autre alternative dans ces moments. On ne pouvait pas passer vingt heures avec un type en caisson de décompression et l'insulter, le haïr, lui dire que vous ne supportez pas son haleine, qu'il a la pire tête de con que vous ayez jamais vue. Alors, vous lui adressez un sourire, un signe du pouce ferme pour dire que vous êtes sur sa longueur d'onde, que tout va bien, qu'on forme tous une super équipe. Mais que ce con dégage de votre vue ! Qu'il ferme sa gueule qui pue !

Le monde des plongeurs de la mer de Barents sentait le renfermé. Rien à voir avec la grande époque de la mer du Nord, quand des centaines de plongeurs sillonnaient les fonds. La mer de Barents n'en était qu'à ses débuts. Il faudrait des années pour prendre la mesure de cette nouvelle province pétrolière, et Nils en était l'un des pionniers.

Les compagnies, après les accidents à répétition des années 1970, faisaient leur possible pour éviter de faire appel à des plongeurs. On trouvait du gaz, on trouvait du pétrole. Et, parfois, il fallait quand même des mecs comme eux, même si les compagnies s'arrangeaient généralement pour que de petits sous-marins télécommandés, les ROV, exécutent le boulot.

Nils avait entendu toutes sortes d'histoires dans sa jeunesse sur ces plongeurs aventuriers qui avaient connu la

mer du Nord. Tout gamin, il avait fréquenté ces types-là.
De vrais héros. Un jour, il en avait vu un sortir de l'eau,
en scaphandrier, dans le bout de fjord où sa famille avait
un cabanon d'été et son père un petit bateau de pêche.
Sortir de l'eau sous ses yeux, avec des reflets du soleil
qui faisaient scintiller son casque doré et l'aveuglaient…

Dans sa jeunesse, au sortir du collège, il s'était
retrouvé dans les pattes des premiers ouvriers du pétrole
arrivés dans le coin, vers le début des années 2000.
Hammerfest gagnait la réputation d'une ville en train de
bouger. Qui allait bouger. Ses parents étaient sami, des
gens modestes, mais ils n'arrêtaient pas de lui dire que
les événements en cours signifiaient une vraie chance
pour lui, le petit Nils. Eux n'avaient aucune éducation,
mais lui, Nils, avec son œil vif et son intelligence,
saurait profiter de cette opportunité. Il avait la chance
d'être sportif, il n'avait peur de rien, il ferait peut-être
son chemin. Oui, il s'était toujours senti soutenu par
ses parents qui l'avaient laissé baigner dans ce milieu
pétrolier et gazier naissant. Pas comme ses amis de la
petite école, Erik ou Juva, qui restèrent prisonniers des
traditions des clans sami, à l'intérieur des terres, où un
jeune homme ne pouvait envisager un autre avenir que
l'élevage de rennes.

Il en parlait parfois avec Tom Paulsen, son binôme,
un des seuls pour lesquels il ressentait un vrai respect.
Nils évitait tout de même d'évoquer sa naissance dans un
milieu purement sami. Il y avait des limites. Assez jeune,
il s'était éloigné de ce monde et d'Erik. Un monde qui le
laissait froid. Nils trouva d'autres amis qui n'en étaient
pas vraiment. Juva resta à distance raisonnable, croisé au
cours de quelques beuveries d'ado. Juva se maintenait à
la frontière de son univers, toujours dans le milieu sami,
mais Nils voyait bien à quel point l'éleveur était attiré
par son nouveau monde.

Tom Paulsen le tira un moment de sa rêverie. Il lui proposait une bouteille d'eau et un cachet. Sormi n'aimait pas trop mais ça l'aidait à récupérer. Dans cette étrange atmosphère, la fatigue était un fardeau de tous les instants, à cause des changements extrêmes de pression auxquels le corps avait été soumis et qu'ils devaient maintenant tenter de rééquilibrer pour se rétablir.

Nils Sormi reprit le cours de ses pensées. Encore jeune ado, il s'était retrouvé dans un maelström pétillant. Les plongeurs d'Hammerfest, les pionniers des premières années, organisaient des fêtes monstrueuses. Il arrivait à s'y introduire et à se rendre indispensable, il remplissait les verres, cherchait de nouvelles bouteilles, aidait à ranger, allait récupérer le numéro de téléphone d'une jeune fille dont le petit ami local ne se méfierait pas d'un gamin comme lui. Les plongeurs se montraient généreux avec lui. Nils avait pris goût à cette ambiance, à cette aisance aussi. Là, il y avait de l'argent. C'était là où il voulait être.

Nils Sormi se souvenait de sa première plongée avec un Français, Jacques, un gars déjà ancien, qui avait travaillé pour une société de Marseille dans le temps, écumant les côtes africaines puis la mer du Nord. Ses histoires collaient Nils des heures auprès de lui. Il lui avait raconté avoir ramené le cadavre d'un autre plongeur coincé sous une plateforme dans un delta quelconque d'Afrique. Les yeux de son héros s'étaient mouillés. Nils avait été troublé. Déçu un peu. Le Français racontait que son collègue avait apparemment paniqué, remontant trop vite à la surface. Il avait parlé de bulles qui explosaient, dessinant une bouteille de champagne dont le bouchon sautait en l'air pour décrire ce qui s'était passé dans ses poumons et son cerveau, et tout son corps sous pression. Ce soir-là, il ouvrit une bouteille de champagne pour lui montrer, faisant sauter le bouchon à une hauteur incroyable, la mousse blanche avait jailli, s'étalant sur les cuisses de Nils, arrachant des rires au jeune garçon, et ils avaient vidé la bouteille tous les deux. Nils connut l'ivresse pour la première fois de sa vie.

Le haut-parleur interrompit ses souvenirs. Le repas était servi. On le leur faisait passer par un sas. Même si les conditions de vie dans les caissons s'étaient améliorées depuis l'époque pionnière, elles restaient très dures à la longue. À cause de l'atmosphère qui régnait dans la chambre de décompression, la nourriture perdait son goût et sa consistance, et le gaz qu'ils respiraient transformait leur voix en une espèce de sabir nasillard. Nils Sormi n'avait pas faim. Il savait que la décompression était bientôt terminée et qu'il pourrait se rattraper mais il se força à manger.

Ses pensées vagabondèrent à nouveau dans le passé. Cela lui arrivait rarement. Mais la mort d'Erik Steggo avait sonné le rappel. Nils ne comprenait pas sa réaction dans le détroit, en repêchant le corps. Il avait déjà ramené des cadavres, vu des morts. Pourquoi lui plus qu'un autre? Ils avaient été proches, mais c'était tellement ancien. Il voulait se souvenir de ce qui leur avait fait prendre des voies si différentes, alors qu'ils avaient été amis. Évidemment, Erik n'avait pas ressenti la même chose en voyant ces plongeurs. Gamins, ils fréquentaient pourtant tous deux la côte, Erik au moment de la transhumance, quand ses parents l'emmenaient vers les pâturages d'été. Ils se revoyaient là, quand Nils habitait au cabanon familial, au bord du fjord.

Il se rappelait encore ces plongeurs qui revenaient d'opérations apparemment bizarres, qu'ils ne racontaient pas. Nils devait être à peine né, ou il était trop petit pour en avoir le moindre souvenir.

Nils, à qui les plongeurs ne faisaient pas trop attention, captait des mots qu'il ne comprenait pas. Il savait juste que ce n'était pas leurs mots habituels pour décrire les plongées.

Les étés passaient ainsi. Quand ils arrivaient à la fin du printemps, Nils avait le sentiment de revivre. Et l'émerveillement durait jusqu'au début de l'automne, jusqu'à leur départ pour d'autres mers plus chaudes.

Nils ne comprenait pas pourquoi ils s'étaient un jour mis à traîner un Sami, qui avait l'air complètement hagard. Il avait le faciès marqué, un vrai Lapon, s'était dit Nils avec une pointe de mépris. Du mépris, oui, car il lui rappelait un milieu qui lui semblait arriéré. Mais les autres avaient à la bonne ce type bizarre. S'il était difficile d'en tirer quelque chose, il paraissait doué de ses mains. En plus, ce Lapon semblait bénéficier d'une certaine aura. Nils avait décidé de s'en désintéresser. Du moment qu'il pouvait rester près de ces grands hommes, peu lui importait, finalement. Nils avait ainsi grandi en étant la mascotte de ces hommes. Est-ce qu'un gamin pouvait connaître plus grand bonheur ?

Un beau jour, tous ces hommes avaient disparu, appelés à d'autres missions. Ils avaient rempli la leur ici. Le printemps suivant, ils n'étaient pas revenus. Et le suivant non plus. Il s'était retrouvé seul, comme abandonné. Que lui restait-il ? Les Juva, les Erik ?

Dès qu'il avait pu, Nils était parti à l'armée faire son service dans la marine et, tout naturellement, il était devenu plongeur, avant de revenir à Hammerfest. Enfin plongeur. Désormais, son tour était venu d'être sur le devant de la scène.

– Sormi, message ! lança la voix de Leif Moe.

Nils Sormi se releva doucement de sa couchette. Il regarda sur l'écran où ses SMS étaient transférés. Pas de numéro d'expéditeur. Et ces deux simples mots, qu'il découvrit en fronçant les sourcils : *De profundis*.

Midday,

Aide-moi! L'autre n'en peut plus. Il crache, et j'ai l'impression qu'il se tue à petit feu. À deux, on avance encore. J'arrive encore à le calmer. Mais combien de temps, je ne sais pas, mon vieux Midday. Tu m'excuseras de rester un peu énigmatique dans ces lettres, mais qui sait entre les mains de qui elles pourraient tomber.

Pour en revenir à mon compagnon de malheur, il s'écroule de plus en plus souvent. Ce n'est pas drôle à voir, tu sais. La nuit, quand il dort devant, je l'entends sangloter parfois. À chaque fois que je l'entends comme ça, je me demande ce qu'ils ont fait de nous, nous qui étions pourtant surentraînés. Mais ces salauds n'avaient pas voulu écouter. Ça le rend de plus en plus fou de rage. Il veut rendre. Rendre les coups. À sa façon. Leur montrer. Les autorités n'avaient pas le droit de faire ça. On a été de leur bord. On s'est sacrifiés pour ce pays. On n'a pas donné nos plus belles années peut-être? Qu'ont-ils fait de nous?

20

Kiruna, restaurant Landström. 19 h 15.

Klemet avait dû bafouiller quelques excuses auprès de Nina. Gêné d'être pris en flagrant délit de mensonge abracadabrant. Elle se retrouvait coincée à Kiruna et avait réussi à repousser une invitation à dîner de Fredrik, le grand blond ventru attaché de la police scientifique à Kiruna qui se prenait pour un Casanova. Il aimait bien Nina, qui ne faisait aucun effort pour le lui rendre. Klemet avait réussi à arriver en retard au restaurant de la rue Föreningsgatan. Eva l'attendait sur la terrasse, un verre de vin blanc presque vide à la main, cigarette à la bouche. Elle avait visiblement fait un effort pour discipliner son épaisse chevelure grise. Elle l'accueillit d'un rire sonore.

– Alors, mon petit flic, on te fait des misères au travail !

Klemet aimait bien cette Suédoise atypique, ou très typique, il ne savait pas très bien, avec de somptueux yeux bleus et un fin visage au teint qui paraissait toujours hâlé. Signe qu'en dépit de son poste de directrice de l'Institut nordique de géologie basé à Malå, plus au sud, elle devait encore crapahuter pas mal au grand air.

– En tout cas, ton coup de fil m'a fait plaisir. Ça m'a tiré de mes petits cailloux et de mes gros dossiers. Vin blanc ? J'ai une bonne bouteille sur la table.

Klemet fit un signe de la main. Il ne buvait pas, et les rares fois où il avait fait une exception, cela s'était plutôt mal terminé. Il décida tout de même de faire un geste pour trinquer.

– Vraiment un fond, alors…

– Oh, mais mon petit flicaillon veut s'encanailler ce soir, sourit Eva. Mais c'est qu'il pourrait enfin tomber l'uniforme, le Klemet…

Le policier leva son verre et trinqua.

– Comme tu y vas. Je t'ai promis de t'inviter dans ma tente à Kautokeino, ne brûle pas les étapes.

Eva Nilsdotter vida son verre et le remplit à nouveau. Elle alluma une nouvelle cigarette.

– Klemet, tu n'es qu'un salopard d'allumeur, rigola-t-elle. Tu crois vraiment me berner comme une petite délurée ?

Klemet leva son verre et lui envoya une bise virtuelle.

– Oh, mais on sent que le printemps bourgeonne !

– Si j'avais le quart du talent de mon oncle, je te parlerais de cette nature qui attend pour s'éveiller.

– Ah ça, dit Eva en levant son verre, je ne m'en lasse pas. Cette nature écrasée pendant des mois par des mètres de neige, qui peine, qui souffre, qui reste grisâtre pendant des mois encore et qui tout à coup va exploser, verdir, s'épaissir, grouiller de vie et d'énergie. Notre miracle éternel.

Klemet regardait Eva faire de grands gestes pour décrire sa passion du printemps. Les fines rides au coin des yeux ressemblaient à des rayons de soleil, se dit Klemet.

– Ce n'est pas pour tout ramener à la géologie, mais ça me fait penser à ce qu'a dû être, à une autre échelle bien sûr, l'élévation des terres ici après la fin de la grande glaciation.

Elle éclata de rire en voyant le regard de Klemet.

– Oh là là, je ne voulais pas te faire peur.

– Non, non, continue.

– Je dis seulement que le climat s'est réchauffé et que les énormes glaciers qui recouvraient la région ont fondu, et la terre, qui était libérée de cette masse, s'est élevée. Ça a donné tous ces reliefs, cette variété de paysages, cette vie quoi. Comme la nature qui se libère au printemps, tu piges mon gros loup ?

Klemet l'écoutait et il aimait sa façon sans gêne de dire la vie, qu'il s'agisse de la nature ou des hommes. Il observait ses petits rayons de soleil au coin des yeux et il sentait qu'elle l'irradiait. Comme Nina qui lui avait confié se sentir illuminée par les paroles d'Anneli. Il essaya de chasser la jeune bergère de son esprit pour que l'enquête ne vienne pas alourdir cet instant. Mais Eva avait perçu cet éclair.

– Allez, raconte plutôt, sinon ça va nous pourrir la soirée de toute façon.

Klemet secoua la tête. Il n'y avait rien à raconter. Pas ici, pas maintenant. Que dire d'un berger qui se noie de façon peut-être suspecte, d'un maire qui chute de façon plus que suspecte, d'un rocher sacré qui gêne, d'une ville grouillante, d'un monde qui pousse l'autre. Klemet se sentait devenir mélancolique. Il ne pouvait même pas mettre cela sur le compte d'une gorgée de vin blanc.

– Tu as vu, toi, comment cette région se transforme.

– Qu'est-ce que tu veux dire mon petit Lapon, tu veux dire depuis dix mille ans, ou depuis vingt ans ? Moi, plus il y a de zéro, plus je suis à l'aise pour observer, dire des choses intelligentes. L'homme, il m'enflamme le mieux sous forme de fossile. Oh, mais cet air tout d'un coup, je ne disais pas ça pour toi mon balot.

Klemet éclata de rire.

– D'accord, d'accord, tu gagnes. Je ne sais pas exactement, on se retrouve avec une affaire qui n'en est pas une.

Tu sais, d'habitude on traite des conflits de pâturages sur la toundra, des vols de rennes, des conduites illégales de scooters dans des zones protégées, des histoires comme ça. Mais là, la mort du maire d'Hammerfest nous retombe en partie sur le dos, au prétexte que la mairie est encore en conflit avec des éleveurs.

– Et pourquoi ce conflit ? demanda Eva en se resservant.

– Avec le gisement de pétrole de Suolo, la ville doit s'étendre pour accéder à de nouvelles surfaces pour des bases logistiques, à une autre zone pour construire un nouvel aéroport capable de recevoir des gros porteurs, et élargir la route qui relie Hammerfest au pont du détroit du Loup.

– Et ça coince ?

– Tu ne connais pas Hammerfest, mais la ville est construite au nord-ouest d'une île. On y accède uniquement par une route qui vient traverser d'abord le détroit du Loup par un pont, s'engage vers l'ouest dans un tunnel et ressort sur le côté ouest de l'île, en longeant la mer, jusqu'à Hammerfest. Le problème, c'est que les rennes qui passent l'été sur l'île ont toujours utilisé cette même zone, pour remonter vers les pâturages d'été à l'intérieur de l'île. C'est comme ça que les rennes se retrouvent en ville et que ça met tout le monde en colère là-bas.

– Ah, le pétrole, mon canard, mais ils sont déjà perdants tes petits bergers, qu'est-ce que tu crois ?

– Ce n'est pas ça mon problème, Eva, je ne fais pas de politique, moi.

– C'est vrai, c'est vrai, tu es juste un flic qui fait son boulot, tu me l'as déjà dit. Laisse-moi te faire un petit topo, alors. Mes collègues américains ont balancé il y a quelques années qu'un tiers des ressources non prouvées en pétrole et en gaz de la planète se trouvait dans la zone arctique. Un tiers, je ne sais pas si tu réalises. On ne sait pas très bien ce que valent leurs chiffres. Mais peu importe, tu imagines l'effet sur les industriels. Et même les politiques. Je ne connais pas Hammerfest. Mais ce que je sais, c'est que toute la mer de Barents est devenue la zone économique prioritaire pour le gouvernement norvégien. Moi, les liquides et les vaporeux ne sont pas trop mon truc. Comme je te l'ai dit, je suis plutôt fossiles et caillasses en tous genres. Mais je peux te dire que ça pousse dur dans le coin pour se tailler un coin sous le soleil de minuit. Un peu comme toi et moi ce soir, non ?

21

Vendredi 30 avril.
Lever du soleil : 2 h 43. Coucher du soleil : 22 h 01.
19 h 18 d'ensoleillement.

Laponie intérieure. 14 h 15.

Tom Paulsen hurlait et Nils Sormi essaya de crier plus fort encore. Les deux plongeurs roulaient dans le 4×4 de Sormi sur la route à la limite du parc de Stabbursdalen, entre Skaidi et Alta. Vingt minutes après Skaidi, en direction du sud, ils avaient poussé le 4×4 aux pneus cloutés à la limite de sa vitesse, sur cette voie longiligne sans fin à peine ondulée qui laissait le plateau vers la droite, avec la petite église sami. Le plateau était balayé par le vent, la neige filait sur la route. Ils n'avaient que l'immensité et la nudité du vidda devant les yeux protégés de lunettes de glacier à cause de la très forte réverbération du soleil sur la neige. Nils tourna brutalement et quitta la route principale pour engager le véhicule sur un sentier qui disparaissait derrière une colline.

Deux autres plongeurs se prélassaient à l'arrière, hurlant eux aussi, bouteilles de bière levées. La musique était à fond. En dépit des cinq degrés, Nils et Tom, sortis le matin même de leur caisson de décompression, profitaient pleinement du soleil déjà haut dans le ciel immaculé. Les deux autres plongeurs avaient fait partie de l'équipe précédente et avaient soigneusement préparé leur petite virée. Nils Sormi adorait ces sorties dégivrées au grand air au sortir des caissons de décompression. Tom lui fit passer une bière, en prit une nouvelle pour lui. Les quatre hommes étaient engoncés dans des doudounes, bonnets au ras des yeux. Ils ne craignaient pas le froid.

Au bout d'une quinzaine de minutes, hors des yeux du monde, ils prirent des fusils de chasse, marchèrent quelques centaines de mètres et attendirent en silence, avachis sur des peaux de rennes. Musique arrêtée. Ils grignotaient des ailes de poulet, buvaient de la bière. Profitaient du soleil. Paulsen avait repéré le coin. Ils virent les perdrix presque en même temps et firent feu dans un vaste éclat de rire. Ils se précipitèrent dans la neige, trébuchant, riant de plus belle, faisant la course pour attraper les perdrix. Ils les jetèrent au fond de la jeep, sous un plastique, et repartirent de plus belle, musique rock et cris tapant dans le rouge.

Ils reprirent en fin d'après-midi la route d'Hammerfest et Nils se dirigea directement sur le quai de l'*Arctic Diving*, juste devant le Riviera Next. Sur le ponton, certains plongeurs disposaient de leur container personnel. Il gara le 4×4 au bout du quai, afin de le décharger à l'abri des curieux. On comptait cinq containers, solidement cadenassés. En théorie, les containers étaient tolérés pour qu'ils y emmagasinent du matériel de plongée, mais ils y engrangeaient surtout le fruit de leurs rapines. La première fois qu'il avait emmené Elenor à Hammerfest, il l'avait prise dans ce container. Une sorte de tradition pour lui. Sa vie était là. Tout le reste était du cosmétique, il en avait conscience. Pour épater les autres, ce qui n'était pas si dur ici. Sa vie tenait dans ce container. Il aimait y deviner des odeurs de femmes séduites. Mais ces odeurs ne prenaient jamais le dessus longtemps sur celles de ses combinaisons, de ses trophées, et l'odeur qui surnageait lui rappelait à chaque fois que celle des femmes ne pourrait jamais être celle qui s'imposerait à lui. Jamais. Raison pour laquelle il supportait sans grande difficulté une fille comme Elenor.

Nils Sormi avait pris soin d'installer dans son container un frigo avec congélateur, comme d'autres plongeurs d'ailleurs, et ils pouvaient ainsi stocker tout ce qu'ils chassaient, comme ces perdrix dont la chasse était interdite en cette saison. Il revendait parfois à des restaurateurs du coin. Il conservait dans un coin un vieux casque de scaphandrier, cadeau de Jacques, ce plongeur français qu'il avait vu sortir de l'eau un jour non loin d'ici et qui avait à jamais décidé de son destin. Nils repoussa des bois de rennes qui traînaient par terre. Ces bois étaient bien la seule chose qui pouvait le relier au monde sami, mais les bois ne l'intéressaient que pour leur valeur commerciale. Il rangea ses fusils dans une armoire fermée à clef, se changea et alla retrouver les autres dans l'avant-salle du Riviera Next.

Cette virée lui avait fait du bien. Ce soir, il devait retrouver Elenor, il lui avait promis toute la nuit, tout allait bien. Même s'il s'interdisait de prêter le flanc à quelque inquiétude que ce soit, la disparition du maire lui remettait en mémoire les dernières promesses de Tikkanen. Le Finlandais pouvait-il être inquiété ? Si oui, pourrait-il l'être à son tour ? Et que voulait dire ce message reçu dans le caisson ? Il devait évoquer ces questions avec ce gros lard de Tikkanen, mais on ne devait pas les voir ensemble en ce moment.

Il poussa une bière devant Paulsen et le tira à l'écart.

– Tu sais ce sms dont je t'ai parlé, j'ai regardé, ça veut dire «Des profondeurs». C'est un titre de musique classique. J'ai écouté ce matin, ça ne me rappelle rien.

– J'y ai pensé aussi. Je ne vois rien d'autre qu'une espèce de message lié au fond de la mer. Mais quoi ?

Nils secouait la tête.

– Le fond de la mer, ou quelque chose qui ressort des profondeurs ? Ce n'est pas tout, j'ai reçu un autre sms, une heure plus tard. Aussi bizarre. Ahkanjarstabba. J'ai cherché un peu. Rien. En tout cas, pas un mot à quiconque.

Nils commençait à se demander si Tikkanen pouvait être l'auteur des messages. Comme une espèce de mise en garde. Ça semblait un peu trop fin pour venir du Finlandais, mais avec son air mielleux, on ne pouvait être sûr de rien. Pouvait-il l'avoir sous-estimé ? Des profondeurs ?

Ou cette fouine d'Henning Birge ? Il ne le sentait pas. Birge était son employeur occasionnel, il avait besoin de lui. Pourquoi lui chercherait-il des noises ? Mais peut-être qu'on ne lui cherchait pas de noises.

Elenor ? Aucune chance, ça ne rimerait à rien. Ils s'étaient rencontrés au Spy Bar à Stockholm, dans l'une de ces soirées bien graves, rendez-vous de la jeunesse dorée de Stureplan et elle avait complètement flashé pour sa Rolex. Mais seulement après qu'il lui eut dit combien il l'avait payée. La marque, elle s'en foutait, il en était persuadé. Il fallait juste que ça coûte. De ce point de vue, elle n'était pas compliquée. Et puis sacrément sexy.

Un autre plongeur avec qui il aurait eu une histoire ? Ce mec qui puait de la gueule ? Ce n'était pas la première fois qu'ils étaient ensemble, mais Nils considérait qu'il se comportait en pro, ne laissant rien paraître de ses sentiments en dépit de ses envies de l'écrabouiller. Mais l'autre pouvait bien ne pas être aussi pro que lui. Il lui en voulait peut-être, il avait sûrement senti que Nils l'évitait. Est-ce qu'il s'amuserait pour autant à lui envoyer un message comme ça ? Pourquoi ? Juste pour l'emmerder ? Pour l'emmerder…

Olaf pourrait-il faire ça ? L'Espagnol… Lui, oui, il pourrait bien vouloir l'emmerder, mais avec un message comme ça ? Pas lui. Non, il devait y avoir autre chose. Ses pensées se portèrent à nouveau sur Tikkanen. Celui-là risquait de devenir un problème. Un vrai problème… Il imaginait le gros, oui il l'imaginait bien, ce type flasque qu'il avait soudain envie d'écraser du pied comme une merde. Il espérait seulement que, le maire disparu, son affaire de terrain allait s'arranger. Cela devait s'arranger.

De profundis… Des profondeurs de la mer, de sa vie, de sa jeunesse ? Pourquoi ce second message à connotation sami ? Impossible de savoir si c'était le même expéditeur. Numéros cachés. Quel esprit tordu, retors… qui avait-il croisé dernièrement ?

Anneli ? Entre une expression en latin et un mot sami, ça lui collerait bien. Elle lui en voulait sûrement, elle l'avait montré l'autre jour au Riviera Next, quand elle était avec Olaf. Mais qu'est-ce qu'elle voudrait dire ? Ils se connaissaient trop peu, ça n'avait pas de sens. Et il n'avait plus rien en commun avec Erik depuis trop longtemps. Depuis quand, d'ailleurs ? Quand leurs chemins avaient-ils bifurqué ? Gamins, ils étaient inséparables, mais dès qu'il avait commencé l'école, ça avait été fini. Ils avaient couru la toundra, pris des rennes au lasso. Nils se rappelait vaguement que sa famille vivait relativement isolée, non loin de celle d'Erik. Jusqu'à l'école. Il s'était passé quelque chose là. Pour lui, les belles années avaient commencé. Ses parents l'avaient enlevé de l'établissement de Kautokeino assez tôt. On l'avait mis à la ville, à Alta, et on l'avait même envoyé plus tard au lycée à Tromsø, la grande ville universitaire de l'Arctique norvégien. Ses parents, aussi modestes fussent-ils, avaient eu raison. Il valait bien mieux que ces traîne-toundra qui étaient aujourd'hui à la peine avec leurs rennes, sans avenir.

Tom Paulsen le secoua par l'épaule. Sormi parut le découvrir. Il trinqua avec son binôme. Il regarda autour de lui. De l'autre côté, des clients du Bures étaient effondrés sur leur bière. Il reconnut Juva parmi eux. Lui aussi avait couru la toundra avec Nils dans sa prime jeunesse. Celui-là était encore plus loin qu'Erik. Un front bas, calculateur, envieux, qui faisait toujours son possible pour être avec Erik et lui, quémandant presque de l'attention. Pitoyable. Ce mec était pitoyable. Enfant, il ne l'avait supporté qu'à la demande de ce bon samaritain d'Erik.

– Tu as l'air ailleurs. Des soucis ?

– Des soucis ? Non, tout va bien.

Il haussa le ton.

– Mais, de l'autre côté, on dirait que certains ont des soucis !

Quelques têtes se relevèrent. Juva lui adressa une sorte de sourire. Pauvre mec, pour qui se prenait-il ? Nils prit soin de le fixer au moins deux longues secondes, sans lui accorder le moindre signe de sympathie. Il ne l'avait pas revu depuis la découverte du corps d'Erik, au bord du détroit. Il savait par Tikkanen que Juva faisait des plans. Quels plans, il l'ignorait. Même s'il ne l'aimait pas, Nils devait admettre que Tikkanen excellait à ce petit jeu des mystères, semblant toujours tout savoir sur tout le monde. Peut-être commençait-il à en savoir un peu trop. Peut-être ne l'avait-il pas compris. Il faudrait peut-être lui faire comprendre. Juva pourrait-il lui être utile pour ça ? Il ne demanderait sans doute qu'à revenir dans son cercle. Tout le monde en crevait d'envie.

– Tom, tu vois le mec là-bas, avec le foulard jaune autour du cou. Dis-lui de me retrouver sur le quai, derrière les containers, dans cinq minutes.

Tom attendit quelques instants puis alla porter son message. Nils observait du coin de l'œil. Il vit Juva se redresser fièrement, vider son verre d'une gorgée et adresser un regard intense à Nils avant de partir à pas décidés vers le quai.

Nils commanda une nouvelle bière et prit le temps de la boire à petites gorgées. Un quart d'heure plus tard, il se leva et rejoignit Juva qui l'attendait derrière les containers. Oui, se dit Nils Sormi, Juva pourrait faire l'affaire.

22

Le véhicule tout-terrain de la patrouille P9 était garé devant le kiosque, sur la place de la mairie d'Hammerfest. Klemet venait de jouer au loto. Il avait décidé que le vendredi 30 était son jour de chance, puisque le vendredi 13 ne lui avait jamais souri. Il n'avait jamais gagné le vendredi 30 non plus, mais au moins il évitait la queue pour jouer. Nina se demandait si ces petits traits de caractère rendaient Klemet plus charmant ou seulement plus bizarre. Elle aperçut Juva Sikku sur le petit parking. Il remontait dans une Skoda et disparut bientôt au coin de la rue. Par réflexe, elle chercha Markko Tikkanen des yeux. Personne.

Le navire de plongeurs *Arctic Diving* était à quai, ainsi que plusieurs petits bateaux de pêche. Il devait y avoir du monde au Riviera Next et au Bures. Nina ne fréquentait pas ces bars. Un policier n'était pas le bienvenu dans ce genre d'endroits, même dans une petite ville comme Hammerfest où tout le monde se connaissait.

– Viens, lui dit Klemet, je t'offre un verre à Verk.

Klemet et Nina faisaient relâche ce soir. Klemet avait semblé tout guilleret après sa soirée à Kiruna. Ils étaient repartis le matin en hélico pour Kautokeino. L'oncle Nils-Ante restait injoignable, ainsi que son inséparable

Mlle Chang. Nina avait été déçue. Elle avait pris le temps de visiter l'exposition sur cet artiste sami, Anta Laula, à la maison du peuple de Kiruna. De nombreuses questions demeuraient en suspens, surtout depuis qu'elle croyait avoir reconnu en lui l'un des vieux Sami aperçus dans le campement d'Anneli, le soir où elle lui avait appris la mort d'Erik. Étaient-ils parents ? Auquel cas Anneli avait dû hériter ses talents d'artiste. Sur place, Nina avait appris qu'Anta Laula s'était mis sur le tard à l'artisanat. Son maître Lars Levi Sunna, un artiste sami réputé, avait notamment décoré la porte d'entrée et les murs de la principale salle de la maison du peuple de Kiruna et surtout l'orgue de Jukkasjärvi, un petit village près de Kiruna. Cet orgue faisait sa fierté, un chef-d'œuvre au clavier aux boutons gravés dans du bois de renne. Laula avait excellé, comme son maître, au ciselage des bois de renne qu'il savait creuser de minutieux dessins évoquant les mythes sami. En parcourant l'exposition ouverte le matin même, Nina avait entendu des rumeurs sur Anta Laula. Une maladie de longue date. La responsable de la rétrospective s'inquiétait, car elle n'avait plus eu de signe de vie de lui depuis longtemps alors qu'on l'attendait dans l'après-midi pour le vernissage.

En s'arrêtant à Skaidi, Nina avait consulté le site Internet de NSD. L'artiste ne s'était pas présenté à l'inauguration. La photo illustrant l'article n'était pas la même que l'affiche de Kiruna, et Nina était moins sûre d'elle. Il faudrait en avoir le cœur net.

Ils longèrent à pied le quai en direction de Verk, une petite galerie qui organisait des apéros et accueillait souvent des groupes locaux. Sur sa gauche, Nina apercevait le bout de Melkøya, l'île artificielle où était préparé le gaz liquéfié et, dominant l'ensemble, la tour zébrée rouge et blanche au sommet de laquelle brûlait la torchère. Nina avait lu que depuis que le gisement de gaz avait commencé à être exploité à Hammerfest en 2007, la petite ville de l'Arctique était devenue l'une des cités à l'air le plus pollué du pays, avec l'un des records de rejets de gaz à effet de serre. Comme quoi, se dit Nina, la pureté du paysage était parfois bien trompeuse. Ils passèrent devant les deux petits bistrots au moment où Nils Sormi sortait d'un container sur la jetée. Les policiers s'arrêtèrent. Nina eut l'impression que le plongeur avait marqué un instant d'hésitation mais qu'il continuait car un demi-tour aurait semblé bizarre. Impression éphémère. Elle se trompait peut-être. Nina revoyait le plongeur pour la première fois depuis son intervention pour repêcher le corps du fiancé d'Anneli. Klemet avait semblé tendu en sa présence. Et cela paraissait réciproque.

Aux yeux de Nina, Sormi donnait l'impression d'un jeune homme très sûr de lui qui promenait un regard hautain sur les autres. Pas le genre qui attirait sa sympathie, même si elle se faisait un point d'honneur à ne pas juger les gens trop vite.

Il avait les yeux bleus légèrement en amande, des pommettes à peine relevées mais qui donnaient du caractère à son visage aux traits réguliers. Ses cheveux noirs étaient coupés très court. Mais c'étaient surtout ses lèvres charnues qui attiraient le regard. Il donnait le sentiment de toujours faire la moue, une façon étrange de serrer les lèvres, renforcée par ce regard que Nina trouvait prétentieux. Cela n'expliquait pas la tension que pouvait ressentir Klemet, mais la jeune femme commençait à connaître son partenaire. Il n'avait pas les gens dans le nez sans de bonnes raisons. Car dans le cas inverse, il les ignorait tout simplement.

– Tiens, Sormi, quel hasard, commença Klemet.

Sormi s'arrêta droit devant Klemet. Il était légèrement plus petit que lui et l'observait par en dessous, semblant passionné par l'intérieur de ses narines. Klemet réagit aussitôt au regard de Sormi. Réaction épidermique. Mauvais présage.

– Si tu as quelques minutes, nous aimerions te poser quelques questions, commença Klemet.

Le plongeur attendait, jambes écartées, mains derrière le dos, torse bombé, lunettes de soleil relevées sur son crâne quasi ras. Les clients du Riviera Next et du Bures étaient hors de portée de voix. Le soleil projetait une lumière douce sur la scène. Avant de poser ses questions, Klemet jeta un œil sur son ombre, se déplaça légèrement, mine de rien, et se retrouva le soleil dans les yeux.

– Tu connais Juva Sikku, d'après ce que nous savons.

– Sikku, oui, je l'ai connu il y a longtemps, pourquoi ?

– Tu le fréquentes encore ?

– Il ne t'a pas échappé, Klemet, que j'ai choisi une autre voie que celle des coupeurs d'oreilles.

– Mais tu le fréquentes encore ?

– Non.

– On vient de le voir à l'instant sur le parking, observa Nina.

Sormi leva le bras et fit un geste circulaire.

– La ville est à tout le monde. Et Sikku va parfois au Bures, et il lui arrive d'y être quand je suis au Riviera Next, ça ne fait pas de nous des amis, si ? dit-il en pointant son menton vers Klemet. Ce sont des mondes différents, vois-tu. Celui des éleveurs s'arrête là. Le nôtre, il commence ici, et l'hélico nous emmène claquer notre fric sur la Riviera…

– Tu étais aussi ami avec Erik Steggo ? relança le policier, mâchoire serrée.

– Oh oh, mais c'est que la police des rennes se livre à une véritable enquête de détectives… et je peux en connaître la raison ?

– Tu n'as pas besoin de la connaître, intervint Nina, sentant la tension qui montait entre les deux hommes.

– Il y a très longtemps, j'ai été ami avec Steggo.

– Tu as une idée des rapports qu'il y avait entre Erik Steggo et Juva Sikku ? poursuivit Klemet.

– Qu'est-ce qui te fait penser que moi, moi, je devrais être au courant de leur relation aujourd'hui ? Tu crois que chaque automne je retourne dans les enclos au moment du tri des rennes par nostalgie, Klemet ? Eh bien, figure-toi que ça ne m'effleure pas. C'est peut-être ton cas ? Mais après tout, d'après ce que j'ai entendu il y a longtemps, ta famille a été exclue du milieu des éleveurs, tu en as peut-être la nostalgie, mais pas moi, je t'assure. Ça n'a jamais été mon milieu. Ces Sikku et ces Steggo, ils étaient rayés de mon monde depuis longtemps. Depuis l'enfance, Klemet, tu vois, depuis l'enfance. Moi je n'ai pas grandi avec de la bouse de renne sous les ongles dans une ferme paumée.

Nina entendit le claquement plus qu'elle ne vit la gifle. Le regard du plongeur, pupilles soudain intenses et rétrécies, trahissait déjà le calcul. Il était resté planté fermement sur ses deux pieds, mains toujours dans le dos. Parfaitement maître de lui. Sormi savourait avec méchanceté tous les gains à venir de cette gifle.

– Je ne sais pas ce qui me retient, cria Klemet. Tu n'es qu'un petit connard !

Nina n'avait jamais vu Klemet ainsi. Elle l'attrapa par le bras.

En face, Sormi était tendu à bloc.

D'un bond, il pourrait peut-être venir à bout de Klemet, même si ce dernier était solide. Il bomba le torse. Au bistrot des plongeurs, des hommes s'étaient levés. Ils attendaient, prêts à intervenir. Police ou pas, un signal suffirait, Nina en était sûre. Elle connaissait trop ce type d'hommes. Sormi se tourna vers elle.

– Je veux porter plainte contre cet officier de police. Vous êtes témoin, et ceux-là aussi.

Klemet allait de l'avant, Nina le retint.

– Klemet, ça suffit, ordonna-t-elle soudain, nous partons. Et toi, si tu veux, va porter plainte au commissariat, je passerai témoigner plus tard.

Elle entraîna Klemet et le ramena vers la voiture. Son collègue balaya d'un geste sec la main de Nina qui tenait encore son bras.

– Tu vas témoigner pour ce petit merdeux !

– Tu ne crois pas qu'il est dans son droit de porter plainte, franchement !?

Nina n'en revenait pas. Klemet venait de se mettre dans une situation inextricable. Sormi ne le lâcherait pas.

– Toi aussi, tu penses que j'ai de la merde de renne sous les ongles, c'est ça !?

– Tu dis n'importe quoi, ça suffit !

– Mademoiselle vient du Sud, de la Norvège des belles familles, des commerçants qui ont fait main basse sur les arriérés du Grand Nord, c'est ça !

– Tu ne sais pas de quoi tu parles, tu ne sais rien de moi, tu ferais vraiment mieux de la fermer maintenant, et jusqu'à Skaidi. Et on parlera de ça demain.

Klemet fit une sale mine pendant tout le trajet du retour. Il n'ouvrit pas la bouche. Pour Nina, il avait perdu les pédales. Inexplicable venant d'un policier d'expérience comme lui. À contrecœur, elle irait témoigner contre lui s'il le fallait. D'accord, Sormi avait été insupportable. Son arrogance était aux antipodes du tempérament de Klemet. Mais Nina sentait autre chose. Cette posture de Sormi… Tellement connue. Cet air de provocation, ce profil de hâbleur qui jetait sa liasse de billets sur le comptoir… Elle croyait entendre sa mère raconter… Nina se sentait tiraillée. Alors que la voiture traversait le pont du détroit du Loup et s'engageait vers Skaidi, elle se surprit à penser à son père. Où pouvait-il bien se trouver en ce moment ? Et dans quel état ?

Midday,

Je m'en veux de t'écrire tout ça. Tu es peut-être dans le même état que nous. Tu ne réponds pas à mes lettres, et je ne t'en veux pas. Tu sais, je repense parfois à ce qu'on m'a appris là-bas, avant de rejoindre le merdier. The only easy day was yesterday. *Tellement vrai, tellement beau. Étions-nous naïfs ?*

Dans les commandos, on m'a appris à ne jamais laisser personne derrière. Quand je vois ce qui est arrivé à beaucoup d'anciens, j'ai honte.

Mon camarade de déroute devient incontrôlable. Il entre dans des colères noires. Je n'ai plus le courage de le maîtriser. Il m'entraîne, me fait franchir le Rubicon. Et je n'y peux rien. Sa rage devient ma rage, et je ne reprends mes esprits que le soir, la nuit, quand je l'entends sangloter.

À propos, je pense qu'on a trouvé celui que nous cherchions. Nous sommes trois maintenant, triste équipée. Tu ne l'as pas connu. Peut-être t'en avais-je parlé. Il avait été embarqué dans ce test sans bien comprendre. Comment aurait-il pu, quand moi-même j'ai si peu compris. Nous avions cru lui rendre service, et nous n'avons fait que précipiter sa perte. J'ai eu mal en le voyant. Nous avons une dette envers lui et envers les siens. Nous l'emmenons. Comme on nous l'a appris. Ne laisser personne derrière. Mais cela a-t-il encore un sens ?

23

Samedi 1er mai.
Lever du soleil : 2 h 36. Coucher du soleil : 22 h 07.
19 h 31 d'ensoleillement.

Hammerfest. 22 h 30.

Le soleil venait de se coucher sur Hammerfest. Cela se sentait à peine. Henning Birge avait toutes les raisons de se réjouir. La soirée soigneusement préparée par Tikkanen s'annonçait sous les meilleurs auspices. L'agent immobilier ne les embarrassait pas de sa présence. Il ne devait pas être très loin bien sûr, afin de veiller à la bonne marche de cette rencontre dont il espérait comme d'habitude de sympathiques retombées. Fidèle à lui-même, Gunnar Dahl snobait leur petite sauterie, en dépit de l'insistance du Texan de la South Petroleum. Depuis deux heures déjà, Bill Steel s'amusait avec deux Russes. Une sous chacune de ses énormes mains. Birge était moins gourmand sur ce plan-là, il se contentait d'une fille. Il avait pris la plus fine, celle au regard étrange avec des yeux bleu foncé, noyés dans une couche de noir exagérée qui lui donnait un air triste et éteint. Cet air de soumission et de chienne battue plaisait à Birge. Elle lui rappelait une jeune femme connue dans un village soudanais, non loin de la base-vie de Future Oil. Pas les yeux bleus bien sûr, mais cette épaisse couche de khôl d'où ne ressortait que le blanc des yeux et ce même air d'attente résignée.

Tikkanen s'était arrangé pour récupérer un caisson de décompression et le transformer en mini lupanar qui avait gagné une belle réputation dans un petit cercle très fermé. Le caisson en acier ressemblait à un tube de rouge à lèvres. Il était installé à l'arrière du navire, dans une zone interdite aux locataires de l'hôtel flottant.

Il avait servi aux plongeurs de l'industrie pétrolière de l'époque pionnière en mer du Nord lorsque les plongées en saturation s'étaient multipliées, ainsi qu'à celle des premiers tests réalisés en mer de Barents au début des années 1980. Une autre vie, songea un instant Birge.

L'endroit était très confiné. Tikkanen en avait fait repeindre l'intérieur dans des couleurs chaudes. Les anciennes couchettes avaient été remplacées par des amoncellements de coussins moelleux. Au bout du caisson, un minibar bien fourni permettait d'oublier l'atmosphère inquiétante avec ce qu'il restait de tuyauteries, de cadrans. L'épais bouton rouge marqué «panic» avait été conservé. C'était toujours un moyen expéditif d'amener une jeune conquête frissonnante à ne presque rien vous refuser.

Birge savait agrémenter les passages dans l'habitacle interdit de récits de drames survenus dans de tels caissons, où des plongeurs avaient vécu des heures terribles, parfois leurs dernières, voyant leur réserve d'air se volatiliser.

Tikkanen, qui connaissait les goûts parfois étranges de certains, avait maintenu en état de fonctionnement le caisson. Le Finlandais lui-même en avait donné l'explication à Birge et Steel quelques semaines plus tôt. Un plongeur lui avait un jour raconté qu'avant leurs virées en boîte, ils s'enfermaient un petit moment en caisson pour se faire une cure d'oxygène, ce qui leur assurait un niveau de prestation accru avec les filles qu'ils retrouvaient dans les ports. Birge et Steel avaient eu l'occasion d'expérimenter avec succès la recette, une fois, auparavant. C'est ce qui avait poussé Steel à commander deux putes à Tikkanen, sûr qu'il serait capable d'exploits ce soir. Le Texan, visage congestionné, relevait la tête des cuisses de l'une d'entre elles, étalée sur les coussins. Il éclata de rire en voyant la tête du Norvégien.

– Birge, tu ferais mieux de bouffer un peu plus de chatte, *motherfucker* !

Il se retourna lestement pour attraper une bouteille de bourbon et plongea sur l'autre fille qui poussa un cri. Il mit le goulot dans la bouche de la Russe écrasée sous son poids tandis que l'autre le caressait par-derrière. Le Texan se tortilla de plaisir et écrasa encore plus la fille sous lui qui s'étouffa dans son bourbon. Bill Steel éclata à nouveau de rire, poussa un grand cri de cow-boy et monta le niveau de la musique à fond, un de ces bons morceaux de country que Tikkanen avait choisis spécialement pour lui. Birge, lui, s'en fichait.

– Henning, mon putain d'Henning, on va se faire une petite cure d'oxygène maintenant, qu'est-ce que tu en dis ? Elles en veulent, ces petites, on va pas les décevoir, hein, *motherfucker*, on va faire ce qu'il faut, pas vrai, mon petit Swedish. Il faut qu'on dure toute la nuit, hein, n'oublie pas.

Birge envoya les filles sous la douche pour se préparer à la suite. Elles auraient même le temps de prendre un sauna. Ils étaient seuls, écoutant la musique. Steel avait raison. Il fallait qu'il se détende. La porte du caisson se referma. Déjà ? Un type à l'extérieur leur fit un signe du pouce. Un grand baraqué. Steel remplit les verres. Birge trinqua. Il entendit un sifflement envahir le caisson. Les deux hommes furent sonnés un instant. À l'extérieur, le gars leur fit encore un signe du pouce. C'était quoi ça ? Qui était ce type ? Ce n'était pas le gars de Tikkanen qui les avait accueillis tout à l'heure.

– Ça ressemblerait pas à une bonne injection d'oxygène ça ? Le Tikka a tout prévu.

– Peut-être, pensa Birge. Il s'installa confortablement sur les coussins. Steel en faisait de même.

Le temps passait et Birge sentait une certaine euphorie l'envahir. Il réfléchissait à ce qu'il ferait à la petite Russe aux yeux tristes. Il ne sentait pas le temps passer. Il fut ramené à la réalité en entendant soudain un choc sur la porte du caisson. Il sortit de sa torpeur. Le caisson avait été ébranlé. À ses côtés, Steel, les yeux fermés, souriait. Ce bruit n'était pas normal. Birge se jeta sur un petit hublot renforcé. Il tapa avec son verre. Un autre homme lui fit un signe du pouce, lui disant que tout allait bien. Celui qui les avait accueillis au départ, l'homme introduit par Tikkanen, pas le grand baraqué qui avait fermé le caisson. Birge sentit une boule de panique dans le ventre quand il vit l'autre brandir une masse et refaire un signe du pouce. Birge comprit immédiatement. Il secoua Steel, hurla, vit une image de ces histoires qu'il racontait aux petites putes, ces plongeurs qui arrachaient la peinture des caissons tant ils voulaient s'arracher à ces caissons de la mort. Il se retourna d'un coup, sauta sur Steel dont les gros yeux exprimaient le vide, se jeta sur le bouton rouge marqué «Panic» tandis qu'à l'extérieur les coups de masse cognaient sur le système d'ouverture du caisson. Dans un dernier réflexe venu du plus profond de ses tripes, Birge se prit la tête à deux mains, comme s'il allait pouvoir se protéger, hurlant face à la mort atroce sur le point de le pulvériser.

24

Dimanche 2 mai.
Lever du soleil : 2 h 30. Coucher du soleil : 22 h 14.
19 h 44 d'ensoleillement.

Hammerfest. 10 h 10.

Anneli Steggo n'avait plus eu le courage d'assister à la messe dans cette belle église en bois de Kautokeino. La présence d'Erik imprégnait tout ce lieu céleste et pour cette raison elle savait qu'elle y reviendrait souvent. Ils avaient célébré leur noce l'année précédente en ce même lieu. Mais, pour l'instant, Anneli ne pouvait se résoudre à croiser les autres. Trop d'amis, trop de regards, trop de mots de réconfort, trop de pleurs. Elle n'était toujours pas prête. L'approche des funérailles d'Erik l'angoissait. Elle aurait pu assister à la messe à Alta, mais le pasteur laestadien était de stricte obédience. Il passait pour un homme bon, mais en prédicateur enflammé de cette branche protestante qui avait gagné les Sami par le renouveau spirituel, il emmenait parfois ses brebis dans des prairies trop vertes pour Anneli. Elle craignait qu'en la voyant, le pasteur ne commence à évoquer Erik. Et Anneli n'était pas prête à affronter des mots qui risquaient de sortir en désordre

193

de sa bouche, des mots qui pourraient blesser sans le vouloir. Elle s'était rabattue sur l'église d'Hammerfest, où on ne la connaissait presque pas. Dans cette église moderne, bien loin de celle de Kautokeino, elle aimait ce clocher futuriste très pointu qui se détachait nettement sur fond de montagnes enneigées baignant leurs roches parfois encore blanchies dans la mer bleutée.

L'année écoulée, après leur mariage, avait porté tous leurs espoirs. Erik et Anneli avaient conçu ce projet ensemble. Elle avec ses chevaux, lui avec ses techniques apprises à l'université. Certains se moquèrent d'eux. On les traita de Sami des villes, d'illuminés. Erik n'avait-il pas travaillé avec les Finlandais sur la mise au point d'une peinture fluorescente dont les bois de rennes seraient enduits afin de limiter les accidents de la route la nuit ? Il fourmillait ainsi d'idées. Ils avaient tenu bon. Selon la tradition, ils avaient entamé la transhumance dès la fin de la célébration du mariage. Ils n'avaient pas voulu de ces grands mariages pouvant rassembler des centaines de personnes. Ils avaient préféré un petit comité d'amis et de proches qui partageaient leur espoir, conservant leurs forces et leur argent pour leurs projets. Leur lune de miel, dès la transhumance entamée, avait été merveilleuse sous la tente dressée au sommet d'une petite colline dominant des vallées encore endormies sous la neige. Ils s'étaient aimés passionnément sur un lit de fines branches de bouleau choisies une par une par Erik, patiemment tressées par Anneli. Erik avait déposé des peaux délicates de jeunes rennes sur ce lit de branches, puis il avait étalé un léger drap de soie et allumé des bougies avant de l'enlacer. Cette nuit-là, elle avait su que leur voie serait une étincelle qui montrerait le chemin à d'autres. Cette nuit-là, elle ne fit plus qu'un avec Erik. Jamais elle ne ressentit avec autant de force la certitude de leur cheminement. Jamais la résignation qui frappait tant d'autres ne les effleurerait. Cette nuit-là, en faisant l'amour sur un lit de brindilles, ils avaient sauvé le monde.

La semaine passée, Anneli avait l'espace d'une fureur pensé à se tuer. Soudain vide de sens. Et pleine d'une vie orpheline.

Aujourd'hui, l'étincelle brillait à nouveau d'un éclat brûlant. Elle le devait à Erik.

En sortant de la messe, un attroupement inattendu s'était assemblé autour de quelques personnes. Anneli gardait ses distances. Les gens de la ville tenaient souvent des conciliabules dans une langue qui lui était étrangère. Anneli aperçut la jeune policière blonde venue lui annoncer la disparition d'Erik. Elle avait été délicate. Venue sans son collègue plus âgé, elle discutait avec un grand homme affublé d'une barbe en collier, à l'image de ces sombres pasteurs luthériens qu'Anneli avait croisés durant son enfance. Elle voulait dire à cette jeune policière combien elle avait apprécié sa délicatesse. Elle attendit près du groupe qui s'était formé mais son visage s'assombrit bien vite. Une catastrophe avait eu lieu. La veille au soir. Ici même. Anneli captait des bribes d'informations qui n'avaient pas de sens pour elle. Des hommes étaient morts. Un autre au moins était blessé. Une vision épouvantable. Et ces mots, décompression, caisson, pression, explosive, implosion. Deux pétroliers. Anneli fronça les sourcils. Des pétroliers, Erik en parlait, parfois. Il devenait alors sombre, prenant sur lui, elle le savait, pour ne montrer aucune colère en sa présence. À côté de la jeune policière, une autre femme en uniforme demandait à l'homme à la barbe en collier de passer au commissariat. Apparemment, il connaissait bien les deux victimes. Des collègues. L'homme barbu travaillait donc pour Norgoil. Anneli se rappelait. Une compagnie publique pétrolière norvégienne. Qui faisait main basse sur la ville, disait parfois leur ami et mentor Olaf, accusant en bloc tous ces gens de sacrifier les hommes au profit de l'intérêt collectif. Étaient-ils donc morts ? Anneli regardait le grand homme barbu et taciturne et trouvait qu'il n'avait pas l'air comme les autres. Ou bien était-il seulement pire ? Olaf la mettait parfois en garde sur la confiance qu'elle accordait trop facilement aux gens. Les mots et les morts s'entrechoquaient dans la tête d'Anneli. La jeune policière parut soudain l'apercevoir et s'approcha d'elle. Elle tendait son visage vers le sien, l'air inquiet. Anneli s'entendit répondre, sans sentir le souffle des mots sortir de sa bouche.

– Merci, je crois que ça ira.

La policière l'entraîna à l'écart et la fit asseoir sur des marches. Anneli sourit. Puis secoua la tête. Quelques instants passèrent. La jeune policière blonde s'était assise à côté d'elle.

– Anneli, je voulais te contacter demain, mais puisque tu es là…

Anneli se contenta de hocher la tête. Sensation de vertige, elle ne voulait pas être seule pour l'instant.

– Erik était en conflit avec la mairie. Pour des histoires de rennes en ville et de terrains contestés.

Anneli hocha encore la tête.

– Nous voudrions savoir s'il avait un différend avec d'autres personnes.

Anneli sourit. Elle se sentait soudain un peu fatiguée. Sa tête ne tournait plus. Elle voulait rentrer au plus vite veiller à la tranquillité de ses faons laissés sous la surveillance de Susann.

– Je ne jette la pierre à personne. Depuis que du gaz et du pétrole ont été trouvés au large d'Hammerfest, d'autres intérêts qui nous dépassent sont entrés en jeu. Je regrette simplement que les hommes qui mènent à bien ces entreprises nouvelles ne nous parlent pas. Ces hommes qui font partager leurs rêves à d'autres ne me dérangent pas. J'en ai rencontré de beaux. Mais, avec eux, ils en amènent d'autres qui n'ont pas les mêmes visions, qui n'ont comme seul moteur que leur intérêt. Ces hommes-ci ne pourront jamais s'accorder avec notre pensée. Regarde notre rocher du détroit. Ne peut-on accepter un peu de sacré dans notre monde ? Tu m'as posé une question précise, je te ferai une réponse précise. L'un des terrains qu'Erik et sa famille ont utilisé comme pâturage depuis les temps anciens sur les hauteurs d'Hammerfest était convoité. Quelqu'un voulait construire. Il fallait en amputer une partie. Et faire une route. Maintenant qu'Erik a disparu, je ne suis pas sûre de ce qui va arriver. Il est possible que je ne puisse accéder au terrain. Les rennes portaient sa marque, mais nous étions mariés, peut-être pourrais-je continuer, mais rien n'est sûr. Et tu dois savoir que ces terrains ne nous appartiennent pas. Nous n'avons fait qu'y laisser les traces de nos pas, aussi légères et fugaces que possible, depuis des milliers d'années, pour que cette terre continue à nous nourrir.

La jeune policière sembla réfléchir un instant. Elle griffonnait sur un petit carnet. Elle releva la tête, regarda la sortie de l'église où les gens s'étaient maintenant dispersés.

– Mais avec qui était-il en conflit précisément ?

Anneli sourit encore. Comment expliquer ? Elle voyait que la jeune femme voulait seulement comprendre.

– Est-ce qu'un conflit est la même chose pour toi et pour nous ? Où places-tu la barre ? Celle du droit contre celle de la nature ? La lutte n'est-elle pas inégale, que pouvez-vous avec vos règles face au vent qui attire le renne sur les rives de l'été ?

La jeune policière l'écoutait. Elle ne notait pas. Elle n'était pas satisfaite, mais son attitude n'était pas négative.

– Quand je suis venue avec mon collègue pour t'annoncer la disparition d'Erik, il y avait plusieurs vieux assis en cercle devant l'une des tentes. Ils chantaient ou faisaient je ne sais plus quoi. Je me souviens d'un homme en particulier, qui avait un regard différent.

Anneli hocha encore la tête. Son regard se perdit un instant dans le vague. Elle voyait si bien de qui la policière voulait parler.

– Anta.

– Anta ?

Anneli vit la jeune femme feuilleter son carnet.

– Anta Laula ! ?

– Tu le connais donc ?

– Non. J'ai simplement vu une exposition de son œuvre à Kiruna vendredi matin. Il devait être là pour l'inauguration dans l'après-midi mais il ne s'est pas montré. Je n'étais pas sûre que ce soit lui que j'ai aperçu au campement l'autre jour. Que fait-il là ? Il est souffrant ?

– Anta est un homme passé dans une autre dimension. Depuis longtemps déjà. Mais il n'est plus avec nous depuis quelques jours. Nous ne savons pas où il est. J'ignore s'il faut s'en inquiéter ou pas. Nous avons pris l'habitude depuis des années de l'accueillir le temps de la transhumance de printemps. Pour les anciens comme lui, ce sont de bons souvenirs. Ils ne sont plus capables d'aider physiquement, mais ils sont là le soir, ils racontent les histoires, ils maintiennent la tradition. Ils transmettent l'esprit de notre peuple. Nous aimons ces moments où les générations se retrouvent. Ce sont des moments devenus rares car la mécanisation de l'élevage de rennes met les éleveurs sous pression. Ils n'ont plus le temps, ils sont fatigués, le matériel est parfois loué pour très peu de temps et il faut donc faire vite pour éviter des frais supplémentaires. On vit moins ensemble. On vit moins.

– C'était juste une question comme ça, indiqua la policière en se levant. Il était donc dans l'élevage de rennes avant de devenir artiste ?

– Il l'a été, comme beaucoup. Il en est sorti, comme beaucoup. Il en a la nostalgie, comme beaucoup.

Midday,

Je ne sais pas si tu reçois mes lettres. Tu dois me trouver bien bizarre. Je me souviens de la première fois que je t'ai vu. Tout nous opposait. Et puis ça a été nous. Tu te rappelles, dis ? Tu te rappelles du Midnight que tu as connu ? Je crains tellement que tu ne me reconnaisses pas. Mais maintenant, au moins, à toi, j'ose en parler. Cela me fait du bien, même si tu ne réponds pas. Dans notre job, on était pas enclins à raconter nos petits bobos. Je réalise qu'ils nous tenaient comme ça.

Je t'ai dit dans ma précédente lettre que nous avions récupéré un troisième homme, un homme bien loin de notre monde de l'ombre et des profondeurs. Il nous ouvre des horizons nouveaux. Mais lui aussi est dans un sale état. Pire dans son cas, car il n'était pas préparé ni entraîné, comme nous.

Je m'inquiète plus pour mon premier compagnon de route. Quand il m'a trouvé, je n'ai pas su lui dire non. Il était à plat, moi encore plus. Il avait les premiers contacts. Il parlait. J'écrivais. Deux hommes, un homme en tout.

Mais il a une telle rage de prouver au reste de la société qu'on est quelqu'un, qu'ils ont eu tort de se jouer de nous. C'est trop tard maintenant. Je ne peux rien te dire, mais il s'est passé quelque chose d'affreux. Il a fait sauter un verrou. Je saute avec lui. Deux hommes, un homme en tout.

25

Hammerfest. 11 h.

Klemet avait répondu comme tous les policiers des environs à la convocation de la commissaire d'Hammerfest, non loin du pub Redrum. Ils ne s'étaient pas parlé depuis l'épisode de la gifle donnée à Sormi vendredi soir. Klemet ne regrettait pas un instant son geste. Ce petit merdeux de Sormi avait poussé le bouchon trop loin. Il regrettait simplement de l'avoir giflé alors qu'il portait l'uniforme. Plutôt que de se morfondre dans le cabanon de Skaidi, il était retourné à Kautokeino se réfugier sous sa tente aménagée. Il s'était réveillé très tôt ce dimanche matin avec un certain mal de tête, ce qui lui faisait croire qu'il avait dû boire plus que de raison, lui qui ne buvait jamais. Il avait passé un moment à rêvasser, étendu sur les peaux, à observer les bois de rennes suspendus dans la partie supérieure de la tente sami. La fumée se frayait un chemin à travers les bois emmêlés jusqu'au ciel qui apparaissait au sommet de la tente.

Ce n'est qu'en arrivant le matin à Hammerfest qu'il avait découvert l'accident du caisson. Il s'en voulut car la radio ne parlait apparemment que de cela depuis les premières heures de l'aube et les reporters de la NRK interrogeaient les employés qui sortaient au compte-gouttes du

201

navire-hôtel. Un tel drame dans une petite ville comme Hammerfest prenait une ampleur unique, surtout qu'il survenait peu après le décès du maire. Sur les sites Internet des journaux régionaux, les réactions allaient bon train et le pire était comme toujours à trouver dans les commentaires des articles mis à jour en continu. Voilà ce qui arrivait quand autant d'ouvriers étrangers se retrouvaient confinés aussi longtemps loin de chez eux. Hammerfest n'avait pas l'envergure pour accueillir autant de main-d'œuvre de l'extérieur. Les prostituées devenaient un fléau. Le parti populiste anti-immigrés s'en donnait à cœur joie tandis que le parti populaire-chrétien déplorait la dégradation des valeurs. La commissaire Ellen Hotti avait été largement interviewée et elle répondait aux questions des reporters qui insistaient sur la vague de stupéfiants régulièrement saisis en ville depuis l'ouverture du chantier. Elle tentait de calmer les esprits. La police enquêtait pour l'instant sur la base d'un accident et d'une erreur humaine. Mais il ne faisait aucun doute que le petit port de l'Arctique faisait face à une situation exceptionnelle.

Quand Klemet s'installa dans la salle de réunion, il put sentir la tension. Selon les premières constatations, les deux hommes, un Norvégien et un Américain, avaient été victimes d'une décompression explosive. Leurs corps avaient implosé. Ils se trouvaient à l'intérieur d'une chambre hyperbare sous pression. Un employé du bateau-hôtel avait été prévenu par téléphone que les deux hommes avaient besoin d'une aide urgente et qu'il fallait leur ouvrir immédiatement. Il s'était emparé d'une masse et avait débloqué le mécanisme. La brusque différence de pression avait provoqué la catastrophe.

– Je vous ferai passer les photos, dit Ellen Hotti en tapotant le dossier sous sa main. Si vous n'avez pas encore pris votre petit-déjeuner.

L'homme à la masse avait lui-même été blessé. Il avait été violemment projeté en arrière lors de l'ouverture brutale du caisson, était à l'hôpital mais allait survivre. Les deux autres en revanche – la commissaire marqua un temps – étaient réduits à l'état de bouillie. Elle avait hésité à employer le mot.

Le bateau-hôtel avait été bouclé aussitôt. Il avait fallu faire vite pour recueillir les noms des locataires car certaines des quelque cent soixante-dix personnes étaient attendues sur le chantier et on ne pouvait tout bloquer indéfiniment. Les trois jeunes Russes avaient été interrogées. Elles étaient, paraît-il, absolument effrayées. Le blessé n'avait pas été en contact avec elles au moment de l'ouverture du caisson. Elles étaient encore au sauna lorsque la police les avait trouvées. Elles semblaient hors de cause.

L'examen des communications montrait que l'employé du flotel avait bien reçu un court appel peu de temps avant l'accident. Cela avait été confirmé par un autre employé de l'hôtel flottant. La commissaire Hotti prit un autre feuillet et lut à haute voix.

– «Je vais là-haut ouvrir aux patrons. Ils ont dû se coincer la bite dans un trou du cul. Ils sont comme des chiens en chaleur, la bite sous pression et les yeux comme des pompes à chatte. Un bon coup de jet d'eau, je vais te les calmer, tu vas voir.» Fin de citation.

Ellen Hotti regarda les policiers autour d'elle, laissant chacun apprécier cette oraison funèbre à sa juste valeur. Le coup de téléphone qu'il avait reçu était en norvégien. Pas d'accent particulier d'après ses souvenirs.

– Mais le blessé était sans doute encore sous le choc. Il ne se rappelait pas d'ailleurs avoir utilisé l'expression – elle regarda le dossier – «pompe à chatte», mais son collègue avait l'air formel. Encore un point à éclaircir, j'imagine, dit-elle, provoquant des rires qui soulagèrent l'atmosphère.

Certains en profitèrent pour se servir un café. Elle patienta quelques secondes puis reprit.

– La question est de savoir si ces deux pauvres hommes étaient vraiment en danger dans le caisson pour une raison quelconque. Les premiers éléments d'enquête montrent qu'aucune des victimes ne s'est servie de son téléphone portable pour la simple raison qu'ils avaient laissé leurs appareils à l'extérieur. On les a retrouvés intacts. Aucun appel n'a non plus été passé depuis l'intérieur du caisson. Le message reçu par l'employé provenait donc d'ailleurs. S'agit-il d'une personne qui était sur le navire, ou à l'extérieur ? Est-ce un accident ? Ou autre chose qu'il nous restera à définir ?

La commissaire laissa planer le silence un instant. Des policiers interrogeaient un certain Markko Tikkanen, agent immobilier de son état, propriétaire du caisson, dont les activités semblaient s'étendre à l'organisation de plaisirs tarifés.

– Je crois qu'il n'est inconnu de personne ici, mais que cet homme aux multiples, euh… talents, rend beaucoup de services bienvenus.

La salle resta silencieuse. Certains policiers regardaient intensément le bout de leurs chaussures.

Ellen Hotti ajouta que, selon les premières vérifications, Tikkanen s'était trouvé sur le bateau-hôtel au moment du drame, mais à l'avant du navire. Il devait d'ailleurs toujours s'y trouver. À part les ouvriers et cadres du chantier, certaines chambres étaient aussi occupées par une poignée de plongeurs qui auraient dû partir en mission ce dimanche matin, mais qu'il avait fallu garder.

– On nous fait comprendre que leur immobilisation coûte très cher et qu'il serait bon d'accélérer les procédures. À propos, j'en reviens aux trois jeunes filles russes. Elles ont raconté qu'un homme qui n'était pas Tikkanen – elle regarda à nouveau son dossier –, elles ne connaissent pas son nom a priori, était venu les chercher à Kirkenes à la descente du bus en provenance de Mourmansk. Puis il les avait accompagnées jusqu'ici. Pas à Hammerfest, apparemment. Un motel avec station-service. Tikkanen était venu les rejoindre dans une chambre du motel et avait pris leurs passeports. Ce qu'il n'a pas nié. L'endroit se trouve à Skaidi, là où loge actuellement la patrouille P9 de la police des rennes.

Tikkanen avait sans trop de problème avoué que le chauffeur, un éleveur, s'appelait Sikku, mais que ce dernier ignorait qui étaient ces trois filles. Tikkanen les lui avait présentées comme des amies connues au marché de Bossekop à Alta l'hiver précédent.

La commissaire passa en revue plusieurs feuillets de son dossier. Le café coulait à nouveau.

Klemet regardait Nina de biais, mais n'osait pas encore lui adresser la parole. Il avait le sentiment que chaque regard de la commissaire porté sur lui était lourd de reproches, sans savoir si Nils Sormi avait déjà porté plainte ou pas. Mais il pensait surtout à cet incroyable accident. Qui pouvait impliquer Tikkanen. Et Sikku, Sikku que l'on voyait décidément beaucoup, depuis la noyade d'Erik Steggo. La commissaire parcourait le dossier. Les policiers commençaient à bavarder entre eux. Klemet réfléchissait. Sikku apparaissait dans leur dossier pour s'être levé face aux rennes dans le détroit du Loup. Il était lié à Tikkanen. Ce dernier était plus mystérieux, mais il s'agissait d'un homme d'affaires avec beaucoup de fers au feu. La commissaire relevait à nouveau la tête de ses papiers.

– Tikkanen, qui semble assez bavard quand ça l'arrange, nous a raconté que l'une des victimes, Henning

Birge, le représentant de la compagnie suédoise Future Oil, a eu un conflit avec un plongeur du nom de Nils Sormi. Il ne nous a pas dit comment il l'a su, mais les premières vérifications faites depuis hier lui donnent raison, car il y avait de nombreux témoins à chaque fois. Une histoire de plongée d'abord, avec une dispute devant le Riviera Next, et une autre au Black Aurora. Son différend avec les pétroliers a été confirmé par un certain Leif Moe, un superviseur qui travaille pour Arctic Diving.

Elle regarda à nouveau ses notes.

– Ah non, au temps pour moi. Au Black Aurora, la dispute était en fait avec Bill Steel, l'autre victime, le représentant américain de South Petroleum. Une dispute entre Sormi et Steel, donc. Je précise que Sormi était l'un des plongeurs présents sur le navire-hôtel au moment de l'explosion.

Décidément ce petit merdeux de Sormi a le chic pour se faire des ennemis. Klemet regarda en direction de Nina, qui lui adressa un signe de tête.

Que pouvait-on penser de Nils Sormi ? Que venait-il faire, lui, dans cette affaire ? Sormi était plongeur. Il savait, mieux qu'aucun autre, quel serait l'effet d'une ouverture brutale du caisson sans l'équivalent des indispensables paliers de décompression. Pouvait-il être l'auteur du coup de téléphone à l'employé ?

– Et le technicien qui a fermé le caisson ? demanda un policier.

La commissaire prit une fiche.

– Nous n'avons apparemment pas encore recueilli son témoignage. Je ne vois pas trace de son identité non plus.

– Est-on sûr que le coup de téléphone reçu par le type à la masse a bien été passé ? demanda un autre.

– C'est ce que dit le registre des appels. Après, on peut toujours imaginer que l'appel n'avait rien à voir et qu'il a joué la comédie en racontant cette histoire à son collègue avant d'aller ouvrir le caisson. Mais je rappelle quand même qu'il a été blessé dans l'opération et qu'il aurait pu apparemment y laisser son scalp. Mais ok, rien n'empêche de le cuisiner un peu plus.

– Des caméras de surveillance ?

– Non, dit la commissaire. Mais je dois vous avouer que, de mon point de vue, ce Sormi fait un suspect tout à fait passionnant. Et que ce tandem Tikkanen-Sikku mérite également notre plus sincère enthousiasme. Merci à tous. Klemet Nango, et Nina Nansen, vous restez.

Klemet et Nina s'avancèrent devant le bureau de la commissaire. Cette fois-ci, Ellen Hotti se leva et vint servir elle-même du café et leur tendit une boule à la cannelle. Elle prit un papier sur son bureau.

– Très embarrassant de se retrouver avec une plainte dudit Sormi au beau milieu de cette affaire…

Nina se tourna vers Klemet, qui avait son air bougon des mauvais jours. Il avait la bouche pleine de sa boule à la cannelle et ne faisait rien pour accélérer la mastication.

La commissaire connaissait Klemet depuis longtemps. Elle était originaire de la région, et avait fait une bonne partie de sa carrière dans le Nord. Elle ne lui était pas hostile. Mais elle serait sûrement intransigeante.

– Je n'irai pas par quatre chemins, dit la responsable. Tu as totalement merdé, Klemet. Il y aura une enquête interne et tout le grand jeu. On ne peut pas faire autrement, surtout maintenant que Sormi se retrouve pour l'instant parmi les principaux suspects. Son avocat, si on en arrive là, ne manquerait de pousser de grands cris à l'inégalité de traitement devant la justice si nous ne tirions pas toutes les conséquences de ta, comment dire, de ton geste d'emportement. Nina, quelque chose à ajouter ?

Nina sentit une boule dans le ventre. Sa loyauté était mise à l'épreuve, elle s'en rendait compte. Vis-à-vis de son sens de la justice, de l'institution, de son partenaire enfin. La commissaire pouvait tout aussi bien la tester. Elle secoua la tête.

– Désolée, Klemet, dit-elle seulement.

Elle avait l'impression de trahir son partenaire. Celui-ci demeura impassible. Il doit bien réaliser qu'il n'y avait pas d'autre issue, se dit-elle pour se persuader qu'elle avait bien fait.

– Klemet, tu es mis à pied jusqu'à nouvel ordre. Sur quoi êtes-vous en ce moment ? À part des vols de rennes je veux dire…

– On examine cette histoire de noyade au détroit du Loup, là où Juva Sikku, le copain de Tikkanen, a provoqué le drame en faisant rebrousser chemin aux rennes.

– Nina, tu peux continuer ça toute seule, n'est-ce pas ? Quoi d'autre ?

Nina allait poursuivre quand on frappa à la porte. Une tête apparut. Un policier qui avait assisté à la réunion.

– Ellen, juste pour dire qu'un ouvrier polonais vient de faire une déposition. Son passe d'entrée sur l'île, qui lui donne aussi accès au navire-hôtel, avait disparu depuis vendredi. Il pense qu'il a pu le perdre ou qu'on a pu lui voler au Redrum vendredi soir. J'ai pensé que ça t'intéresserait.

La commissaire resta un instant silencieuse. Elle réfléchissait.

– Intéressant, dit-elle seulement.

– Et autre chose. Le technicien qui a fermé le caisson.

– Eh bien ?

– Il y a eu une méprise visiblement, quand on disait qu'on n'avait pas recueilli son témoignage. En fait, on ne l'a pas encore identifié.

Il referma la porte. La commissaire resta à nouveau plongée dans ses pensées. Elle sembla soudain découvrir la présence de Klemet et Nina.

– Klemet, quelque chose à ajouter ?

Klemet se leva, suivi de Nina.

– Je crois que je vais aussi arrêter avec les vendredis 30.

Il lança un clin d'œil à Nina et sortit, sous l'air ahuri de la commissaire.

26

Klemet et Nina quittèrent Hammerfest sous une pluie battante. De la neige fondue en fait, qui tambourinait en lourdes gouttes sur la carrosserie de leur pick-up. L'eau se mêlait à la neige qui restait encore en tas sur quelques trottoirs. Le temps de sortir du commissariat, Nina et Klemet avaient été trempés. Un vent violent soufflait de la mer de Barents. Nina avait vainement essayé de se protéger le visage. Un voile grisâtre enveloppait toute la ville et les gens se pressaient en courbant l'échine. Les essuie-glaces fonctionnaient à vitesse maximale et la visibilité demeurait malgré tout aléatoire. Nina brisa le silence la première.

– Que comptes-tu faire ?

Klemet lâcha le volant d'une main et prit celle de sa coéquipière. Il la serra fortement.

– Tu ne m'as pas trahi. La faute est la mienne et seulement la mienne. Ça s'arrangera.

– Mais qu'est-ce que tu vas faire ?

Klemet arrêta un moment la voiture. Ils venaient d'arriver à l'entrée de Rypefjord, le village voisin au sud d'Hammerfest. De ce côté-là du fjord, la pluie semblait moins drue. Des hauteurs de la route, on apercevait difficilement la base polaire en contrebas, une zone industrielle qui servait de base logistique depuis 1980 pour les compagnies en route pour des campagnes d'exploration pétrolière et gazière en mer de Barents. L'épaisse grisaille ne permettait même pas de déceler la présence de navires à quai. La neige fondue se collait au pare-brise. Le moteur tournait toujours. Klemet réfléchissait. Il ignorait combien de temps durerait sa mise à pied.

– Je vais d'abord retourner un peu à Kautokeino.

Nina allait devoir improviser dans un environnement qu'elle connaissait encore mal.

– Klemet, franchement, qu'est-ce qui peut rapprocher un éleveur comme Juva Sikku et un marchand de biens comme Tikkanen ? Des histoires de prostituées seulement ?

– Bah, tu sais, beaucoup d'éleveurs doivent avoir un ou deux boulots en plus à côté de l'élevage de rennes. Peut-être que Sikku a trouvé ça plus lucratif que de tirer des touristes sur des traîneaux.

– J'ai du mal à y croire. Alors quoi, si ce n'est des histoires de terrains, de pâturages ? Sikku aurait-il besoin de terrains ? Il se plaignait auprès d'Erik Steggo. Il aurait pu en vouloir à ses pâturages ?

– Ces histoires de pâturages sont très réglementées par l'Office de gestion des rennes et au sein des districts d'éleveurs. Ce n'est pas un éleveur dans son coin qui peut d'un coup changer l'ordre établi. Ça n'empêche pas les conflits, bien sûr, mais tu ne peux pas faire n'importe quoi.

– Dis-moi, je repense à Sikku. Tu ne trouves pas bizarre son empressement à affirmer qu'il avait mis le feu à sa barque.

– Possible. Mais ça ne veut rien dire.

Le moteur ronflait toujours. La neige fondue giflait le pare-brise en rafales.

– Et Tikkanen ? C'est quand même lui qui a organisé cette petite sauterie.

212

– Et il ferait sauter ses clients ?

– Qui sait ? On ne devine pas tout. Je vais aller discuter avec ce responsable de Norgoil que j'ai aperçu à la messe dimanche. Il avait l'air de bien connaître les victimes du caisson.

– Tu sais quand même que ce n'est pas franchement du ressort de la police des rennes.

La jeune femme sourit.

– Si Tikkanen est lié à Sikku par des histoires de terrains, tout ce qui concerne Tikkanen m'intéresse, trancha-t-elle.

Nina déposa Klemet au refuge de Skaidi. Son collègue lui accorda une longue accolade.

– Tu es sûr que tu ne m'en veux pas ?

– Je n'en veux qu'à moi-même. Et à ce petit merdeux de Sormi. Et maintenant je vais faire un peu de puzzle avant de partir à Kautokeino.

Nina reprit la route d'Hammerfest, toujours sous la bourrasque. Elle voulait voir ce Gunnar Dahl de Norgoil. Auparavant, elle s'arrêta à Kvalsund, avant le pont, pour rendre visite à Morten Isaac. Elle devait en avoir le cœur net sur ces histoires de pâturages autour d'Hammerfest.

– Tu ne lâches pas, lui dit le chef du district 23 en la faisant entrer chez lui. Il l'invita à se sécher et sembla étonné de la voir seule.

– Klemet Nango travaille de son côté à reconstituer les pièces du puzzle, dit-elle seulement.

Morten Isaac n'insista pas.

– Steggo et Sikku convoitaient-ils les mêmes pâturages sur la route de la transhumance ?

– Évidemment. Mais c'est comme ça partout. Rien de nouveau sous le soleil. L'herbe est toujours plus verte chez le voisin. Vieux dicton sami.

– Tikkanen, l'agent immobilier, est-il en affaires avec des éleveurs ?

– Il faut que tu comprennes une chose : nous, les éleveurs, nous dérangeons ici. Tu auras beau entendre tous les plus beaux discours sur le respect des peuples indigènes, sur la minorité sami et ses droits inaliénables, quand tout ça se heurte au développement des industries, on passe à la trappe.

– Mais la mairie est bien censée vous écouter.

– La mairie ? Elle touche cent cinquante millions de couronnes de taxe foncière de Norgoil par an en ne faisant rien, juste parce que l'usine de gaz est sur son territoire. Elle va écouter qui, la mairie ? Avec la raffinerie de Suolo, ils doivent doubler la surface industrielle à la sortie de la ville. Et la taxe perçue par la mairie par la même occasion. Tu connais beaucoup de maires qui renonceraient à ça ? Moi aussi j'ai été en conflit avec la mairie, j'ai été débouté à chaque fois quand j'ai eu des procès avec des industriels qui voulaient empiéter sur mes pâturages. Procès après procès, pâturage après pâturage. N'oublie pas, nous, éleveurs sami, nous sommes usagers de ces terres, pas propriétaires.

Morten Isaac se leva et tira un carton à chaussures rangé dans un meuble du salon, sous une armoire remplie de verres et de carafes. Il sortit des papiers et de vieilles photos et les étala devant Nina. Il chaussa des lunettes et prit un document relié.

– En 1888, six familles d'éleveurs passaient l'été sur Kvaløya, avec six mille rennes. Six mille rennes ! Contre tout au plus deux mille aujourd'hui. Toujours pour six familles. Et les gens d'ici se plaignent que c'est encore trop. Mais qu'est-ce qu'ils veulent à la fin ! ?

Nina trouva Gunnar Dahl dans le hall de l'hôtel Thon qu'il avait rejoint après la messe. Il parut d'abord surpris qu'une inspectrice de la police des rennes puisse s'intéresser à lui. Il ne fit pas mystère des enjeux de développement d'Hammerfest. Pour lui, il en allait du bien commun. Il n'y avait donc rien de mal à pousser son avantage si la possibilité s'offrait. Nina se rendait bien compte que certaines de ses questions dépassaient le simple cadre de la procédure. Mais elle devait comprendre. Quoi qu'en dise Klemet, qui lui rappelait souvent qu'en matière policière, il fallait se considérer comme bien loti si on arrivait à établir les preuves d'un crime ou à relier un criminel à un délit. Découvrir le motif d'un crime, disait-il toujours, c'est la cerise sur le gâteau, et la plupart du temps on restait dans l'ignorance si l'auteur du crime ne l'avouait pas.

– Vous me dites, mademoiselle, que les éleveurs se plaignent. Ils seraient dépossédés de leurs terres et, à ce titre, ils pouvaient au moins prétendre toucher un pourcentage des revenus du pétrole et du gaz dans ces régions qu'ils considèrent comme les leurs… Le problème, voyez-vous, c'est que ces biens appartiennent à la nation tout entière. Il ne peut en être autrement. Car moi je vous le dis, il n'y a pas de preuves que des gens comme moi ou des Sami sont arrivés les premiers dans cette région. Et du coup on ne peut pas dire à qui ça revient. Alors je pense qu'il vaut mieux travailler ensemble. Franchement, mademoiselle, il y a assez de place dans le Finnmark pour toutes sortes d'activités, vous ne trouvez pas ? Au gré des saisons, les éleveurs de rennes utilisent déjà quatre-vingts pour cent de la région.

Nina et le représentant de Norgoil occupaient des tabourets hauts dans le hall de l'hôtel. Les grandes baies vitrées donnaient sur la petite place de la mairie et le parking, là où Klemet était allé jouer son fameux loto du vendredi 30. Deux jours plus tôt seulement. Nina devinait à peine l'entrée du kiosque. Elle n'était pas pressée de ressortir dans la tempête. De la neige fondue s'abattait toujours sur la cité arctique. Jamais Nina n'avait connu un tel printemps.

– Vous connaissiez bien Birge et Steel ?

– Nous étions collègues. Nous représentons les trois plus grosses compagnies pétrolières ici.

– Vous étiez proches ? Je veux dire, Steel et Birge faisaient la fête avec des prostituées.

– Et je n'y étais pas, c'est vrai. Je les appréciais comme collègues. Mais ils ne sont pas d'ici. Moi si. Vous êtes respectés ici si vous respectez les gens.

Gunnar Dahl montrait la tempête à l'extérieur.

– Les gens qui vivent ici sont durs. Si ce n'était pas pour votre travail, vous seriez venue ? Sans doute pas. Vous savez ce que veulent ces gens ? Du travail, un emploi. Nous développons cette région pour que ses habitants puissent rester là où ils ont toujours vécu.

– Même si c'est au détriment de quelques-uns, alors ?

– Depuis combien de temps êtes-vous ici, mademoiselle ? Vous savez ce qu'est la majorité ? On est en démocratie, non ? La majorité décide, c'est normal. Les droits d'une poignée de Sami ne peuvent pas être placés au-dessus de ça, ce serait injuste pour la majorité.

– Vous deviez être en concurrence avec Steel et Birge. Pour les gisements, pour l'accès aux zones industrielles ?

– Bien sûr, nous sommes concurrents. Mais tout cela est très réglementé. Les licences sont attribuées par le gouvernement, préparées par le Directorat du pétrole…

– Que Lars Fjordsen a dirigé…

– Exact. Que cet homme irremplaçable a dirigé.

– Et qui lui aussi a travaillé pour Norgoil.

– Encore exact. Nous nous sommes connus là-bas. Un grand monsieur.

– Qui allait chasser les rennes lui-même.

– Sans lui, Hammerfest ne serait pas Hammerfest. N'essayez pas de le salir.

– Vous aviez l'habitude de vous rencontrer avec les autres ?

– Parfois, avec Lars d'ailleurs. Nous avions une sorte de rendez-vous au Club de l'ours polaire, certains vendredis.

– Vous aviez rendez-vous ce vendredi ?

– Pas ce vendredi. Non, mais le précédent.

Nina fut un peu déçue.

– Je ne savais pas qu'il y avait un café au club.

– Il n'y en a pas. Markko Tikkanen s'occupait de tout arranger.

– Encore lui...

– Oui, Tikkanen est un être méticuleux qui aime savoir tout sur tout, et pour cela il n'hésite pas à ordonner lui-même certains arrangements afin d'être au plus près des sources d'informations. Je ne participais pas aux petites soirées de mes collègues, mais...

– ... mais vous n'aviez rien contre ?

– Ça ne me regarde pas. Étant d'ici, connaissant les gens et étant connu d'eux, je ne peux tout simplement pas.

– Mieux vaut aller faire ça ailleurs plus discrètement ?

– Je ne vous permets pas !

– De quoi discutiez-vous ?

– D'affaires. Nous estimons qu'il y a assez d'opportunités pour tout le monde ici.

– La disparition de Steel et Birge ne doit pas trop vous déranger...

– Vous avez tort d'insinuer je ne sais quoi. Steel et Birge, en dépit de certains comportements que je réprouvais, étaient de bons professionnels. Je ne sais pas qui j'aurai en face pour les remplacer.

Nina regardait à nouveau par la fenêtre. Les vitres dégoulinaient de flocons bavant.

– Vous les connaissiez depuis longtemps ?

Gunnar Dahl la détailla comme s'il cherchait à deviner ses intentions. Le pétrolier à barbe en collier avait paru plutôt franc jusqu'ici. Une façade ?

– Oui. On pourrait presque dire dans une autre vie, tant les choses sont allées vite dans ce secteur. Nous avons fait la mer du Nord, avant votre naissance sûrement. Une époque bien différente.

Dahl parlait comme un vétéran se remémorant une campagne militaire.

– Que faisiez-vous hier soir ?

– J'étais en famille. Mon épouse et mes six enfants pourront vous le confirmer.

Nina remercia Dahl. Il était encore assez tôt et la tempête avait brutalement cessé. À une vitesse qui surprenait Nina, le ciel commençait à s'éclaircir. Le vent demeurait soutenu, mais il chassait les nuages. Nina reprit la route de Skaidi. En arrivant au sud de l'île, en débouchant du tunnel de Stallogargo, elle prit soudain le petit chemin en épingle à cheveux tout de suite à droite, au lieu de s'engager sur le pont qui rejoignait le village de Kvalsund. Le chemin était parallèle au tunnel, entre ce dernier et la berge. Il s'agissait de l'ancienne route menant à Hammerfest, creusée à flanc de montagne avant la construction du tunnel. Il était question d'élargir ce vieux chemin. Les rennes qui traversaient ici l'empruntaient pour remonter ensuite vers les pâturages du nord de l'île. Le rocher sacré risquait d'être abîmé. Certains envisageaient de le déplacer. Nina descendit de la voiture.

Elle prit le temps de s'imprégner des lieux. Depuis quand utilisait-on ce détroit pour faire traverser les rennes ? Les photos de Nils-Ante avec Changounette lui revinrent en mémoire. Elle n'eut pas trop de difficultés à reconstituer mentalement la scène de la noyade d'Erik, s'appliquant à replacer chacune des personnes présentes. Elle leva les yeux vers un point et s'y lança, marchant, glissant, s'enfonçant dans la neige fondante par endroits, grimpant, heurtant les rochers. Elle monta ainsi pendant plusieurs minutes avant de s'arrêter, essoufflée, pour contempler le détroit qui s'étendait à ses pieds. Elle composa un numéro sur son téléphone.

– Tu m'entends ? cria-t-elle bientôt.

– Oui, je t'entends, répondit Klemet. Écoute, je voulais te dire que j'étais…

– Pas le temps de discuter maintenant. Tu m'entends, je t'entends, je voulais juste contrôler une chose. J'ai le même opérateur de téléphone que Sikku, j'ai vérifié. Et je t'appelle de son premier emplacement l'autre jour, avant qu'il n'échange avec Jonas soi-disant parce qu'il n'avait pas de connexion pour appeler. Il ment. Ça passe très bien. Il a pris la position la plus élevée pour ne pas être vu quand il faisait ses gestes pour faire peur aux rennes, voilà la vérité. À plus tard.

Et elle raccrocha, sans laisser à Klemet le temps de répondre. Satisfaite, elle redescendit vers le rocher pour en faire le tour. Elle l'avait fait rapidement l'autre jour, lorsque le corps d'Erik avait été repêché. Elle devait en convenir, ce rocher sortait de l'ordinaire. Elle essayait de définir sa forme. Un cornet de glace renversé ? Un peu avachi, la pointe penchant drôlement d'un côté. Cela manquait de poésie. Il devait faire pas loin de cinq ou six mètres de hauteur. En le regardant d'un autre angle, Nina imagina bientôt une femme, une femme qui portait une épaisse robe comme dans l'ancien temps, ou comme des Gitanes les jours de marché. Elle voyait maintenant cette forte femme se tenir bien droit, avec prestance même, et ça devait être une sorte de chapeau qu'elle portait sur la tête, oui, sûrement pas un chignon en tout cas. Pourquoi pas, cela vaut mieux qu'un cornet de glace ramolli. Côté berge, le rocher était entouré d'éboulis qui tombaient presque dans l'eau. Nina devait se tenir au rocher pour ne pas glisser. De la neige couvrait encore par endroits le relief. Elle aperçut un petit reflet grâce au soleil qui se montrait à nouveau. Une pièce d'une couronne. Elle n'osa pas la toucher. La pièce avait été déposée dans un petit creux et elle dépassait à peine. Sans le reflet, elle ne l'aurait pas vu. Une de ces offrandes rapidement aperçues l'autre jour, se dit Nina. Elle regarda un peu autour. Elle aperçut quelques autres pièces au pied du rocher, ou dans d'autres recoins de la pierre. Quelques bouts de bois de rennes aussi. Elle vit encore des petits objets qui n'y étaient pas l'autre jour. Le rocher paraissait encore bien utilisé.

– On l'appelle Ahkanjarstabba.

Nina se retourna. Elle ne vit personne.

– Un nom sami, continua la voix.

Nina avait du mal à l'identifier à cause du vent qui soufflait encore dans ses oreilles. Elle fit le tour du rocher. Là-haut, sur le sentier goudronné, elle aperçut enfin Anneli Steggo. La jeune femme se tenait sur un cheval trapu.

– Un cheval islandais. Ils sont endurants et fiables même dans la neige.

– Je pensais que tu devais retourner à ton troupeau. Tu en es loin.

– J'avais besoin de revenir ici. Je n'y avais pas remis les pieds depuis la mort d'Erik.

Elle regardait autour d'elle.

– Tout est si calme ici.

De l'autre côté du détroit, on apercevait un petit hameau aux maisons en bois dispersées, au pied de la montagne. Plus loin vers la gauche s'étendait le pont suspendu qui reliait l'île au village de Kvalsund. Un pan de la montagne trempée par la tempête luisait au soleil. Anneli descendit de son cheval et s'approcha du rocher.

– Erik avait beau être éduqué à l'université, il tenait à faire une offrande à ce rocher avant la traversée des rennes. Une tradition de sa famille. Je me demande s'il a pu oublier d'en faire une cette fois…

Nina restait silencieuse. Ces choses-là lui échappaient. Sa mère lui avait plutôt appris à voir dans ces superstitions des relents de sorcellerie.

– Quand ils abordent la berge en provenance de la terre ferme, les rennes passent toujours à l'ouest de ce rocher. Dans toute la Laponie, des pierres nous parlent ainsi.

– Avec de telles formes, je comprends que ça donne des idées, dit Nina, pour être polie.

– La forme n'a pas toujours d'importance. La tradition importe plus. Quel usage une certaine personne a fait d'une pierre à une certaine époque. En principe, seuls les hommes peuvent venir près des pierres sacrificielles.

Anneli s'approcha encore pour caresser le rocher.

– Certaines, comme celle-ci, sont d'usage commun. Tous les Sami qui transitent par ce détroit avec leurs rennes avaient l'habitude d'y faire des offrandes. On y venait au moment de la chasse. Les Sami pêcheurs y rendaient hommage aussi. Tu trouverais sûrement sous la neige de vieux restes de poissons, à côté de pièces ou de bouts de bois de rennes. Mais des familles ont aussi leurs propres lieux sacrés, et ceux-là restent secrets.

– Tu t'intéresses beaucoup à ces histoires, on dirait?

– Ces histoires sont notre histoire. Vous avez vos églises, vos monuments, vos musées, nous avons ces pierres. Nous sommes un peuple de la nature. Ces pierres conservent l'esprit de notre histoire. Si tu en approches, tu entendras les histoires en couler le long des fissures, tu entendras les prières qui ont été murmurées là voici des siècles par un berger inquiet pour ses rennes qui s'apprêtaient à traverser. Si tu colles ton oreille au rocher de Sieidejavri, tu entendras la prière de cette femme sami qui supplie pour que son fils malade trouve la paix.

Anneli lâcha la pierre et remonta sur son cheval.

– Tous le savaient. Mais personne n'en parlait. Car on n'évoquait pas de choses pareilles. On le savait, c'est tout.

Elle fit tourner son cheval.

– Demain je vais enterrer Erik.

Elle donna le signal du départ à son cheval islandais, laissant Nina au pied du rocher sacré. La policière la suivit des yeux. Bizarrement, elle ne fut pas étonnée quand, après quelques dizaines de mètres, Anneli fit demi-tour et revint s'arrêter devant Nina.

– Nous devons être capables de vivre ensemble, c'est le seul enseignement de la toundra. L'homme solitaire est comme le loup. Il fait peur aux hommes, et les hommes se vengent de lui, dit-elle, avant de repartir au galop.

Midday,

Toujours pas de signe de toi. Je n'en peux plus. Il me fait peur. Son tempérament est explosif, et ça ne s'arrange pas. Avant, j'avais mon propre coin où je pouvais m'écrouler. Ce temps est fini. Si je m'écroule, il s'écroule. Peut-être serait-ce la solution, nous écrouler.

27

Cabane de la police des rennes, Skaidi. 15 h.

Klemet avait eu tout l'après-midi pour exhaler sa colère. Il mit ces quelques heures à profit pour enfin reconstituer le puzzle des deux procès-verbaux déchirés la semaine précédente. Même mis à pied, il bénéficiait encore de tous les accès à l'intranet de la police. Il allait vérifier les identités des uns et des autres mais se retint au dernier moment. Laisser des traces numériques se retournerait contre lui. Il hésita quelques instants et referma l'ordinateur. Il attendrait le retour de Nina. Il n'aimait pas la laisser seule. Il ne la considérait plus comme une débutante, mais elle ignorait encore beaucoup de règles non écrites de cette région si lointaine de son monde. Sa fraîcheur de vue pouvait aussi la servir dans un petit univers où les histoires s'accumulaient en couches compactes. Il nota les noms des deux touristes allemands et des deux ouvriers du chantier. Puis il descendit au camping juste en dessous de la cabane de police et emprunta une voiture au gardien.

Il arriva en début de soirée à Kautokeino, dans ce village qui avait été le théâtre de son humiliation dans son enfance, cette norvégisation forcée, où il lui avait fallu abandonner la langue sami de ses premières années pour parler le norvégien de l'école.

Il songeait à ce qui était arrivé ici même avec Aslak dans sa jeunesse. À sa mauvaise conscience traînée depuis. Au fait qu'il n'avait jamais raconté cela à Nina. Peut-être faudrait-il. Était-elle mûre pour comprendre ? Ils constituaient une bonne équipe, elle et lui, de son point de vue en tout cas. Fallait-il livrer plus de lui-même pour les besoins de leur travail d'équipe ? Ou pas ? Qu'avait-elle compris ? Qu'Aslak et lui s'étaient connus enfants à l'internat de Kautokeino, à l'époque où on leur interdisait de parler sami ? Qu'à l'âge de sept ans, ils avaient planifié de fuguer de leur internat pour échapper à cette langue norvégienne qu'on voulait leur inculquer de force, à la méchanceté surtout… Et qu'au dernier moment Klemet n'avait pas osé, laissant Aslak seul affronter la tempête, l'inconnu, la mise au ban. Leurs destins s'étaient joués en cet instant.

Klemet pensait qu'adulte, devenu policier, il n'avait pas gardé de rancune vis-à-vis des institutions. Il le jurait à tout bout de champ si on lui posait la question. Mais il n'en était pas toujours tout à fait certain.

Quand il entra dans la maison de son oncle, ce dernier et Mlle Chang dînaient dans la cuisine. Ils l'accueillirent gaiement et lui dressèrent un couvert.

Klemet mangea d'abord silencieusement le bouillon. Nils-Ante surveillait son neveu du coin de l'œil.

– Des soucis ?

Klemet secoua la tête, haussa les épaules, finit son bouillon.

– J'ai été mis à pied.

Nils-Ante siffla longuement.

– Ma splendeur satinée, peux-tu nous chercher cette bouteille de cognac trois étoiles… La seule habitude digne de ce nom que j'aie gardée des laestadiens, dit-il avec un clin d'œil à Klemet. Alors, comme ça, enfin, mon cher neveu, à son âge avancé, commence à se lâcher un peu. On va fêter ça !

– Fiche-toi de moi… Ça m'embête pour Nina, elle se retrouve seule.

– Ta petite blondinette, mignonne à croquer d'ailleurs, ton attention pour elle est des plus louables. Si j'avais deux ans de moins et si je n'étais pas déjà comblé par ma merveilleuse, je lui conterais fleurette.

– Tu as connu la famille Sormi ?

Nils-Ante versa le cognac, embrassa la jeune Chinoise et but une première gorgée du breuvage que les stricts laestadiens ne s'autorisaient qu'à titre médicamenteux.

– Un peu. Mais on connaît toujours un peu tout le monde dans les villages. Et si on ne connaît pas, on complète soi-même leur histoire, ça occupe les longues soirées d'hiver…

– Bon, mais en tout cas un jeune Sormi est plongeur aujourd'hui, pour l'industrie gazière, ou pétrolière, ou les deux, je ne sais pas très bien s'il y a une différence, et… je l'ai un peu… bousculé. Une gifle.

Nils-Ante siffla à nouveau et remplit le verre de son neveu. Klemet se rappela qu'il ne buvait pas d'alcool et trempa à peine les lèvres.

– Ça, tu sais que je n'approuve pas.

Klemet resta silencieux. Il avait passé l'âge des remontrances, mais n'ignorait pas que son oncle s'élevait depuis toujours contre la violence, critiquant déjà les méthodes d'éducation en vigueur dans leur famille. Il respira profondément. Pour la première fois depuis l'incident, il repensa calmement aux paroles de Nils Sormi. Il rapporta la confrontation aussi fidèlement que possible. Mlle Chang écoutait gravement à leurs côtés, adressant de temps à autre un petit sourire d'encouragement à Klemet. Le policier était plus ému qu'il n'eût voulu l'avouer. L'effet du cognac peut-être, même s'il trempait à peine ses lèvres dans le verre à chaque gorgée. Il se demandait d'ailleurs bien pourquoi Nils-Ante le remplissait aussi souvent.

– Toi mon oncle, tu sais bien que ça n'a pas été facile pour ma famille quand grand-père a dû quitter le milieu des éleveurs. Il en a souffert, et mon père avec lui. On n'en sort jamais la tête haute et le cœur léger de ce milieu.

– Tu as raison, ton grand-père était effondré quand il a pris cette décision, même s'il ne l'a jamais montré. Mais le regard, on ne le voile pas. Pas le regard d'un homme. Et ton grand-père était un homme, grand et humble, n'en rougis pas. Tu sais que je ne suis pas éleveur et que je ne l'ai jamais été. Et que je n'ai jamais voulu l'être. J'ai toujours été un artiste, et on s'est suffisamment moqué de moi au début. Je n'ai regagné un peu de respect dans cette famille que lorsque je me suis mis à faire des concerts de joïk en public. La famille croyait que je rentrais dans le rang, alors qu'à l'époque, chanter des joïks était pour moi un acte politique, tu le sais bien. Dans les années 1960, les Norvégiens industrialisaient le Nord comme si personne n'y vivait.

– Je me rappelle surtout que tu te cachais presque pour me chanter tes joïks.

– Oh mais ça, c'était encore avant. Je ne voulais surtout pas que la famille croie que je leur cédais. Et ça n'a jamais été le cas, je te prie de le croire. Cette famille, quelle calamité ! Elle n'était qu'un paquet de grenouilles de bénitiers, avec des habitudes archaïques, des jalousies de clans, elle me faisait horreur. Plus traditionnels et coincés qu'eux, tu ne trouvais pas. Ils auraient été trop heureux de savoir que je chantais du joïk, alors j'étais bien obligé de le faire en cachette, mais pour toi je le faisais.

– Oui, et cette fierté…

– Et cette fierté coûte beaucoup à notre peuple, Klemet. Mais on a deux-trois petites choses qui valent d'être défendues. Laisse-moi revenir à Sormi. Tu es parti trop longtemps de cette région, tu ne connais pas nos petites histoires ni nos petits secrets. Ce que je crois savoir, c'est que, pour un jeune Sami, le petit Nils a été élevé complètement en dehors de la tradition. Comme un vrai Sami des villes en quelque sorte, même si tout gamin il habitait encore ici. Ses parents étaient des gens très modestes qui se tenaient un peu à l'écart du village. Ils évitaient les autres le plus souvent. Ils n'ont rien fait d'après mes souvenirs pour que Nils s'intègre vraiment dans la vie du village. Ils l'ont envoyé assez tôt sur la côte. Et tu sais les rivalités qui existent entre les gens de l'intérieur et ceux de la côte. Pas seulement les Norvégiens. Tu as aussi les Sami qui ne sont pas éleveurs de rennes, ils sont en majorité mais ont moins de droits. Ce sont deux mondes qui ne s'aiment pas trop. La décision de l'éloigner d'ici revenait à sa mère surtout, je crois. Maîtresse femme. Fière elle aussi. Son père était assez insignifiant. Et il buvait beaucoup pour se donner une contenance. Je ne les fréquentais pas. Tu t'intéresses vraiment à lui ?

– Je ne sais pas.

– Je trouverai quelqu'un qui l'a connu si tu veux. J'ai une idée, mais il faut que je l'appelle d'abord.

Il baissa la voix, jetant un œil à sa jeune compagne qui travaillait à l'ordinateur à l'autre bout de la table.

– Plus tard. Je ne voudrais pas que ma brindille céleste en prenne ombrage...

28

Lundi 3 mai.
Lever du soleil : 2 h 23. Coucher du soleil : 22 h 21.
19 h 58 d'ensoleillement.

Cabane de la police des rennes, Skaidi. 3 h 30.

De pire en pire, pensa Nina. Réveillée dès l'aube, elle se sentait perdue, ignorant si le crépuscule était passé. Réveillée, malgré elle, et déjà fatiguée. L'énergie pulsait au travers de son corps. Fatiguée, pas fatiguée. Elle ne se comprenait plus. Il fallait se rendormir. Sa montre indiquait qu'il fallait dormir. Ses yeux refusaient de se fermer. Il lui manquait pourtant trois ou quatre heures de sommeil, elle le savait. Elle hésita, se leva, regarda par la fenêtre. La rivière coulait. Se promener. La simple idée d'une promenade en pleine nuit, même en l'absence de la nuit, lui rappela son père. Les derniers temps avec lui. Ses brusques promenades dans le noir. En pleine forêt. Quand il partait chercher de l'air plus pur, disait-il. Elle y repensait souvent en ce moment. Elle sentit à nouveau la fatigue prendre le dessus. Elle referma les yeux.

Elle se réveilla un long moment plus tard. Cette fois-ci, l'heure était raisonnable. Nina envisagea un instant d'aller assister à l'enterrement d'Erik Steggo à Kautokeino. Elle renonça. Klemet, encore sur place, y passerait peut-être. Il saluerait Anneli de sa part.

Elle passa au commissariat. Ellen Hotti la reçu brièvement. La commissaire ne cachait pas sa mauvaise humeur. Elle aussi avait du pain sur la planche avec les obsèques du maire, Lars Fjordsen. Vu sa stature nationale, la ville voulait lui rendre un hommage de circonstance. Les policiers seraient sur les dents. Et puis cette histoire d'explosion du caisson de décompression... Elle ne disposait pas des effectifs pour tout ça, et personne ne s'en rendait compte. Et, par-dessus tout, un policier comme Klemet ne trouvait pas meilleur moment pour gifler ce plongeur au point qu'elle n'avait d'autre choix que de le mettre à pied. Tout le monde allait-il se liguer contre elle ? Nina laissa passer l'orage. La commissaire ouvrit un dossier.

– Nous avons eu un peu de nouveau pour Fjordsen. L'analyse de l'ADN sous ses ongles n'a rien donné. Sormi, le plongeur capable de faire perdre les pédales à ton partenaire, a un alibi au moment de l'accident. Il était avec son binôme Tom Paulsen dans la salle de cinéma, à l'autre bout du navire-hôtel, et plusieurs témoins confirment qu'il n'a pas quitté la salle.

Elle lut le dossier.

– Ils regardaient... *Insomnia*. Drôle d'idée en cette saison. L'interrogatoire des locataires du bateau est presque fini. Les trois Russes n'ont reconnu aucune des personnes à bord, c'est à n'y rien comprendre. À part bien sûr Tikkanen et l'employé qui les avait reçues et qui a été grièvement blessé en ouvrant le caisson. On a fait passer tout le monde devant elles, on a montré les photos d'identité, rien. En plus, les locataires n'ont pas accès à cette partie du navire. Incompréhensible. À part le blessé qui les avait fait entrer, elles n'ont aperçu qu'un homme,

232

lorsque deux d'entre elles sont sorties pour aller aux toilettes. Un homme plus âgé que la moyenne, plutôt dans la soixantaine, carrure imposante. Il ne figure pas parmi les employés. C'est lui que nous recherchons.

– Et cet ouvrier qui avait perdu ses papiers ? On a du nouveau ?

Ellen Hotti fit la moue. Rien non plus. Le téléphone de Nina sonna. Elle écouta en s'excusant du regard puis raccrocha.

– Deux rennes broutent dans le jardin du temple évangéliste. Les affaires reprennent…

Hammerfest, 13 h.

Avant de reprendre la route pour Hammerfest, Klemet était passé aux obsèques d'Erik Steggo, comme il l'avait promis à Nina. Il était resté discret, peu à l'aise dans ces grands rassemblements. Tout le gratin du monde des éleveurs s'était déplacé. Klemet n'en avait ressenti que plus fortement la distance avec sa propre famille, sa propre histoire. Anneli l'avait aperçu et lui avait adressé un petit geste. Elle était belle et triste. Elle avait lu un poème. Des vers courts, poignants, qui avaient arraché de nombreuses larmes dans l'assemblée. Il lui rappela des mots de son oncle, par leur légèreté, mais une légèreté qui soulevait des pensées lourdes et difficiles.

Tous les éleveurs n'avaient pu être présents. Il fallait des hommes sur le vidda. Juva Sikku comptait parmi les absents. Sa présence l'aurait étonné. Olaf Renson avait fait le chemin depuis Kiruna pour venir assister Anneli. Il était proche de la jeune fille. Lui aussi aperçut Klemet.

Le policier remarqua à certains regards que la rumeur de sa mise à pied s'était propagée. Klemet avait préféré ne pas s'attarder. Olaf Renson l'avait rattrapé sur le

233

parking. L'Espagnol ne l'aimait pas, Klemet le savait. On ne traitait pas quelqu'un que l'on aimait bien de collabo...

– Tu devrais jeter un coup d'œil sur les petites affaires immobilières de Sikku, lui jeta sèchement Renson. Il s'intéresse beaucoup à l'élevage de rennes en ferme loin d'ici, étonnant non ?

En quittant Kautokeino, Klemet se décida à creuser cette histoire. Rien ne l'en empêchait. Il préviendrait Nina plus tard. Il se présenta à la mairie d'Hammerfest et se fit conduire aux archives. On le connaissait et il se retrouva bientôt dans une salle calme et impersonnelle entouré de vieilles boîtes de classement serrées de ceintures en tissu. Juva Sikku, Erik Steggo, Morten Isaac et d'autres. Il voulait savoir ce qu'il en était exactement de la présence des éleveurs sur cette petite île de la Baleine, là où la ville d'Hammerfest s'était développée.

Il retourna voir la secrétaire et lui demanda si des documents évoquaient la présence ancienne de Sami sur l'île. Elle fronça les sourcils et alla chercher une pile de classeurs.

Klemet tournait les feuillets jaunis avec précaution. Il découvrait des documents scolaires, des correspondances administratives. Les heures passaient. Il lui semblait qu'au fil des décennies la présence des Sami s'était réduite de façon dramatique. Il trouva une lettre écrite par un pasteur d'Hammerfest au roi du Danemark. La lettre datait de 1727, à une époque où la province de Norvège appartenait à la couronne danoise. Le pasteur racontait que l'île de la Baleine avait toujours été habitée par des Finnois. Klemet savait que ce nom était alors employé pour désigner les Sami. Le pasteur, dans sa missive, précisait que les Norvégiens habitaient sur la côte occidentale de l'île de Sørøya, la grande île à une dizaine de kilomètres plus à l'ouest. Et puis les villages des Norvégiens avaient été réduits à l'état de ruines sous les attaques des Russes qui se livraient à de violentes expéditions en provenance de l'est. Et ainsi, les Norvégiens s'étaient réfugiés à Hammerfest.

Klemet continua à feuilleter les documents. Il en allait de même de Rypefjord, le petit village juste au-dessous d'Hammerfest où se trouvait la base polaire. Rypefjord aussi avait été un ancien lieu de peuplement sami. Au début du XXe siècle, les Sami avaient été de moins en moins nombreux à se dire Sami, à Hammerfest en tout cas. Et ça n'avait apparemment fait qu'empirer au fil des décennies.

Il alla redonner une pile de classeurs à la secrétaire.

– Tu sais combien de Sami vivent à Hammerfest ? lui demanda-t-il.

La femme soupira.

– Tout ce que je peux te dire, c'est qu'en début d'année, dans l'école de mon fils, une famille seulement a demandé à ce que leur enfant reçoive des cours de sami. Et je sais que ça a fait toute une histoire et qu'ils ont regardé avec les autres écoles de la ville pour voir comment faire, et que c'était un des seuls cas en ville. En tout, il devait y avoir une dizaine de gamins, peut-être moins. Alors tu vois… Et pourtant, on sait bien qu'ici, sur la côte, presque tout le monde doit avoir un peu de sang sami dans les veines.

La secrétaire le laissa avec de nouveaux classeurs. Klemet s'intéressa au cadastre. Il entendit le coup de corne de l'*Hurtigruten*, le ferry touristique qui faisait son entrée dans le port tous les jours vers 11 h 30. Il regarda sa montre. Le bateau allait bientôt déverser ses touristes du monde entier qui resteraient une grosse heure avant de rembarquer. Il se rendit au kiosque s'acheter deux saucisses barbouillées de ketchup et de moutarde puis revint se plonger dans l'étude des cadastres.

Un homme l'attendait près des classeurs. La secrétaire l'avait prévenu des requêtes de Klemet. Il se présenta. C'était l'adjoint de Fjordsen, délégué à l'urbanisme. Klemet réfléchit vite. Il n'était pas censé enquêter. L'élu ne paraissait pas suspicieux. Klemet décida de dire ce qui l'intéressait, sans trop entrer dans les détails.

– Beaucoup de compagnies pétrolières et de sous-traitants veulent venir s'installer à Hammerfest, commença l'élu. Elles veulent être aux premières loges de la ruée vers l'Arctique dont tout le monde parle depuis une dizaine d'années.

Pour l'instant, Klemet comprenait que la base polaire, dans l'ancien village lapon de Rypefjord, était la seule base logistique pour toute la mer de Barents.

– Bientôt, vous aurez l'exploitation du gisement pétrolier de Suolo, sans compter toutes les explorations qui se multiplient en haute mer, entre ici et le Spitzberg. Il faut des terres ici pour la logistique, et même pour un nouvel aéroport.

Il disparut un instant pour ramener une brochure avec un plan de l'île. Elle avait à peu près la forme d'un crâne avec une protubérance sur un côté du front, à gauche sur la carte. Hammerfest était à la base de cette protubérance et n'occupait qu'une toute petite part de l'île. Mais le relief accidenté de celle-ci en limitait l'accessibilité.

– Construire sur le plateau au-dessus d'Hammerfest ? À deux cents mètres de hauteur, on trouve un climat beaucoup plus dur et très venteux. Impossible d'y placer le nouvel aéroport. Il nous faut du terrain plat. On n'en sort pas, je vous assure. Alors bon, les rennes vous me direz. Les terrains qu'on vise le long de la côte, les propriétaires ne sont pas éleveurs, mais les éleveurs ont un droit d'usage, entre mai et septembre. Mais vous savez, à partir du moment où le parlement norvégien a désigné

Hammerfest pour être la base d'accueil des activités d'exploration et de production du pétrole et du gaz en mer de Barents, vous n'avez pas le choix. Il faut aller de l'avant. Et s'il faut du terrain, eh bien, on prend ce qu'il y a.

L'élu montrait toujours la carte. Selon lui, elle parlait toute seule, tant le relief limitait les alternatives.

– Mais attention, nous consultons tout le monde. Ah ça, on consulte. À mon avis, ça prend trop de temps. Le maire, Fjordsen, il essayait trop d'être un peu gentil avec tout le monde. Il faisait le méchant avec les rennes, allait râler dans les journaux, mais faisait trop de concessions aux éleveurs. Mon avis à moi, c'est qu'il faut aller plus vite. Oser plus quoi, vous voyez. L'avenir, il est maintenant, là, devant notre nez, bon Dieu !

L'adjoint paraissait avoir Klemet à la bonne. Il l'entraîna prendre un café dans le hall de réception.

– Cette ville, dans vingt ans, c'est le Singapour de l'Arctique. Et la région, elle fournira du travail à l'ensemble du pays, vous verrez. Un développement formidable. Avec le réchauffement climatique, les compagnies vont se précipiter pour exploiter les ressources du Grand Nord. Elles se précipitent déjà. Vous allez voir. Le nord va nourrir le sud du royaume, on va venir nous manger dans la main !

Et il continuait, enthousiaste, à dresser le destin rayonnant qui attendait sa cité. Un digne héritier du maire Lars Fjordsen, se dit le policier. Peut-être même son successeur. Klemet l'écoutait distraitement, en regardant les posters qui décoraient la réception. Des vues de l'île de la Baleine à différentes saisons. Klemet remarqua seulement qu'aucun des posters ne montrait le moindre renne. Dans la vision idéale de la mairie, Hammerfest était une commune où, dans le voisinage de l'industrie offshore, le seul élément toléré était une nature paisible et magnifique où les seuls animaux représentés étaient d'innocents oiseaux.

– Ben au moins, dit Klemet, si ça continue, on n'aura plus besoin de venir chasser les rennes ici en ville, on pourra se consacrer à autre chose…

L'élu faillit s'étouffer de rire et donna une grande claque sur l'épaule de Klemet.

Un peu plus loin, l'une des affiches, un peu cachée par une armoire, était un dessin à la touche si spécifique des années 1970. L'élu suivait le regard de Klemet.

– Hammerfest 1978, dit-il. Une affiche d'Arvid Sveen.

Il s'agissait d'une sorte d'allégorie d'Hammerfest. Tous les symboles de la ville y étaient plus ou moins représentés, rennes y compris cette fois-ci. Au premier plan, un énorme ours blanc donnait sa touche arctique à la cité. Un gros chalutier approchait de l'usine à poissons Nestlé Findus, celle-là même qui avait été rasée quelques années plus tôt pour laisser la place au flambant neuf Centre culturel arctique financé par les compagnies pétrolières. On ne faisait pas mieux comme symbole de la transformation d'Hammerfest, se dit Klemet. À droite, là où aujourd'hui se dressait le Black Aurora, se tenait un renne aux bois magnifiques surmonté d'une petite bulle. Le renne rêvait aux fleurs qu'il pourrait bien aller brouter en ville. À ses côtés, dominant la ville, se tenait un Sami en costume, devant sa tente. C'était le seul de l'affiche. Était-ce une simple coïncidence ? Il se trouvait à l'endroit même où les rennes d'Erik Steggo avaient parfois l'habitude de venir et qui était convoité par certains. Un des éléments les plus marquants du poster était en haut à gauche, une plateforme qui reposait sur un nuage et dont le sommet pointait au milieu d'un soleil rayonnant. Là encore, dans le genre symbolique, cela ne faisait pas dans la dentelle. Klemet s'approcha.

– Une plateforme ? s'étonna Klemet. Déjà en 1978 ?

– Oh là, oui, répondit l'adjoint à l'urbanisme. Avant mon temps. Mais ils en parlaient tellement déjà, et ils ont commencé à explorer à l'époque. Puis il ne s'est rien passé pendant vingt ans, avant que les choses sérieuses ne démarrent avec le gisement de gaz de Snø-Hvit.

– Et là, le Sami avec sa tente…

– Ah, œuvre d'artiste. De l'ancien tout ça.

Le policier remercia pour le café et retourna aux archives.

Il fallut le reste de l'après-midi à Klemet pour commencer à se familiariser avec l'imbroglio du droit d'usage des terres sur l'île de la Baleine. Des contentieux éclataient en permanence sur ce droit d'usage par les éleveurs. Les dossiers partaient pour le ministère de l'Environnement. Il fallait souvent deux ans de procédure et, dans la plupart des cas, les éleveurs finissaient perdants.

L'un des documents présentait un historique de l'usage des terrains sur cette très convoitée bande occidentale de terre de l'île de la Baleine. Klemet comprenait que de nombreux Sami qui avaient habité autour d'Hammerfest avaient petit à petit perdu ce droit. Certains éleveurs avaient dû se retrancher ailleurs.

Heureusement que Klemet connaissait les membres des districts. Jamais Nina n'aurait pu faire quoi que ce soit de ces informations, de ces noms. Il lui aurait fallu des semaines, des mois peut-être. Mais Klemet voyait une toile se dessiner sous ses yeux. Certains noms disparaissaient au fil des ans. Morten Isaac, le chef du district 23, appartenait au groupe des bergers de plus en plus acculés. Les familles Sikku et Steggo aussi perdaient. Ayant compris comment chercher, Klemet pouvait naviguer plus rapidement dans les archives. Un nom familier l'attira soudain. Anta Laula. L'artiste sami dont Nina était allée voir l'exposition. Celui qui avait disparu du campement d'Anneli Steggo et de Susann. Il avait été éleveur dans le temps. Anta Laula avait eu ses rennes sur cette bande de terre l'été. Et il en avait été dépossédé lorsqu'une compagnie électrique de sous-traitance avait obtenu de s'étendre. Anta Laula avait été prié d'emmener ses rennes paître plus loin.

Midday,

Je me résigne à ton silence. Mais il fait mal. Tu étais le dernier vers qui je pouvais me tourner.

Je t'ai parlé de ce compagnon d'infortune que nous avons récupéré. Parfois il est lucide, parfois il délire.

Sinon, j'ai retrouvé la mascotte. Il devra prendre le relais, s'il comprend, s'il est prêt, sinon tout ça aura été vain. Tu te rappelles de ce gamin ? Il a grandi maintenant, je savais qu'il avait suivi la même voie que nous. On lui a soufflé dessus. Moi surtout je crois. Mais ce temps est bien passé. Je n'aurais pas dû le contacter. J'aurais dû rester dans l'ombre, comme j'avais pensé. J'ai lu la peur dans ses yeux. J'ai eu envie de mourir. Vite, là, tout de suite. J'y pense tout le temps. M'enfuir dans un trou noir. Retrouver ce calme que parfois je connaissais dans les profondeurs.

29

Mardi 4 mai.
Lever du soleil : 2 h 15. Coucher du soleil : 22 h 28.
20 h 13 d'ensoleillement.

Cabane de la police des rennes, Skaidi. 8 h 30.

Klemet et Nina se retrouvèrent au petit-déjeuner. La veille au soir, Klemet était rentré tard et sa jeune partenaire dormait profondément. Il avait eu la flemme de retourner sur Kautokeino.

Klemet lui résuma ses trouvailles sur les imbroglios liés à l'usage des terres. Quand il évoqua Anta Laula et son passé d'éleveur dans les environs, Nina se réveilla complètement. Cela expliquait bien sûr sa présence dans le campement d'Anneli et de Susann. Il parcourait avec elles la même voie suivie de son temps. Nina s'inquiéta à nouveau pour l'ancien éleveur. Fallait-il lancer des recherches ? Avait-il pu se perdre ? Ou être en conflit avec un parent de Sikku à l'époque ? Nina avait retenu que les conflits entre éleveurs pouvaient se transmettre de génération en génération.

– Il faudra vérifier, tu as raison, admit Klemet, même si je pense qu'il n'y avait plus vraiment matière à conflit, puisque Anta Laula et sa famille s'étaient retirés depuis longtemps.

On disait Laula malade. Il n'aurait plus toute sa tête. De quelle maladie souffrait-il exactement ? Klemet restait silencieux. Nina ne savait jamais ce qu'il avait dans la tête et se demandait souvent, dans des cas comme celui-ci, si Klemet n'était pas perdu dans des pensées le ramenant au destin de sa propre famille. Aussi bien, les familles de Klemet et d'Anta Laula avaient pu se connaître dans le temps, chacune avec ses rennes. Nina garda sa question pour elle. Elle n'arrivait pas à imaginer Anta Laula dans le rôle d'un méchant. Mais, à la réflexion, elle n'imaginait pas non plus Klemet giflant un suspect. Klemet la regarda, elle lui sourit, l'air innocent, puis se leva.

Nina assura Klemet qu'elle n'aurait aucun mal à retrouver le campement d'Anneli. Il bougonna puis s'isola dans un coin de la cabane.

Il la laissa entrer ses paramètres pour se connecter à l'intranet de la police puis il lança des recherches sur les noms reconstitués à partir des procès-verbaux. Peut-être retournerait-il plus tard à Kautokeino. Ou pas. Après tout, il ne servait à rien.

– C'est surtout que tu n'as le droit de rien faire, lui dit Nina de l'extérieur, en enfilant son casque.

Elle enfourcha sa motoneige et partit vers le campement d'Anneli. En suivant difficilement la piste qui s'affaissait sous l'effet encore timide du printemps, Nina pensait aux paroles d'Anneli. Elle enchaînait les courbes des crêtes et se rappelait les mouvements de la main d'Anneli épousant les formes des montagnes. La jeune éleveuse savait mettre de la poésie partout où elle posait le regard.

Lorsqu'elle parvint au campement, elle ne vit pas Anneli. Elle aperçut Susann, qui prenait les choses en main en l'absence des hommes.

– Les hommes ? rit-elle lorsque Nina lui en fit la remarque. Mais ce sont les femmes qui tiennent les campements et font tout marcher ici. Dans le temps, avant les supermarchés, les femmes allaient même chasser parfois quand les hommes gardaient les troupeaux.

Susann servit une tasse de café à Nina et vint s'asseoir à côté d'elle, sur un coussin de branches de bouleaux. Le ciel se couvrait de nuages, ce qui n'empêchait pas une forte luminosité amplifiée par les plaques de neige éparses autour des deux femmes.

– Alors tu t'intéresses à Anta Laula, commença Susann. C'est bien, dans un sens. Un peu tard sans doute…

– Qu'est-il arrivé lorsqu'il a perdu l'accès à ses terres sur l'île de la Baleine ?

– La situation est devenue intenable pour lui sur l'île. Il a dû renoncer, tout simplement.

– Où a-t-il trouvé de nouveaux pâturages ? Sur une autre île ?

– Sur une autre île ? Mais on ne débarque pas comme ça avec ses rennes n'importe où. Car dans les endroits où il n'y a jamais eu de rennes, tu peux être sûre que les gens sont tout de suite là pour te rappeler que les bergers n'ont aucun droit d'usage sur ces terres. Allez, ouste !

– Où, alors ?

– Mais il n'en a pas trouvé, voilà le problème. Quand je te dis qu'il a dû renoncer, il a dû renoncer à son métier de berger. Terminé, adieu.

Nina hocha longuement la tête, penchée sur sa tasse de café.

– Comment a-t-il vécu ça ?

– Oh, comme beaucoup, pas très bien. Mais nous parlons d'une autre époque, avec des Sami beaucoup plus militants durant cette période-là. Pas tellement lui peut-être, mais les autres. Tu sais, la fin des années 1970 c'est aussi l'époque où ils voulaient construire le barrage d'Alta pas très loin d'ici. Les gens se mobilisaient. Mais je vais te raconter une histoire. Quand j'étais gamine, j'allais à l'école à Rypefjord, juste en dessous d'Hammerfest. Jamais on n'apprenait quelque chose qui nous rendait fier de ce que les Sami avaient fait ou apporté à cette région. Jamais on n'entendait quoi que ce soit de positif. Toute notre connaissance de la nature, tout ce qui était local, en fait, était considéré comme négligeable et systématiquement rabaissé.

– Laula a fait quoi, alors ?

– Il a quitté le coin et, quand il est revenu dans la région, il était devenu artiste. Doué d'ailleurs. Mais il a commencé à avoir des problèmes de santé avec le temps. Oh, il n'est pas le seul, tu me diras. Mais il souffrait d'une espèce de mal bizarre que les médecins du coin ne parvenaient pas à diagnostiquer. Ça ne l'a pas empêché de se sentir bien ici, je le voyais bien quand il nous accompagnait sur la transhumance.

– Tu en parles déjà au passé ?

– Non, non, mais ces dernières années il n'exprimait plus aucune joie, jamais, même avec les enfants quand il faisait des jeux de piste avec eux. Je crois qu'il perdait de plus en plus la tête. Il oubliait tout et il avait d'autres problèmes dont il souffrait apparemment. Mais tu sais, ce genre de bonhommes, tu ne les entends pas se plaindre facilement.

– Et tu ne t'inquiètes pas de sa disparition ?

– Je suppose que je devrais, dit Susann. Mais que faire ? La toundra sent quand les hommes sont à bout. Elle sait leur dire quand leur moment est venu et elle sait où les guider.

Nina n'arrivait pas à se satisfaire du fatalisme de Susann. Lorsqu'elle revint au refuge de Skaidi, Klemet était déjà parti. Il avait juste laissé un mot. Elle pourrait le joindre à Kautokeino. Elle déjeuna seule. En entendant les titres du journal radio de la NRK, sa tartine jambon-concombre faillit lui rester dans la gorge. Une voiture venait d'être retrouvée. Au détroit du Loup ! La police était en train de sortir le véhicule de l'eau. Apparemment, il était sorti de route dans un virage. Nina avala le reste de son sandwich et prit aussitôt la route du détroit.

Des policiers entouraient la camionnette. Quelques journalistes se tenaient à distance, ainsi qu'une poignée d'habitants de Kvalsund. Ellen Hotti donnait des ordres. Nina s'approcha. Le véhicule ne lui était pas inconnu. Un corps était à l'intérieur. Elle s'avança encore tandis que les policiers s'agitaient autour. Un homme de petite taille au physique sec occupait la place du conducteur, retenu encore par sa ceinture de sécurité. Sa tête était penchée de côté. Nina fit le tour du véhicule. Un policier ouvrit la porte coulissante de la camionnette. De l'eau en jaillit. Ainsi qu'un corps. D'un même mouvement, Nina et son collègue reculèrent d'un pas. Ils se regardèrent un instant puis retournèrent le cadavre. Un homme massif, une soixantaine d'années. Nina passa la tête à l'intérieur. Tout était sens dessus dessous. Un inspecteur la bouscula sans ménagement.

– Pas du boulot pour la police des rennes ça, non ?

– On ne le saura qu'après. Il se passe beaucoup de choses dans ce détroit ces derniers temps.

L'autre ne répondit pas et monta dans la camionnette.

– Nom de Dieu, on en a encore un ici, s'exclama-t-il après avoir dégagé des sacs et des couvertures.

Il appela le photographe puis se fit aider pour sortir le corps qu'il allongea à côté du précédent. Lorsqu'il le retourna, Nina le reconnut aussitôt. Anta Laula ne s'était pas évanoui dans la toundra comme les anciens. Il avait fini au fond du détroit, dans une camionnette pourrie, avec deux inconnus.

Nina s'éloigna un instant pour téléphoner. Elle voulait prévenir elle-même Susann et Anneli. La nouvelle était brutale pour les deux femmes. Plus encore pour Anneli qui venait de perdre son époux et ne pouvait en avoir fait le deuil. Quand elle revint près de la camionnette, les policiers s'affairaient à la vider pour en commencer l'inventaire. Un technicien reconstituait le trajet du véhicule et cherchait des traces de pneus. Apparemment, aucune trace de freinage n'était visible. Étrange. Sauf si le conducteur avait été distrait en plein virage. Les deux passagers étaient à l'arrière. Ils auraient pu l'appeler. Ou il aurait pu recevoir un coup de téléphone. Fumait-il et aurait-il perdu sa cigarette ? Ce genre d'accident bête arrivait. Était-il ivre ? Roulait-il trop vite ? Il n'était pas sûr que l'autopsie et les examens techniques puissent donner une réponse satisfaisante. Mais les circonstances paraissaient assez claires. Une camionnette avec trois hommes à son bord quitte accidentellement la route dans un virage et se précipite dans le détroit. Les trois hommes meurent noyés. L'eau glacée ne leur laisse pas la moindre chance.

Nina s'approcha des corps. Ce ne fut qu'à ce moment-là qu'elle s'attarda sur les deux autres victimes. Après un moment de flottement, elle courut vers Ellen Hotti.

– Les deux autres victimes, on les a déjà vues. Avec Klemet. On les avait contrôlées le jour où Erik Steggo s'est noyé ici même. Ce sont les deux ouvriers du chantier. Ceux qui devaient venir déposer leurs papiers au commissariat, et ils ne sont jamais venus. Ce sont eux, j'en suis sûre !

30

Hammerfest. 14 h.

Markko Tikkanen n'aimait pas ça. Et quand Tikkanen
n'aimait pas quelque chose, ça se voyait. C'est ce qu'on
disait en tout cas. Tikkanen, tu transpires comme un gros
porc, disaient ses amis. Ses amis. Le mot était peut-être
un peu poussé. Ses connaissances. Ou ses relations.
Tikkanen trouva que «relations» sonnait mieux. Il avait
des relations, il les cultivait, et il les entourait toutes
d'un mépris discret mais compact. Sa mère lui avait dit
que de toute façon, chez les Tikkanen, on n'avait jamais
eu d'amis. Elle exagérait toujours tout, mais le moindre
jugement de sa part tombait comme un couperet. La mère
Tikkanen, on ne discutait pas avec elle. C'était comme
ça, quand il était jeune, on ne recevait pas chez les Tikkanen. Qui serait venu d'ailleurs? Son père retrouvait
ses amis au pub. Lui, apparemment, il avait des amis.
Sa mère appelait ça des pochetrons. Des amis qui se
manifestaient surtout à la fin du mois, quand il avait
touché son salaire. Après, il ne les revoyait plus pendant
quelques semaines.

La mère de Tikkanen n'était pas une bavarde. Son père
non plus. En fait on n'avait jamais vraiment parlé chez
lui. Tikkanen avait pensé que c'était comme ça parce

qu'ils étaient d'origine finlandaise et qu'on savait bien, ici, que les Finlandais, eh ben c'était pas des bavards. Des mecs droits et réglés, mais pas des bavards. Pas comme ces mecs du Texas. Nom d'un chien, qu'est-ce qu'il avait pu être bavard, ce Steel. Explosé, le Steel. Ah dis donc, pas joli à voir le résultat. Tikkanen n'aurait jamais imaginé ça.

Il se leva à nouveau. Pour la troisième fois en quelques minutes. Ça le mettait en nage tous ces exercices. Il n'aimait pas l'admettre, mais il était bien un peu nerveux. Que Steel se fasse exploser le caisson, passe encore. Dieu merci, ses putes étaient saines et sauves. Tikkanen connaissait trop la réputation de son fournisseur à Mourmansk et il n'aurait plus manqué qu'il se retrouve avec ce fou-là sur le dos. Les filles étaient gardées au chaud par la police. Et lui, il était dans la mouise. Pas à cause de la disparition de Steel et Birge. Enfin si, un peu, parce que les flics le harcelaient de questions. Ça, sa mère avait beau dire, il n'était pas assez bête pour imaginer que les flics ne feraient pas un rapprochement. Mais ils avaient bien vu que lui, Tikkanen, il avait tout à perdre dans ce bazar. Ils ne savaient pas pour les terrains. Mais pour le reste, c'était vrai, il avait tout à perdre : les filles, le caisson-lupanar, voire même sa réputation. Et ça, il y tenait à sa réputation. Il était peut-être le seul, mais ça comptait. Il n'y avait que ces rigolos de la police des rennes pour se mêler de ses affaires là où ça pourrait faire mal. Il avait entendu qu'ils grattaient. Un de ses amis, non pas ami, une de ses relations à la mairie l'avait appelé pour lui dire que Nango, le type de la police des rennes, avait traîné au cadastre et posé des questions.

Bon, Tikkanen était Tikkanen, et il allait trouver une solution. Je trouve toujours des solutions. C'est même pour ça qu'on s'adresse à moi. J'aime aider les gens. Je suis quelqu'un qui aime rendre service. Un gentil. Je suis un gentil. La police va le comprendre. C'est sûr. Pas de quoi transpirer, mon petit Tikkanen. Il tournait en rond dans son bureau. Ça ne le calmait pas du tout, ces histoires. Mais alors pas du tout. Il regarda par la fenêtre. L'*Hurtigruten* était reparti avec ses touristes depuis un bon moment déjà. Il souffla, grogna et finit par se tourner vers son coffre. Ce n'était pas très original, mais il l'avait placé derrière un tableau. Tikkanen trouvait que ça dénotait un certain style en même temps. Dans ses films de référence, les gens riches cachaient toujours leur coffre derrière un tableau. Il écarta la peinture. Un paysage de fjord avec une lumière d'hiver. Il faudrait que je mette d'autres tableaux aux murs, songea-t-il un instant, sinon mon coffre est trop facile à trouver. On verrait ça plus tard. Il nota quand même sur un papier. Tableaux. Il sortit enfin son cher fichier. D'un coup, il se sentit mieux. L'œuvre de sa vie était là. Tikkanen collectionnait les vies et toutes les humiliations subies trouvaient leur antidote dans cette boîte à chaussures. Un coffre en acajou serait mieux. Pourquoi n'y ai-je pas pensé plus tôt ? Il nota sur le papier. Il ferma ensuite la porte de son bureau à clef et revint s'asseoir, sortant les premières fiches. Le poids sur sa poitrine se faisait plus léger. Il prit les notes de Bill Steel et Henning Birge. Tikkanen ne jetait rien. Comme un notaire de village, il gardait la mémoire des gens, des lieux, des trahisons, des infidélités, toujours avec le sourire bienveillant qui sied aux gens comme lui, infréquentables et indispensables. Il avait hérité ça de sa mère. Elle tenait une épicerie et elle notait tout, ce que les gens achetaient, pour combien, les crédits bien sûr, et qui dit crédit dit qu'on a bien le droit de savoir un peu si on a des chances d'être remboursé, pas vrai ? Ça justifiait d'en savoir un peu plus sur ses clients, c'était bien normal. Sa mère l'envoyait donc un peu aux renseignements. C'est comme ça que Tikkanen avait pris le virus. Enquêtes de voisinage. Tikkanen avait juste poussé le perfectionnisme un poil plus loin.

Il ne faisait pas confiance à l'informatique depuis que son tout premier fichier avait disparu dans un ordinateur à cause d'un fatras auquel il n'avait rien compris. Ce souvenir le traumatisait encore. À la main, les fiches.

Certains gros poissons, rares, valaient plusieurs fiches. Le maire Fjordsen par exemple. Tikkanen compta. Quatre fiches. Un record, et pourtant Tikkanen prenait soin, avec son écriture serrée, de ne gâcher aucun espace sur ses précieux cartons. Quelques gros éleveurs avaient droit à de tels égards. Mais quatre…

Steel et Birge. Il sortit un gros feutre et traça en diagonale un épais trait noir sur le coin supérieur gauche de leurs cartes. Satisfait, il se balança en arrière dans son fauteuil, observa son travail, remettant en place sa mèche gominée. Une diagonale noire marquait un moment important dans la vie d'une fiche. Et maintenant ? Steel. Il était arrivé trois ans plus tôt. Il devait de toute façon être remplacé sous peu. Heureusement que Tikkanen savait comment tout ça fonctionnait. Il était en contact avec son remplaçant. Un gars bien, ce remplaçant. Il ne tarderait pas à débarquer de Houston. Un type encore plus expéditif que Steel, un jeune aux dents longues qui n'avait pas peur de faire prendre des risques à son entreprise tant que ça lui rapportait. Il l'avait vu une fois ici et ils s'étaient très bien entendu. Il avait déjà une fiche sur ce petit jeune, et avait même déjà un superbe appartement en tête pour lui. Un jeune comme lui, célibataire, ne voulait pas s'embêter avec une maison. Il retourna la fiche de Steel. Il avait noté ce que le Texan lui avait coûté. Il risquait d'y être de sa poche avec l'histoire des prostituées. Sans parler du caisson. Pas prévu, ça. La police l'avait saisi et la Direction des affaires sanitaires et civiles, soutenue par le Syndicat de l'hôtellerie, avait même lancé une enquête pour savoir si la présence de ce caisson sur le flotel avait une base légale et respectait les normes de sécurité. Une base légale… Les flics n'avaient rien sur lui pour la mort des pétroliers, mais cette histoire risquait de lui coûter une amende. Bon, Steel lui avait rapporté aussi, il devait bien l'admettre. Plus que Birge. Maintenant, il fallait surtout calmer Juva Sikku. Et Nils Sormi. Le seul moyen de les calmer ces deux-là, c'était ces histoires de terrain. Des âpres au gain, pas vraiment des artistes ceux-là. Il faisait miroiter depuis un moment un terrain à Juva Sikku près de la frontière finlandaise, où il pourrait élever des rennes tranquillement dans une grande ferme, sans se fatiguer avec les transhumances et tous ces conflits avec les agriculteurs et les compagnies minières ou pétrolières et tout le reste. Une vie tranquille, pépère, il serait éleveur et agriculteur si ça lui chantait, il pourrait accueillir les touristes. Si tous les éleveurs se montraient aussi compréhensifs que Sikku, les conflits disparaîtraient, aussi bien dans la toundra que sur l'île de la Baleine. Et les compagnies pétrolières pourraient développer leurs activités à terre sans souci.

Mais pourquoi donc personne ne comprenait que Tikkanen, lui Tikkanen, offrait ses services pour aplanir les petits soucis de tout le monde ? Si on m'écoutait, on vivrait tous en harmonie.

Le terrain de Nils Sormi s'avérait plus compliqué à trouver. Le petit plongeur sami qui n'aimait pas que l'on fasse état de ses origines sami – est-ce que Tikkanen se vexait quand on le traitait de Finlandais ! – était très accro à ce terrain qui surplombait la baie d'Hammerfest. Il s'y voyait. Le problème c'est que Tikkanen ne l'y voyait pas du tout et que la mairie l'y voyait encore moins. Pourtant, franchement, les rennes n'avaient rien à faire là, vu ce qu'il y avait à bouffer sur ce coin de montagne pelée. La mort de Steggo les avait quand même tous fait avancer, il fallait le reconnaître. Allez, malgré tout, il pouvait être assez fier de la façon dont tout se mettait en place. Dommage pour le petit Steggo – il vérifia si sa fiche était à jour, avec le trait noir, elle l'était – mais ce gars-là avait la tête dure. Alors bien sûr, il restait sa femme. Voyons voir, Anneli Steggo. Une fiche pas trop chargée. Il n'avait pas grand-chose sur elle. Sur le petit Steggo non plus d'ailleurs. Des petits jeunes qui n'avaient pas trop de besoins, c'était embêtant ça. Difficiles à raisonner. Juva Sikku, par exemple, il avait beau avoir le même âge, il avait vite compris quand Tikkanen lui avait expliqué où était son intérêt. Endetté jusqu'au cou, le Sikku. Bon, Anneli Steggo. Peut-être faudrait-il que j'aille la voir. Je pourrais lui dire que j'étais en pourparlers avec son mari. Il ne lui disait pas tout, les hommes ça règle ce type d'affaires sans tout raconter à la maison. Voilà, il allait essayer de rencontrer la petite Steggo pour la convaincre de trouver un pâturage d'été ailleurs que sur l'île de la Baleine. Parce que, si le Sikku et la Steggo disparaissaient de l'île, les autres éleveurs finiraient par suivre, ils iraient chercher des pâturages autre part et tout le monde serait content. Bon, alors, la petite Steggo, où c'est que je vais pouvoir la caser pendant l'été ? Il va falloir voir l'Office de gestion des rennes, la municipalité, le cadastre, les Eaux et Forêts, les districts d'éleveurs, et au fur et à mesure Tikkanen tirait fiche après fiche. Alors, mes fiches, qu'est-ce qu'elles me disent, mes petites fiches adorées ? Il les étala au sol dans son bureau, se vautrant au milieu d'elles tant bien que mal à cause de son ventre et commença ses assemblages. Ainsi entouré, il se sentait maintenant parfaitement bien.

31

Détroit du Loup. 14 h 45.

Nina avait obtenu de la commissaire Ellen Hotti le droit de poursuivre la piste des deux ouvriers. Elle prenait maintenant le temps d'observer la camionnette et les effets personnels des trois hommes. Elle commença par la cabine. Elle reconnut le fanion du club de foot d'Alta accroché au rétroviseur. La camionnette avait été louée à une société de la petite zone industrielle d'Alta, non loin de l'aéroport, à une entreprise qui louait de vieux véhicules à bas prix. Nina y passerait plus tard. Le nom figurant sur le contrat, Knut Hansen, ne lui disait rien.

Nina continua son examen. Des sacs de couchage, du matériel de camping. Rien d'étrange à première vue. Des tas de papier humides, des cahiers, des restes de nourriture, des bidons d'essence, des vêtements. Des campeurs ? Rien d'étrange, mais Nina ne parvenait pas à comprendre ce qu'Anta Laula pouvait bien faire avec eux. Les deux inconnus étaient-ils aussi des Sami, comme lui. Des artistes ? Ils s'étaient présentés comme ouvriers sur le futur site destiné à raffiner le pétrole de Suolo. L'étaient-ils vraiment ? Ce point-là ne devrait pas être compliqué à vérifier. Nina remarqua une veste d'ouvrier bleue et orange, comme en portaient ceux du chantier. Peut-être l'un d'entre eux y travaillait. Nina cherchait des effets plus personnels, mais s'étonna de ne pas en trouver, à part ceux qu'ils portaient sur eux, chaîne en or pour l'un, bracelet pour l'autre. Elle regarda les post-it jaunes éparpillés partout dans la camionnette. Elle se rappelait de cette image lors du contrôle effectué au bord de la route. Ces post-it envahissant l'habitacle. Nina essaya d'en déchiffrer quelques-uns. Beaucoup n'étaient plus lisibles. Des rappels pour des achats. De la nourriture. Des noms techniques parfois. Des noms propres. Des horaires. Des mots dénués de sens pour Nina, suivis de points d'interrogation. Parfois d'exclamation. Nina laissa les post-it de côté et se pencha sur les papiers. On y trouvait des vieux journaux qui ne formaient plus qu'une masse informe, des feuilles mélangées, déchirées.

– À propos, dit un policier en s'avançant vers elle, l'air goguenard, ça pourrait t'intéresser de jeter un coup là-dessus, dit-il en lui tendant des passeports spongieux.

– Très drôle, répliqua Nina en tirant sèchement les documents. Où étaient-ils ?

– Ils les portaient chacun dans leur poche de blouson.

Nina s'assit. L'un des hommes, le chauffeur au moment de l'accident, s'appelait Zbigniew Kowalski. Il était polonais, né à Lodz. Soixante-trois ans. L'autre se dénommait Knut Hansen. Norvégien. Né à Bergen. Âgé de cinquante-neuf ans. Et Anta Laula.

Que faisaient ces trois ensemble au moment de leur mort ? Pourquoi cet accident ici, au détroit du Loup ? Depuis quand Laula était-il avec eux ? Étaient-ils venus le chercher au campement ? L'avaient-ils récupéré sur la route, errant ? Peut-être ne se connaissaient-ils pas. Ils avaient très bien pu ramasser Laula sur le bord de la route. Peut-être s'apprêtaient-ils à le ramener au campement. Possible. Nina se demanda soudain où ces hommes habitaient dans la région, puisqu'ils n'avaient pas leurs passeports l'autre jour sur eux. Sans doute à Hammerfest, puisqu'ils travaillaient sur le chantier. Peut-être n'avaient-ils pas de chez-eux. Ils avaient leurs passeports sur eux au moment du contrôle mais n'avaient pas voulu les montrer. Possible. Mais pourquoi ? Que craignaient-ils ? Elle se tourna vers le policier qui lui avait donné les passeports.

– Tu n'aurais pas aussi retrouvé un passe pour entrer sur le chantier de Suolo et sur l'hôtel flottant par hasard ?

– Pas jusqu'à présent.

Laula avait-il été embarqué contre son gré ? Il se serait débattu, d'où la sortie de route ? Et puis après, on pouvait tout imaginer. N'imagine pas trop, ma fille, Klemet va te tomber dessus. Nina retourna dans la camionnette et souleva le moindre objet restant. Rien. Une fausse piste. Et ces papiers ? Difficile de se faire une idée précise. Des brochures de ministères, des documents sur des procédures de remboursement, des ordonnances de médecin. Un fatras informe et désespérant. Ces hommes s'étaient présentés comme des ouvriers du chantier. Pourquoi ?

Nina réfléchissait. Elle composa le numéro de Klemet. Il était toujours à Kautokeino. Elle lui demanda de passer voir son oncle.

– Tu disais qu'il pourrait peut-être nous donner des informations sur Laula. Je pense qu'on en aurait bien besoin.

Klemet trouva son oncle en train de déblayer l'entrée de sa grande maison. Une chute de neige dans la matinée avait reblanchi le jardin. Brève mais suffisante pour se tremper les pieds. Nils-Ante mit la pelle dans les mains de Klemet.

– Tiens, je vais faire du café. Ma Changounette est partie à la poste. Elle prend très au sérieux son idée de business de ramassage de baies, tu sais. Et elle réussira, j'en suis sûr, et pas comme tous ces margoulins qui font venir des Thaïlandais et des Bulgares et les exploitent. Elle a même réussi à me redonner goût à la galipette, alors tu vois…

– À propos de galipette, tu m'avais parlé d'une personne qui pourrait me renseigner sur Sormi.

– Ah oui, une charmante jeune femme, ton âge à peu près. Tu venais pour ça ?

– Ante Laula. On l'a retrouvé mort ce matin. Noyé dans le détroit du Loup. Dans une camionnette avec deux autres types. Une sortie de route apparemment. Les trois se sont noyés.

Nils-Ante resta dans l'entrée, interdit.

– Pauvre bougre, dit-il enfin.

L'oncle de Klemet était soudain plongé dans ses pensées.

– Si j'osais, je lui chanterais un joïk. Mais non. Pauvre bougre. Et quel étrange destin. Lui qui a fait traverser ses rennes je ne sais combien de fois dans sa jeunesse à cet endroit.

– Il y a bien longtemps.

L'oncle fouillait ses souvenirs.

– Comme quoi, sa pratique de la plongée ne l'a pas sauvé.

Klemet lâcha la pelle.

– La plongée ?

– Oui, la plongée, tu sais, nager sous l'eau en faisant des bulles. Oh, pas vraiment la plongée en fait. Moi je n'y connais rien. Mais après avoir été obligé d'arrêter comme éleveur, il a participé à des expériences de plongée, je crois, liées aux histoires de gisements. Une espèce de petit boulot, en attendant de se refaire. Des amis à lui, que je ne connais pas, le lui avaient trouvé. Ça lui a permis d'apprendre son métier d'artiste ensuite. Mais je n'en sais pas plus sur ces histoires de plongée. Ça n'a pas duré très longtemps. Et puis tout ça semblait très secret. Mais apparemment il n'en avait pas appris assez pour se sauver cette fois.

Nina retourna au commissariat d'Hammerfest. Elle suivit le travail des techniciens de la police. Différentes analyses avaient été lancées. Elle attendit le tirage de photos présentables des victimes de la noyade et appela Klemet. Son partenaire parla le premier. Il paraissait survolté.

– Va reparler au type de Norgoil, ton pasteur à barbe en collier. Demande-lui de te dire ce qui s'est passé à la fin des années 1970 et dans les années 1980.

Nina retrouva le représentant de Norgoil devant l'hôtel Thon. Ils marchèrent le long des quais.

– D'abord, l'exploration au nord du 62e parallèle fut interdite jusqu'à la fin des années 1970. Quand le feu vert a été donné, nous avons commencé à chercher en mer de Barents. Le gisement de gaz de Snø-Hvit a été découvert comme ça au début des années 1980. Et tout le monde a cru que la production allait démarrer assez vite, nous aussi. La construction de la base polaire par exemple, dans le village voisin, date de ce moment-là. Et, en fait, il ne s'est rien passé pendant presque vingt ans.

– Pourquoi ? À cause des problèmes avec les Sami ?

Gunnar Dahl sourit.

– Ne soyez pas naïve, mademoiselle. Non. Un mélange de politique, à cause de l'énormité du projet, de la baisse de prix des hydrocarbures et parce que les gens se demandaient par quel bout prendre tout ça. Vingt ans, c'est court pour une compagnie comme nous qui prend des décisions d'investissements qui se comptent parfois en dizaines de milliards de couronnes, mais c'est très long pour les gens. La construction de Snø-Hvit a finalement commencé en 2002. La suite, vous la connaissez, dit Gunnar Dahl en montrant au loin les torchères de Melkøya. Et vous verrez, dans trente ans la mer de Barents sera aussi importante que la mer du Nord et la mer de Norvège réunies ! On a à peine creusé une centaine de puits exploratoires en mer de Barents, dans une zone qui couvre soixante-dix pour cent du socle norvégien… Une centaine de puits, soit quinze fois moins qu'ailleurs dans les eaux norvégiennes. Pensez donc, en mer du Nord et mer de Norvège, mille cinq cents puits ont déjà été creusés. Ça prendra des années pour prendre la mesure de tout ça.

Nina écoutait Dahl lui raconter les exploits des pétroliers. L'engouement dont lui et bien d'autres faisaient preuve lui rappelait des souvenirs. Son père avait été touché par le même virus. Sa disparition remontait à la prime jeunesse de Nina. Lui aussi, en tant qu'ancien plongeur, constituait un maillon de cette épopée. À son échelle. Une échelle dont il dégringola lentement aux dires de sa mère. Chez Nina, ce que signifiait chez sa mère toute cette histoire se transforma au fil des ans en non-dits. Nina grandit avec le souvenir de son père et l'omniscience de sa mère, l'une repoussant l'autre toujours plus loin. Comme un chevalier combattant le dragon. Et, dans un certain sens, sa mère avait mené une croisade contre un fantôme. Avec succès. Le dragon s'était volatilisé.

– Nous avons entendu parler de tests de plongée liés aux gisements…

– Bien sûr, continua Gunnar Dahl. Un gisement, c'est un puits au fond de la mer, relié par un tube à une plateforme pour extraire le gaz ou le pétrole et, selon les cas, on transborde sur des navires par des gazoducs ou des pipelines. Et en cas de pépin il faut réparer. Comme on faisait des gisements offshore, à des profondeurs variables, il fallait s'assurer qu'on pouvait réparer à la profondeur du puits ou du pipeline. Aujourd'hui, on manœuvre presque tout avec des petits sous-marins armés de bras, mais à l'époque on envoyait des gars. Des plongeurs. Sacrée époque… Et sacrés bonhommes. Si on prévoyait de poser un pipeline à deux cents mètres, il fallait prouver au futur client qu'on avait la maîtrise de l'ouvrage quelle que soit la profondeur.

– Pourquoi au client ?

– C'est lui qui s'apprêtait à signer des contrats de vingt ou trente ans. Je vous assure que ça représente beaucoup, beaucoup d'argent. Vous savez de combien on parle en investissement, rien que pour Snø-Hvit ? Plus de six milliards d'euros. Cinquante milliards de couronnes. Alors le client voulait être sûr. Et donc, on faisait des tests de plongée, qui devaient prouver qu'il était techniquement et humainement possible de plonger à de telles profondeurs. Mais ça se passait souvent à terre, dans des caissons, des chambres hyperbares, où on simulait ces profondeurs.

Gunnar Dahl prit soudain un air sombre, et il eut un triste sourire.

– Si je n'avais pas été aussi bigot, j'aurais sans doute été avec eux, réduit en bouillie.

Ils marchèrent quelques instants en silence.

– Vous avez tiré au clair les circonstances exactes de la mort de Birge et Steel ?

– L'enquête… je ne peux rien vous dire malheureusement.

– Bien sûr… J'aimerais seulement comprendre.

– Et les tests de plongée, ils marchaient toujours ?

– Il fallait bien sûr ajuster un peu. Tout cela, la plongée profonde, c'était expérimental et nouveau. Mais nous avons pu valider tous nos tests, absolument. On avait des types formidables, vous savez. Et des équipes de médecins et d'ingénieurs à la pointe.

– Les tests se pratiquaient ici ?

– À Bergen, dans un institut spécialisé.

– Nous avons une personne qui nous intéresse dans le cadre d'une enquête, elle aurait participé à de tels tests, un Sami.

– Un Lapon ? J'ignorais que le jeune Sormi avait participé à des tests. Et à ma connaissance, il n'y a pas de tests depuis de nombreuses années. Sormi est bien trop jeune.

– Je ne parle pas de Sormi. Mais d'un certain Anta Laula.

Gunnar Dahl s'arrêta.

– Laula ? Je ne vois pas. Non. Il travaille pour quelle compagnie ?

– Non, apparemment, c'était justement dans les années 1980.

– Ah, je comprends.

Il fronçait les sourcils, se grattant la barbe.

– Non, désolé. Franchement, un Lapon faisant des tests de plongée à l'époque… Original… Mais je voyageais beaucoup dans ce temps, ça a pu m'échapper.

Nina passa le reste de la journée avec les photos des deux inconnus morts avec Anta Laula. La direction du chantier ne les connaissait pas. Lorsqu'elle entra au Redrum, où la carte d'accès au chantier avait disparu, la salle était comble et les clients étaient plongés en pleine partie de quizz. Les écrans montraient les questions et le DJ les lisait entre deux morceaux tandis qu'à chaque tablée, les équipes chuchotaient avant de remplir leur feuille. Nina fit le tour des serveurs. Tous faisaient la même réponse. Avec les centaines d'ouvriers qui débarquaient de partout pour le chantier en cours et habitaient dans le camp de cabanes de chantier ou sur l'hôtel-flot-tant, ils n'arrivaient plus à se rappeler le moindre visage.

En repassant au commissariat, Nina rencontra Ellen Hotti. Elle avait du nouveau, enfin. Deux des prostituées russes avaient formellement identifié l'un des hommes comme étant celui qui était entré dans le périmètre du caisson où Steel et Birge se trouvaient juste au moment où elles partaient pour le sauna. Le drame avait eu lieu à peine une demi-heure plus tard. L'homme était le Nor-végien apparemment, la plus grande des victimes, qui pesait plus de cent kilos. Difficile à oublier.

Nina ne parvenait pas à comprendre. Que faisait quelqu'un comme Laula avec ces deux hommes ? Ce Knut Hansen, identifié par les Russes, connaissait-il les occupants du caisson ? Avait-il passé ce coup de télé-phone à l'employé du navire-flottant, en sachant ce qu'il risquait de provoquer ? Poser cette question revenait à envisager une tentative d'homicide. Nina écarta l'idée.

– A-t-on une chance de faire parler leurs téléphones ? demanda Nina à la commissaire.

– Pas trace de téléphone.

– Bizarre non ? Et la camionnette, on a vérifié les freins ?

Nina, tout en posant ces questions, commençait à échafauder une hypothèse. Les occupants de la camion-nette pouvaient-ils être eux-mêmes victimes d'homi-cide ? Des hommes de main dont on se débarrasse. Peut-être travaillaient-ils pour l'un des deux pétroliers ? Des hommes de main qui n'étaient pas enregistrés ici, mais disposaient de passes et d'accès aux chantiers, et qui menaient pour leur compte des missions particu-lières. Quel genre de missions alors ? Et que faisait Laula avec eux ? Menait-il une double vie ? Des questions pour la brigade criminelle, songea Nina, pas pour la police des rennes. Ils vont se foutre de moi si je viens avec mes élucubrations. Mais elle ne pouvait s'empêcher de continuer à réfléchir.

Se pourrait-il que ceux qui avaient peut-être provoqué la mort de Steel et Birge soient aussi derrière la mort des trois hommes dans la camionnette et l'agression du maire d'Hammerfest ?

Nina sentait que son imagination la portait trop loin. Elle s'emballait. Dans un moment pareil, Klemet n'aurait pas manqué de la ramener sur terre. Elle l'entendait presque lui dire : quels liens, quelles preuves, comment relies-tu untel à untel, techniquement ? Elle l'entendait encore lui répéter : oublie le motif, concentre-toi sur les éléments concrets de preuve dont tu disposes et remonte le fil. Oui, elle devait s'en tenir à ce qu'elle avait de concret, de tangible. Pas de suppositions. Suivre le fil.

Mais tout de même... Pourrait-on relier les trois noyés à Gunnar Dahl ? En dépit de son air, Dahl était objectivement l'un de ceux qui devaient profiter de la disparition de Birge et Steel. Il connaissait aussi Tikkanen et Sormi. Les trois hommes pouvaient-ils être de mèche, avec Juva Sikku en coulisse, pour faire disparaître les deux responsables pétroliers ? Nina ne pouvait se fier à la bonne mine de Dahl, à son air de pasteur sombre. Il voulait trop inspirer confiance. Nina savait combien ces personnes drapées dans leur bonne conscience religieuse pouvaient se révéler fausses et manipulatrices. Dahl participait aux petites soirées de Tikkanen, il était au courant de toutes les magouilles, et pourtant il se plaçait au-dessus de la mêlée. Hypocrite. Il faudrait aussi vérifier son histoire. L'alibi de la famille devait tout aussi sûrement tenir. Mais un homme dans sa position devait sûrement pouvoir tirer certaines ficelles tout en restant à l'abri.

Dahl pouvait-il avoir un lien avec l'accident survenu au maire Lars Fjordsen ? Tikkanen, se dit-elle. Tikkanen était au centre de tout ça, Tikkanen le facilitateur et, dans le sillage de Tikkanen, Juva Sikku.

– Il faudrait qu'on interroge Tikkanen, lança Nina à la commissaire. Et puis j'aimerais avoir la permission d'aller consulter quelqu'un sur ces histoires de plongée dans les années 1980.

– Et pourquoi donc ?

– Laula a été impliqué dans des tests de plongée il y a longtemps. Cela paraît bizarre d'avoir eu des gens comme ça ici. Je ne sais pas. Une intuition.

La commissaire jaugeait la question.

– Je peux voir avec ton chef à Kiruna. Mais j'imagine qu'avec Klemet suspendu, tu es un peu limitée pour tes missions de police des rennes.

– Ce n'est pas grave, je m'en tire très bien, dit-elle d'un ton enjoué. La période est un peu au statu quo en ce moment. Des troupeaux sont en avance, d'autres en retard, les éleveurs sont plutôt à regrouper leurs bêtes pour remettre un peu d'ordre car les cycles de transhumance sont perturbés. Ils n'aiment pas trop.

Hotti écoutait, regard plongé dans ses papiers.

– Tu apprends vite. Ça te plaît ?

– Que va-t-il se passer avec Klemet ?

– Pas grand-chose au final. Il devra faire des excuses à Sormi, mais le procureur va demander une condamnation de principe, avec sursis. Klemet a des états de service flatteurs. Mais il ne coupera pas au blâme. Il reprendra sous peu.

– Et Sormi ?

– Sormi et les autres ont été interrogés et sont retournés à leurs activités.

– Tikkanen aussi, donc ?

– Comme les autres. Et les histoires avec la mairie, les rennes en ville ?

265

– Je crains de devoir y retourner. Ça se passe mieux depuis que le grillage est en place autour de la ville, mais des rennes parviennent quand même à s'introduire. Mais nous ne sommes qu'au mois de mai et la chaleur n'est pas un problème. Ce sera pire cet été, quand les rennes chercheront à se protéger de la chaleur et viendront en ville pour se mettre à l'ombre des bâtiments ou dans le tunnel.

– Je sais tout ça. Nina, j'aimerais vraiment qu'avec les obsèques de Lars Fjordsen, nous n'ayons pas de problèmes avec ces rennes en ville. Surtout pas en pleine cérémonie. Tu imagines l'effet calamiteux que cela aurait, ce serait vécu comme une provocation par les gens d'ici.

– Tu veux dire par les gens de la ville, précisa Nina.

– Tu vois très bien ce que je veux dire.

– Mais les Sami sont bien chez eux ici aussi, non, ou alors je n'ai rien compris ?

– Je ne te parle pas des Sami, je te parle des rennes qui brouteraient devant le presbytère ou devant la future tombe de Fjordsen. Ça ne doit tout simplement pas arriver ! Alors, enquête sur cette noyade de Steggo avec ton Sikku qui fait l'épouvantail, regarde ces histoires avec Tikkanen, mais par pitié, ne viens pas me bousiller mes funérailles avec une paire de rennes qui débarque en pleine mise en terre, par pitié !

Nina ne put s'empêcher de sourire devant l'air suppliant d'Ellen Hotti, mais elle se reprit en voyant que cela ne la faisait pas rire du tout.

– Mais j'aurai sûrement besoin de l'aide de Klemet et du renfort de quelques patrouilles de la police des rennes pour assurer le maintien de l'ordre de…

Nina éclata de rire malgré elle, mais reprit son sérieux aussitôt, en s'excusant auprès d'Ellen Hotti qui secouait tristement la tête.

32

Hammerfest, quai des Parias. 23 h 45.

Anneli Steggo s'était résolue à se rendre sur le quai d'Hammerfest pour rencontrer Nils Sormi. Cela lui coûtait. Après les obsèques d'Erik, elle n'avait pas rejoint le campement tout de suite. La découverte du corps d'Anta Laula le matin même la plongeait dans un nouveau cauchemar.

La mort d'Erik avait noirci son âme à un tel point… Cette course de rennes avait failli lui faire perdre l'enfant qu'elle portait. À qui pourrait-elle avouer qu'elle avait souhaité en finir ce jour-là avec cette vie ? La veille, le médecin l'avait rassurée. L'enfant d'Erik s'accrochait. La mort d'Anta Laula ne venait pas comme une surprise. Mais tout, les circonstances, la brutalité, tout la ramenait à de sombres pensées.

Je dois être bien orgueilleuse pour imaginer que je retrouverais si vite mes repères. Elle tenta de se concentrer sur des échéances concrètes. Devait-elle retrouver ses faons ? Le vent soufflait dans les branches des bouleaux nains enfin débarrassés de la lourde neige qui les avait réduits au silence des mois durant. La toundra recommençait à parler lorsque la neige disparaissait. Il faudrait encore un mois avant que le vert ne

267

la colore. Un mois encore où la nature réclamait son dû, s'exposait au soleil mais ne trouvait encore la force de se redresser. Ces semaines-là étaient les plus longues, parmi les plus mystérieuses aussi. La nature préparait son retour à l'ombre des hommes et, d'un coup, elle se révélerait immuable et irrésistible. Anta Laula ne le verrait plus.

Ces derniers temps, Anneli avait passé du temps avec le vieil homme malade. Il n'avait peut-être plus toute sa tête selon certains. À Anneli, il parlait parfois de ses rêves, de ses visions. Il plongeait dans de longs vagabondages pleins de mélancolie et, dans ces moments-là, Anneli lui trouvait un visage magnifique. Elle l'écoutait parler. Elle se remplissait. Les derniers temps, Anta Laula lui parlait des rochers sacrés de son enfance. De ces lieux magiques et éternels qui portaient le savoir des Sami et l'espoir des hommes. Anneli ferma les yeux.

Une offrande à mon dieu sacré, que tu le manges ou pas, tu seras toujours mon dieu.

Anneli ouvrit les yeux à nouveau. La lumière était douce. Après les obsèques, elle était revenue à la maison dans laquelle Erik et elle avaient emménagé quelques mois plus tôt. En apprenant la mort du vieil artiste, elle avait rouvert les albums de photos. Des images qui ressemblaient à celles de sa propre enfance. Couleurs, douceurs, rassemblements autour des rennes où les familles convergeaient des terres les plus reculées du vidda pour renouer. Erik à l'école, petit homme sérieux, les cheveux raides tombant sur les yeux, droit devant sa maîtresse, Erik sur des skis, bonnet enfoncé jusqu'aux sourcils. L'annotation sous le cliché indiquait que le garçon à côté de lui était Nils Sormi. Ils se ressemblaient tous les deux. Le bonnet peut-être. Ou l'attitude de ces enfants intrépides prêts à partir en découdre, un petit scintillement dans l'œil. Des photos dans l'enclos à rennes. Erik tout jeune encore, mais ce petit garçon à côté de lui était Juva, avec son air en retrait. Juva avait toujours été ainsi, un peu dans l'ombre de Nils ou d'Erik. Nils et Erik. Nils ou Erik. Que pouvait-elle faire maintenant ? Elle posa une main sur son ventre. Puis les deux. Elle respira. Une offrande à mon dieu sacré.

Anta… quel rocher sacré avais-tu choisi pour aller mourir ? Pourquoi es-tu allé mourir près d'Erik ? Que lui apportes-tu ? Tu lui donneras la tranquillité, n'est-ce pas ? Cher Anta…

Qui ferait vivre la marque maintenant ?

Il était tard. Anneli n'était pas fatiguée. Elle feuilletait l'album. Regrettait certaines pensées. Voulait pleurer Anta mais souriait. Une photo d'Erik, déposée au rocher sacré du détroit du Loup. Elle prit l'album et partit pour le détroit. Ce n'est qu'en route qu'elle décida de poursuivre jusqu'à Hammerfest. Conduire lui fit du bien. Sur la route, le vent balayait la neige des bas-côtés, animant un voile ondulant devant elle.

En arrivant à Hammerfest, elle se rendit au quai. Les petits chalutiers pêchaient en mer, l'*Arctic Diving* était absent également. Mais les deux cafés reclus étaient ouverts, en dépit de l'heure avancée. Personne n'occupait l'avant-salle du café des Sami. Côté Riviera Next, les mêmes lampes crues et sièges vides. Anneli resta indécise de longues secondes. Elle poussa la porte du Bures, découvrant la salle en bois clair, des murs aux tables, des sièges au zinc. Le serveur la salua. Dans un coin au fond, attablé devant une bière, un vieil homme marmonnait, seul. À part ses lèvres qui bougeaient, lui-même paraissait en bois. Anneli referma la porte et poussa celle du Riviera Next. Elle réalisa qu'elle n'avait jamais pénétré dans celui-ci. Des hommes et une jeune femme occupaient quelques tables. Le bleu pastel des murs adoucissait la froideur du fer poli des sièges et des tables, mais pas suffisamment pour atténuer l'agressivité de l'atmosphère. Anneli le sentit. Devant elle, un client fit signe à un homme dont Anneli ne voyait que le dos. Il se retourna. Comme elle l'avait espéré, il s'agissait de Nils Sormi. Une jeune femme assise près de lui paraissait bouder. Elle garda la même expression en dévisageant Anneli.

Anneli lissa la robe bleu roi à manches longues qui lui tombait sur les chevilles et s'avança.

– Erik ne t'a jamais jugé. Je pensais que tu devais le savoir.

Nils la regardait sans rien dire. Il avait beaucoup bu. La jeune femme aussi. Elle regarda l'homme en face de lui. Il paraissait veiller sur Sormi. Anneli posa lentement l'album sur la table. Elle le laissa fermé, observant la réaction de Sormi. Laissant les pensées l'atteindre. Au milieu de sa brume, Sormi devait deviner que cet album recelait une histoire pour lui. Il ne réagissait pas. Anneli ouvrit une première page. *Qu'est-ce que je cherche ?* Plus rien ne reliait les deux garçons depuis longtemps.

– Je sais que tu voulais un terrain sur les hauteurs d'Hammerfest, commença-t-elle. Ce terrain était utilisé par les rennes d'Erik. Et par son père avant lui. Et son grand-père.

– Et alors, jeta la femme qui avait un accent suédois.

– Elenor tu la fermes, lui lança Nils.

– Je pensais que tu devais le savoir.

– Eh bien je le sais maintenant. Et tu crois que ça changera quelque chose ? Vous n'avez plus rien à faire sur cette île. Erik aurait dû le comprendre.

– Je me suis demandé ce que je devais faire de ces photos.

– Qu'est-ce que tu veux que ça me foute ? Tu veux me donner mauvaise conscience ?

– Renvoie-la, ordonna la Suédoise.

– Ne t'en mêle pas, toi.

Anneli continuait à feuilleter les pages, comme si de rien n'était, ne sachant toujours pas ce qu'elle voulait. Qu'espérait-elle de Sormi ?

– Vous étiez ensemble sur de nombreuses photos quand vous étiez enfants. Je pensais que vous étiez proches. Mais ce n'était peut-être pas important.

– Non, ça ne l'était pas, comme tu le dis toi-même.

– Je veux quand même te laisser cette photo-là. C'est la première qu'Erik ait prise, comme il le marque. Tu es un enfant, Nils, mais tu as l'air si fier avec cet énorme masque de plongée trop grand pour toi. Garde-la.

Nils Sormi s'empara d'un geste brusque de la petite photo maladroite qu'Anneli lui tendait. La Suédoise s'esclaffa de rire en la voyant.

– Tu as l'air tellement bête là-dessus, mon pauvre, rit-elle. Mais tu es chou comme tout.

L'ami en face de Sormi la vit aussi et hocha la tête, mais son regard disait tout autre chose que la Suédoise. Il adressa un sourire bref à Anneli, en signe d'assentiment. Sormi ne dit rien. Il se leva seulement, lourdement. Il se tenait un peu à la table. Anneli n'aurait peut-être pas dû montrer ces photos.

– Erik et moi nous avons choisi des voies différentes. Ça ne fait pas de moi quelqu'un de moins valable. Mais vous êtes tellement fiers, vous, les éleveurs de rennes. Vous vous sentez tellement supérieurs. C'est ça ? Je suis ridicule comme plongeur ! ? Aujourd'hui comme à l'époque ?

Anneli secoua la tête. Elle se sentait désolée. Nils Sormi se trompait. Mais pouvait-il entendre autre chose ? Elle referma l'album et fit un pas en arrière.

– Je ne sais pas pourquoi j'ai voulu te montrer ces photos, pourquoi à toi, Nils. Je ne voulais pas te blesser.

Je sens, je sais seulement que j'ai besoin de comprendre le monde d'Erik et, que tu le veuilles ou non, tu en as fait partie.

Elle posa la main gauche sur son ventre, l'autre tenant l'album.

– Je suis enceinte d'Erik. Il n'a jamais su qu'il allait être papa. Et maintenant je m'en veux tellement de ne pas lui avoir dit.

33

Mercredi 5 mai.
Lever du soleil : 2 h 08. Coucher du soleil : 22 h 35.
20 h 27 d'ensoleillement.

Route de la transhumance. 7 h 30.

La patrouille P9 reconstituée, Klemet et Nina avaient
aussitôt été appelés en pleine toundra. Les vérifications
sur les deux hommes qui s'étaient noyés avec Anta
Laula attendraient. Susann avait besoin d'aide. En l'absence d'Anneli et de plusieurs bergers déjà partis sur
l'île de la Baleine, on manquait de bras pour surveiller
les rennes restés sur la terre ferme. Or avec ces longues
journées ensoleillées, les promeneurs à motoneige
n'allaient pas manquer de braver les interdictions et de
s'approcher dangereusement des femelles comme lors
du week-end de Pâques. Susann avait entendu dès ce
matin des bruits de scooters venant de la vallée voisine.
— On a perdu un berger, on ne peut pas perdre ses
faons, avait dit Susann sur un ton de reproche.
Nina et Klemet firent des détours plus longs encore
cette fois-ci pour éviter de larges espaces où la neige
s'était déjà retirée. Ils arrivèrent en fin de matinée.
Susann avait laissé trois messages sur le répondeur de

Klemet, mais celui-ci ne s'était pas donné la peine de répondre en voyant le numéro.

– La police des rennes, on arrive quand on arrive, ni plus tôt ni plus tard, avait-il lâché.

Ils procédèrent à une approche prudente, surveillant les doux replis de la toundra à la jumelle. Le paysage était une suite de taches blanches et brunâtres. Klemet montrait à Nina une direction en face d'eux, un sommet aplani couvert de plaques de neige. À l'œil nu, Nina percevait à peine des points qui paraissaient régulièrement dispersés comme des graines plantées par un paysan consciencieux. Par un effet de lumière, les points sur la neige étaient sombres, tandis que ceux sur la toundra brunâtre étaient très clairs. Nina ajusta ses jumelles et vit alors un troupeau de plusieurs centaines de rennes, trois cents peut-être. Ils se reposaient, insouciants, loin de tous les bruits du monde. Klemet fit un geste ample de la main, pour montrer qu'ils allaient devoir faire un nouveau détour pour ne pas déranger le troupeau.

Il leur fallut un quart d'heure, le plus souvent à flanc de colline et en se faisant fouetter le visage par les branches de bouleau pour déboucher sur un lac. D'un nouveau geste du doigt, Klemet montra des points sur la glace. Cette fois-ci, il ne s'agissait pas de rennes, mais de plusieurs pêcheurs, dispersés sur le lac. Nina savait que la police des rennes était souvent accusée de ne passer son temps qu'à harceler tout ce qui n'était pas éleveur de rennes, particulièrement les promeneurs qui venaient en motoneige profiter d'un beau week-end en famille dans leur petit cabanon avec leur canne à pêche. Beaucoup d'habitants de la région, ceux des côtes, acceptaient mal que la majorité des territoires fussent utilisés à certaines périodes de l'année par les éleveurs de rennes.

Quand Nina, à une cinquantaine de mètres, reconnut le pêcheur, elle décida de prendre les choses en main.

Elle accéléra et doubla Klemet pour s'arrêter à cinq mètres. Elle enleva son casque. Deux hommes la regardaient. Ils n'avaient pas fait un geste pour s'éloigner.

Nils Sormi et Tom Paulsen portaient des combinaisons, un bonnet, des lunettes de glacier à cause de la forte réverbération du soleil sur la glace. Avec la vrille posée sur l'un de leurs scooters, ils avaient creusé un trou d'une bonne vingtaine de centimètres dans la glace. Tom Paulsen, allongé sur une peau de renne, releva sa canne à pêche de trente centimètres tandis que Nils Sormi toisait les deux policiers. Le plongeur sami allait parler quand Nina s'avança.

– Vous n'avez pas le droit de pêcher ici en ce moment. Il s'agit d'une zone où les rennes mettent bas.

Les deux hommes s'avancèrent. Nils Sormi allait répondre, l'œil braqué sur Klemet, quand Tom Paulsen, enlevant ses lunettes de glacier, prit les devants.

– Nous l'ignorions. On nous a mal renseignés.

Nils Sormi referma la bouche et resta silencieux. Sormi et Klemet se toisaient. Le policier fit un signe à Nils. Les deux hommes s'éloignèrent vers les scooters. Ils commencèrent à discuter.

– Ces deux-là ont des petites choses à se dire, commença Paulsen.

Nina sourit au binôme de Sormi.

– Des ego un peu mal placés parfois, dit-elle.

– Ne lui en veux pas. Dans le milieu des plongeurs, on rencontre beaucoup de caractères comme ça. Nous faisons un métier dangereux, on n'aime pas se faire donner des leçons, ce n'est pas plus méchant que ça.

– Je connais votre milieu, dit Nina, qui appréciait la pondération de Paulsen.

– Ah bon ?

Paulsen la regarda avec intérêt.

– Mon père a été plongeur dans l'industrie pétrolière. Il y a longtemps.

Tom Paulsen hocha longuement la tête, sans rien dire d'abord. Près des scooters, Sormi et Klemet discutaient et réglaient leurs comptes. La commissaire avait exigé que Klemet présente des excuses à Sormi et, connaissant son collègue, de tels mots ne devaient pas jaillir très naturellement de sa bouche.

– Il habite ici ?

– Non.

Nina détaillait Tom Paulsen, ses yeux marron intenses, ses lèvres volontaires. Il avait l'air sincèrement intéressé. Les pêcheurs au loin étaient silencieux, le vent soufflait légèrement, soulevant des volutes de poudreuse, et les collines scintillaient au soleil. Elles paraissaient zébrées par les bouleaux nains qui, voici quelques semaines, disparaissaient encore sous la neige. Le silence ne fut troublé que par une motoneige qui se mit à descendre d'une colline vers l'est.

– En fait, je ne sais pas où il habite. Je ne l'ai pas vu depuis des années.

– Ah, et si ce n'est pas indiscret, pourquoi ?

Nina le regardait et, à sa grande surprise, ne trouva pas bizarre de se confier à lui.

– Les derniers temps, il était de plus en plus mal, et je crois que ma mère a tout fait pour m'éloigner de lui. J'étais jeune, je n'ai pas compris vraiment tout ça avant qu'il ne soit trop tard, et puis un jour, il n'était plus là.

– Je vois. Je suis désolé.

– Je n'ai pas eu que le meilleur côté des plongeurs en fait.

– Tu n'as pas cherché à le revoir ?

Nina sentait qu'elle ne devait pas aller plus loin. Son cœur battait la chamade.

– C'était… c'est compliqué. Je ne sais pas. J'ai pensé beaucoup à lui ces derniers temps. Et… je ne sais pas. Je verrai bien.

Des larmes lui montaient aux yeux et elle se tourna vers Klemet et Sormi. Ils venaient à bout de leur conversation. Les deux hommes paraissaient aussi butés l'un que l'autre. Elle avait refoulé ses larmes, et regarda Tom Paulsen, lui sourit. Il lui sourit aussi.

– J'étais content de te parler.

Elle serra la main qu'il lui tendait.

Le scooter venait maintenant de s'arrêter près d'eux. Juva Sikku s'avança, l'air en colère. Il se calma en reconnaissant Sormi. Il salua tout le monde. Le gros de son troupeau n'était pas loin. Il montra les pêcheurs autour, d'un signe qui montrait qu'ils n'avaient rien à faire là, mais Nina sentait qu'en présence de Sormi il se retenait.

– Susann nous a déjà appelés. Nous allons demander aux gens de repartir, dit Nina. J'étais en train d'expliquer à… Tom… par où repartir quand tu es arrivé. Cette direction donc, dit-elle, regardant Paulsen droit dans les yeux.

Nina déplia sa carte pour montrer par où ils étaient venus, suivant des courbes qui dessinaient un détour.

– Je peux les remettre sur la bonne route, dit Sikku. Nils, ça ne me pose pas de problème, et je te montrerai un endroit où tu pourras revenir pêcher bientôt, après la transhumance, tu n'auras qu'à me dire. Si tu m'avais demandé, je t'aurais dit où aller. Tu sais que ça me ferait vraiment plaisir.

Nina, comme Klemet sûrement, se rappelait le mépris que Nils Sormi avait exprimé à l'encontre de Sikku. Ce dernier ne s'en rendait pas compte. Pendant que Sormi et Paulsen pliaient leurs affaires, Klemet entraîna Juva Sikku à l'écart. Nina s'approcha d'eux.

– Alors, demandait Klemet à l'éleveur, comment ça se passe ?

Sikku prit l'air méfiant.

– Eh bien ça se passe. Pas plus facile que d'habitude.

– Tu as des problèmes de pâturage, à ce qu'il paraît ?

– Quoi, des problèmes ? Quoi, des problèmes ? J'ai pas de problèmes, moi. C'est les autres qui en ont et qui m'en font. Moi j'ai pas de problèmes. Et mes problèmes, c'est pas la police qui va y faire quelque chose.

– Bon, donc tu n'as pas de problèmes, très bien. Mais quand même, tu aimerais bien accéder à des pâturages là-haut.

– Mais là-haut, c'est fini. Hammerfest bouffe tout. Faut s'y faire. Moi je voulais que mes rennes passent là-haut, mais Erik et d'autres, ils voulaient pas. Et puis j'ai perdu mon renne de tête, moi. C'est pire que pendant le festival de Pâques ici, on ne peut plus passer. Trop de monde qui veut y être en même temps. Les rennes dans des fermes, voilà comment ça va finir.

– Ce serait peut-être une idée, dit Klemet. Ça te tenterait, toi ?

– Moi, et pourquoi pas ?

– Mais avec Tikkanen, de quoi vous discutiez ? Et ne me raconte pas d'histoires, tu sais que le juge t'a dans le collimateur avec les prostituées russes.

– J'ai rien à y voir, Tikkanen il m'avait pas dit que les putes étaient des putes.

– Et toi tu n'as rien soupçonné ?

– Et pourquoi j'aurais dû soupçonner quelque chose ? Il a le droit d'avoir des copines, Tikkanen. Moi, je suis son copain aussi. Et je suis le copain de Nils aussi, dit-il en montrant du menton le plongeur qui terminait de charger sa motoneige. On peut avoir les copains qu'on veut. Même quand c'est des putes, et puis voilà.

– Alors quoi, vous discutiez de terrains peut-être ? dit Nina.

– L'un des terrains qu'Erik et sa famille ont utilisés depuis les temps anciens comme pâturage sur les hauteurs d'Hammerfest était convoité, compléta Klemet. Quelqu'un voulait construire.

– Des terrains, des terrains, vous avez que ce mot à la bouche. On discutait passages. Tikkanen, il vaut mieux que tout l'Office de gestion des rennes. Il a peut-être des copines qui ressemblent à des putes, mais il sait surtout à qui appartiennent les terres. Il sait tout ce qui va se faire ici. On ferait mieux de le laisser faire son travail, et ça irait mieux. Moi, il m'a emmené dans les fermes en Finlande, eh bien ça marche, les fermes de rennes, moi je vous le dis. C'est très bien, les fermes de rennes. Fini de courir. Et de toute façon, avec ce fichu réchauffement climatique, ça finira pas autrement.

34

Sud-ouest de la Norvège. 18 h 30.

Nina avait atterri en fin d'après-midi et loué une petite voiture pour rejoindre le village de sa mère, dans la région de Stavanger. La partie routière prenait du temps, comme à l'accoutumée dans ces régions de fjords où les routes tortueuses obligeaient à de longs détours pour suivre le découpage de ces montagnes acérées qui se jetaient dans la mer. Elle avait embarqué sur un ferry, traversé une dizaine de tunnels, et s'était enfin approchée. Entre l'avion et la voiture, elle s'était préparée tout l'après-midi à la rencontre.

Le village s'encastrait au bout d'un fjord, isolé. Nina s'arrêta à l'entrée d'un dernier tunnel qui débouchait sur une vallée encaissée cernée de cols. Ici, toute neige avait déjà disparu à part au sommet des montagnes. Une vingtaine de maisons était regroupée sur le versant sud de la vallée. Un chemin courait jusqu'à la mer, un peu abrupt. De son point de vue, Nina apercevait quelques petits bateaux de pêche amarrés. D'autres devaient être en mer. Longtemps, la mer avait constitué le seul accès au village. Le tunnel existait déjà lorsque Nina était enfant, mais ne devait pas être très ancien. La mère de Nina était encore jeune lors de sa construction. Au printemps, les pêcheurs se transformaient en paysans. La saison de la pêche à la morue se terminait. Les poissons ouverts pendaient sur des échafaudages en bois, séchant au vent. Il faisait plus sombre qu'en Laponie, à deux mille kilomètres plus au nord.

Cette rencontre avec sa mère lui pesait. Mais elle avait peu de temps. Elle devait en passer par là si elle voulait retrouver son père. Lui, peut-être, pourrait lui donner des explications sur ces histoires de plongeurs. Quand elle en avait parlé à Klemet, celui-ci n'avait pas été long à comprendre que c'était un prétexte. Il l'avait dit gentiment. Elle n'avait pas nié. Mais elle avait des congés à rattraper.

Dans son village, le soleil avait disparu. Mais il faisait encore clair. Elle aperçut un chalutier qui rentrait vers le petit port. Elle regarda sa montre, elle indiquait plus de 21 heures. Le bateau n'avait pas l'air d'une grande fraîcheur. Il ne devait pas être très différent de celui qui avait accosté voici une quarantaine d'années. Un petit chalutier venu se mettre à l'abri un jour de tempête. Ou bien était-il venu se ravitailler ? Sa mère lui avait dit que rien de bon ne venait avec ces bateaux, car les marins venaient à terre boire avant de reprendre la mer. Nina se souvenait comment sa mère la mettait en garde quand un chalutier accostait, surtout quand elle était devenue une jeune fille. Son père venait d'un village des îles Lofoten, Skrova. Une petite île de chasseurs de baleines. Ils étaient connus comme des loups blancs avec leurs chalutiers dont le haut de la cheminée portait une bande de peinture noire, le signe des baleiniers. Quand ils ne chassaient pas la baleine, ils pêchaient la morue ou ce que la mer leur offrait.

Le bateau avait accosté. Des hommes s'affairaient sur le pont. Nina se décida et roula jusqu'à la maison de sa mère. La maison en bois ne paraissait pas avoir trop souffert des années. La peinture jaune semblait plutôt récente. Au village, tout le monde s'y mettait quand il fallait repeindre une maison, ce qui était fréquent car tout s'abîmait vite à cause des intempéries et du vent marin. Nina ne l'avait pas prévenue mais s'était assurée auprès de la voisine, Margareta, que sa mère était bien là et en bonne santé.

– La santé, ta Marit Eliansen de mère l'a, lui avait dit Margareta au téléphone, elle fait toujours régner la terreur dans le village et s'assure que tout le monde va au temple le dimanche et à la broderie le mercredi.

La maison était carrée, toute simple, avec quelques marches à l'entrée éclairées d'une lampe nue. Des petits rideaux brodés décoraient toutes les fenêtres. Sa mère était assise dans la cuisine, une paire de lunettes sur le nez, son chignon gris rehaussant son visage maigre.

Nina frappa à la porte et la poussa.

– C'est moi.

Sa mère leva le nez de sa broderie et la regarda par-dessus ses lunettes.

– J'allais me coucher.

Nina s'avança vers elle et l'embrassa.

– Je vais aller faire mon lit. Je suis fatiguée aussi. J'ai voyagé presque toute la journée.

– Tu arrives d'où ?

– J'ai pris l'avion à Alta et changé à Tromsø.

– Eh bien, en voilà des frais.

Nina sortit de son sac le cadeau ramené de Laponie, un bout de peau de renne taillé en rond pour s'asseoir au sec et au chaud en promenade. Sa mère prit la peau du bout des doigts.

– Tu es comme ton père, tu dépenses ton argent en bêtises.

– C'est bien, l'hiver.

Sa mère hocha la tête d'un air dubitatif et posa la peau sur la table.

– Tu as faim ?

– Non.

Nina mourait de faim. Elle irait mendier chez Margareta plus tard.

– Qu'est-ce que tu veux ?

– Te parler.

– On parlera demain alors. Maintenant va faire ton lit.

Nina se mordit les lèvres. Elle avait l'impression de redevenir une petite fille à nouveau, avec cette mère froide qui la maintenait à distance tout en la tenant sous sa coupe.

– Et si tu veux faire ta prière, ta bible est toujours dans la table de nuit.

35

Après avoir laissé Nina à l'aéroport d'Alta en début d'après-midi, Klemet était retourné au refuge de Skaidi. Il adorait cette portion de route très plane où la toundra s'étalait à perte de vue et il prenait toujours son temps. Le flash de 17 heures ne lui avait rien appris de spécial si ce n'est le verdict d'une histoire sur laquelle il avait travaillé l'année précédente, après un été particulièrement chaud. Des rennes mâles – les femelles étaient plus craintives – étaient venus à Hammerfest se mettre à l'ombre de la mairie et du petit centre commercial. Certains jours – c'était avant la pose de la clôture – il y en avait eu jusqu'à une centaine. Les rennes déféquaient et urinaient partout. Avec la chaleur, l'odeur devenait insupportable. Les employés avaient beau passer des heures à nettoyer, ça empestait même à l'intérieur. Klemet avait été appelé sur place avec son partenaire d'alors pour constater les dégâts. Les bergers avaient bien essayé de les chasser, mais les rennes revenaient. L'histoire avait duré deux mois. Le maire Lars Fjordsen avait été hors de lui, mobilisant les journaux, malmenant son compte Facebook et prenant l'opinion à témoin.

Mais l'affaire était complexe. Car, d'un côté, selon le paragraphe 11 de la loi sur l'élevage de rennes, les terrains autour de la mairie et du centre commercial étaient assimilables à des friches, et les rennes avaient donc légalement le droit d'y déféquer. Mais, de l'autre, il y avait cette loi sur l'accès à la nature pour tous, sous-entendu les humains. Le président du tribunal avait été embêté, racontait le journaliste de la NRK. Il comprenait bien que les rennes remplissaient un besoin légitime en cherchant le frais. Mais il avait tranché. Les éleveurs avaient failli à leur devoir d'empêcher les rennes d'approcher en ne tentant d'intervenir que «sporadiquement». Le verdict était tombé en début d'après-midi : 3 000 couronnes d'amende pour chacun des cinq éleveurs. «Une situation extraordinaire», avait relevé le tribunal. Klemet tourna le bouton. Erik Steggo, l'un des cinq éleveurs, n'aurait plus besoin de payer.

Il roula encore une heure jusqu'au refuge de Skaidi. Des habitants d'Hammerfest étaient arrivés dans l'après-midi pour passer le week-end dans le camping en dessous de la cabane de la P9. Leurs motoneiges s'entassaient sur les remorques. Klemet monta jusqu'au refuge en bois. Il écouta les infos de 18 heures. Le verdict de l'affaire d'Hammerfest était à nouveau évoqué. Le programme des rencontres du week-end suivait, avec du foot et une compétition de scooters des neiges. Un homme avait été arrêté pour ivresse au volant à Rypefjord, une polémique éclatait à nouveau à propos de la construction d'un chemin de fer dans la région où on évoquait une fois encore la possibilité de puiser dans le fonds du pétrole, «5 279 milliards de couronnes à ce jour», précisait le présentateur. Un cabanon d'été le long du fjord allant de Skaidi à Kvalsund était en feu selon l'information d'un auditeur. Klemet éteignit la radio. Cette histoire de rennes déféquant derrière la mairie et le centre commercial lui avait pourri l'été précédent. Nina n'était pas encore arrivée à la police des rennes et il se dit qu'en guise d'introduction, une telle affaire aurait été parfaite.

Klemet sortit son ordinateur portable. Beaucoup de petits travaux en retard. Les bouts rassemblés des procès-verbaux, sur la table près de lui. Les premières vérifications sur les deux touristes allemands ne menaient nulle part. Klemet avait remonté leur piste jusqu'à leur retour en Allemagne. L'amende était déjà payée. Les deux autres, le Norvégien et le Polonais, donnaient plus de fil à retordre. Klemet avait fait chou blanc à l'adresse de Knut Hansen. Un Knut Hansen habitait bien à l'adresse indiquée, mais Klemet avait acquis la certitude qu'il n'avait rien à voir avec son affaire. Idem avec le Polonais.

Klemet regardait son écran, mais ses pensées l'emmenaient ailleurs. Après l'accident du caisson, tout le monde était sur les dents. Juva Sikku n'avait visiblement pas de connexion directe avec ce milieu des pétroliers, si ce n'est par ses liens d'affaires avec Tikkanen et ses relations personnelles avec Nils Sormi. Même si, dans le cas de ce dernier, les liens étaient plus que distendus.

L'affaire Sikku-Steggo, clairement du ressort de la police des rennes, sortait de son cours et les éloignait de leur domaine habituel.

La mort de Fjordsen, accidentelle, devait être abordée comme un cas criminel, il en convenait. Mais avec la fin abominable de Steel et Birge et la noyade de Laula et de ces deux ouvriers inconnus, Klemet hésitait.

Tout le monde ne parlait que de ça en ville. L'inquiétude se répandait. Certains employés étrangers avaient essuyé des insultes. On réclamait le retour à la tranquillité, comme avant, sous-entendu avant l'arrivée de tous ces travailleurs mercenaires. On ne pouvait laisser la situation se détériorer ainsi.

Klemet griffonnait. Plus il réfléchissait, moins il reliait la noyade de Laula et des deux autres hommes aux premiers morts. Tikkanen, en revanche, connaissait bien le maire et les deux pétroliers. Comme Gunnar Dahl. Comme Nils Sormi. Il croyait entendre la voix de Nina lui dire que Sormi ne connaissait sûrement pas les deux pétroliers aussi intimement que Tikkanen et Dahl, mais Klemet balayait l'objection virtuelle. Sormi était dans le lot aussi. Ses disputes, ses intérêts, tout le rendait intéressant aux yeux de Klemet.

Le policier notait, traçait des flèches reliant Markko Tikkanen, Gunnar Dahl, Nils Sormi. Leurs intérêts communs. Et les personnes qui se trouvaient sur leur chemin. Et avaient été éliminées.

Mais pourquoi faudrait-il absolument établir un lien entre ces morts ? Et Sikku ? L'homme-silhouette qui effraye les rennes. Plus que quiconque, il devait savoir que les rennes feraient demi-tour. Nina avait une dent contre l'éleveur. Était-ce parce qu'elle semblait s'être liée d'une forme d'amitié avec Anneli ? Pas seulement. Nina avait un bon instinct de flic. Il pouvait y avoir quelque chose.

Même si l'affaire n'était pas de son ressort, la présence de cet homme identifié par les deux Russes peu avant l'accident l'intriguait. Selon toute vraisemblance, il était celui qui avait fermé le caisson et l'avait mis sous pression. Il savait donc se servir d'un tel caisson. Un plongeur ? Un superviseur ? Qui d'autre possédait une telle compétence ? Klemet en aurait été incapable, comme la plupart des gens, sûrement. Tikkanen connaissait-il aussi ce mystérieux inconnu ? Était-il l'un de ses hommes de main, au même titre que Sikku ? Ce Tikkanen était au centre de beaucoup de choses. Klemet se rendait compte qu'il en savait encore assez peu sur lui. Il regarda sa montre. Il avait le temps de faire un saut à Hammerfest.

Il roula le long du fjord. Il aperçut sur sa droite le cabanon encore fumant évoqué à la radio. Des policiers d'Hammerfest enquêtaient sur place. Klemet s'arrêta et salua. Les cabanons n'appartenaient pas à des éleveurs de rennes. À une époque, Klemet connaissait les propriétaires de tous les cabanons des environs. Des éleveurs parfois, des gens d'Hammerfest souvent. Il avait de plus en plus de mal, tant ces chalets poussaient comme des champignons le long de la moindre route. Les éleveurs se plaignaient sans cesse car la circulation accrue perturbait toujours plus les rennes. Klemet ignorait à qui appartenait celui-ci. Il n'en restait rien. Un policier s'étonna de sa présence.

– Je voulais m'assurer que ça ne pouvait pas être une histoire de règlements de comptes contre un éleveur, dit Klemet. Tu sais, on ouvre la saison des rennes en ville…

– Ouais, la corrida va reprendre.

Les deux policiers restèrent un moment silencieux à regarder les pompiers travailler.

– On n'a pas pu entrer encore. Trop fumant. C'était pas un cabanon de pauvre, celui-là, je te le dis.

– La voiture ? dit Klemet en montrant le combi Volkswagen rouge.

– Louée. Un nom étranger. On vérifie.

– Un nom allemand ?

– Plutôt français.

– Tiens, on a des Français qui achètent ici, maintenant ? Tu crois que le type est là-dedans ?

Le policier d'Hammerfest fit la moue.

Klemet reprit la route.

Sur la place d'Hammerfest où venaient aborder les ferries de l'*Hurtigruten*, il aperçut Tikkanen à son bureau, derrière les annonces immobilières qui recouvraient la vitrine. Le Finlandais ne parut pas étonné de le voir. Il referma un dossier, lissa son veston, balaya ses épaules et lança un sourire commercial à Klemet en écartant les bras.

– Inspecteur, êtes-vous fatigué de votre cabanon de Skaidi ? Je pourrais sûrement vous trouver quelque chose à la hauteur de votre mission.

Klemet ne prit pas la peine de répondre et s'assit dans le petit coin salon, avec de confortables fauteuils entourant une table basse couverte de revues.

– Mais asseyez-vous donc, inspecteur, une tasse de café ? Ou autre chose peut-être, d'un peu plus… masculin ?

– Viens t'asseoir, Tikkanen, et épargne-toi tes simagrées. Tu n'as rien à me vendre. Mes collègues ont été généreux avec toi. Je m'étonne que tu sois tranquillement ici.

Markko Tikkanen vint s'asseoir en face de Klemet. Il écarta à nouveau les bras avec un large sourire et remit sa mèche en place.

– À votre service, inspecteur.

– Tu fais le proxénète depuis quand, Tikkanen ?

– Comme vous y allez, inspecteur. Des amies russes que j'invite pour une soirée, avec un hôte américain, rien de plus. Nous, Finlandais, nous avons toujours favorisé le dialogue Est-Ouest. Pour ce que vous suggérez, il faut une transaction d'argent, auriez-vous donc trouvé trace d'une telle chose ?

Klemet devait en convenir. Aucune preuve de ce côté-là. Tikkanen payait sûrement directement le maquereau des filles en Russie. Il connaissait la musique. Pas de traces de paiement, pas d'inquiétudes.

– Tu sais que tu es mal barré avec ton caisson qui explose.

– Je n'y étais pas, vos collègues ont tout vérifié, dit Tikkanen en s'agitant dans son fauteuil.

– Qui était cet homme près du caisson ?

– Eh bien, l'un de ceux qui travaillent sur le flotel, il accueille mes clients du caisson.

– Je ne parlais pas de celui-là, mais de l'autre que tes putes russes ont reconnu, le grand baraqué.

– Mais, inspecteur, je ne le connais pas, je vous le jure, sur la tête de ma mère, même. Je suis effondré par cette histoire.

– Pourquoi as-tu emmené Juva Sikku visiter des fermes du côté finlandais ? C'est hors de sa zone, et de la tienne.

Le Finlandais remit en place sa mèche et s'assit près de Klemet.

– L'avenir, inspecteur, l'avenir. Je ne fais qu'anticiper l'avenir. L'élevage de rennes traditionnel est condamné à l'horizon de quelques décennies. Doit-on rester sans rien faire ? Je propose des solutions aux éleveurs. Bien sûr, ce ne sera plus tout à fait la même chose, avec tout le côté folklorique de la transhumance, mais dans des fermes ils pourront en vivre. Et ils pourront même y accueillir les touristes. Je suis sûr qu'ils gagneront mieux leur vie.

– Folklorique la transhumance, hein, c'est comme ça que tu vois ça ? Remarque, ce n'est pas mon affaire. Depuis quand es-tu en discussion avec Juva Sikku pour sa ferme ?

– Plusieurs mois. Six peut-être. Si c'est important, je peux retrouver la date exacte.

– C'est lui qui t'a contacté ou bien lui as-tu fait une proposition ?

– Eh bien figurez-vous que je lui ai fait cette proposition. Je vois bien comment ces pauvres bougres se tuent à la tâche.

– Tu es en affaires avec d'autres éleveurs comme ça ?

– Eh bien, non, non, rien de sérieux. Mais dans mon métier on est aux aguets un peu tout le temps.

– Tu connais beaucoup de monde, Tikkanen…

– Pour mieux vous servir, inspecteur.

– Et tu avais fait une proposition à Erik Steggo ?

– Le pauvre, je n'ai pas eu le temps, mais si l'occasion s'était présentée, je l'aurais fait avec la plus grande diligence. Et voyez-vous, inspecteur, j'ose même affirmer qu'à l'heure présente il serait vivant, oui, tout à fait, il serait vivant. Voyez-vous, on ne se noie pas dans une ferme.

36

Jeudi 6 mai.

Hammerfest.
Lever du soleil : 1 h 59. Coucher du soleil : 22 h 43.
20 h 44 d'ensoleillement.

Région de Stavanger.
Lever du soleil : 5 h 27. Coucher du soleil : 21 h 41.
16 h 14 d'ensoleillement.

Sud-ouest de la Norvège. 8 h 30.

Nina avait été réveillée par sa mère qui tambourinait à sa porte. La policière regarda sa montre. 8 h 30. Elle n'avait pas dormi aussi longtemps, ni aussi bien, depuis des semaines. La lumière. Elle ouvrait difficilement les yeux. Elle reconstituait le décor de sa chambre lorsqu'elle l'avait quittée. Il n'en restait pas grand-chose.

Sa mère n'était guère sentimentale. À la différence de ses amies, Nina n'avait jamais osé afficher les posters de Carola, Gaute Ormåsen ou Lars Fredriksen sur ses murs. Les photos qu'elle découpait dans les magazines étaient-elles encore cachées dans le bureau ? À quoi bon chercher ? La chambre était stricte et sombre. Dans la table de nuit en bois de chêne, Nina avait bien trouvé sa bible la veille au soir. Elle ne l'avait pas ouverte. Épuisée, elle n'avait pas eu le courage de ressortir chez Margareta pour mendier une tartine. La voisine se serait fait un plaisir de la lui offrir pour avoir la chance de discuter. Dans le village, les distractions n'étaient pas nombreuses. Affamée, les yeux encore gonflés, elle se dirigea vers la douche. D'instinct, elle s'infligea un jet froid pour se durcir avant la confrontation. Pourquoi fallait-il que ce soit ainsi ? Nina avait très peu de contacts avec ses trois frères aînés. Chacun vivait sa vie. L'un d'entre eux vivait encore au village, il était resté pieux et pêcheur. Il était en mer, parti pour une longue campagne au large du Groenland. Un autre devait être encore dans la région de Stavanger. Il travaillait sur un petit chantier naval qui réparait les plateformes. Le dernier avait un peu mal tourné, et il avait toujours été un sujet tabou à la maison. Aux dernières nouvelles, il traînait dans une petite ville du Nord. La mère de Nina avait toujours plus ou moins fait comprendre qu'avec un autre père, il aurait peut-être filé droit.

– Je t'ai préparé ton petit-déjeuner.

Pas la peine de s'embarrasser de formules. Sa mère les réservait pour la messe. En dépit de son âge, elle gardait son œil vif, inquisiteur, prête à moraliser au moindre écart. Nina n'était pas venue pour ça. Elle s'attabla devant son bol de bouillie d'avoine et son verre de lait. Sa mère s'assit en face, avec un verre ébréché rempli d'eau au tiers, posa ses lunettes réparées d'un bout de scotch sur la table et attendit, bras fermement croisés, veste droite boutonnée jusqu'au cou, lèvres pincées, chignon rigoureux, joues creusées. Si Nina ne l'avait pas bien connue, elle aurait pu penser que cette femme austère s'apprêtait à mordre et à libérer sa rage contenue. Mais, bien au contraire, la mère de Nina respirait paisiblement.

Toute son apparence exprimait le prédateur sous tension prêt à fondre sur sa proie, mais sa respiration disait aussi la bonne conscience, la paix intérieure, l'assurance d'être du bon côté, l'absence de doute. Ce mélange de puissance et de paix qui avait plané comme une ombre sur la jeunesse de Nina.

Nina n'était pas venue pour faire la paix avec sa mère. En l'observant, elle comprenait qu'une telle issue demeurait fermée à tout jamais. Elle voulait seulement retrouver son père. Et, pour cela, elle avait besoin de sa mère. Sa mère qui s'était toujours interposée. Nina reposa son verre de lait. Elle n'avait pas encore touché à sa bouillie, la même que sa mère lui avait servie toutes ces années au petit-déjeuner. La cuisine était restée comme dans son souvenir. Du lino jaune sur le sol, des murs blancs, rien de suspendu à part cette croix simple sur la porte. Pas de journal, il n'y en avait jamais eu à la maison. Tout au plus le bulletin paroissial et celui de la mission évangélique. Sa mère l'avait toujours tenue à l'écart des bruits du monde. La télé ramenée un jour par son père avait disparu en même temps que lui. Cela faisait douze ans, treize, qu'elle ne l'avait pas revu. Qu'elle ignorait tout de lui. Qu'elle ignorait tout de la façon de se comporter avec sa mère. Devait-elle tendre la main à travers la table en un geste d'apaisement ? Les bras fermement croisés l'en dissuadèrent.

– Il faut que je prenne contact avec papa. J'en ai besoin pour des raisons professionnelles.

Sa mère ne dit d'abord rien. Son regard se fit seulement un peu plus inquisiteur. Nina la connaissait trop bien pour ne pas comprendre que ce silence se voulait juge. Elle avait été trop bien éduquée aussi pour ne pas saisir qu'en disant cela, Nina devait se mortifier seule et sentir d'elle-même quelle part de responsabilité elle pourrait avoir dans ce long silence du père. Le calme satisfait et la bonne conscience renvoyés par la statue maternelle disaient ce que Nina n'aurait pas besoin de demander. La faute ne venait pas d'ici. Pas d'elle, Marit Eliansen. Le silence écrasant de la petite cuisine sombre étouffait Nina. Sa mère ne disait toujours rien. Nina se leva lentement, s'appuyant des poings sur la table. Elle tentait de repousser la colère qui s'emparait soudain d'elle face à cette femme grise qui s'était toujours inter-posée entre son père et elle. Trop de souvenirs, trop de frustrations, trop d'échecs. Elle s'empara du verre de lait. Trop de pleurs, seule, avec un souffle pour unique lien, une caresse pour seule promesse. Elle cria soudain en jetant le verre dans l'évier. Il éclata, projetant morceaux de verre et gouttes de lait tout autour. La mère de Nina, surprise, se releva d'un coup. Par réflexe, elle attrapa son propre verre d'eau et le serra contre sa poitrine d'un geste protecteur, reprenant aussitôt sa posture et son air scrutateur.

– Les mêmes humeurs que lui.

– C'est toi qui l'as fait partir, toi et seulement toi !

La poitrine de la mère de Nina se soulevait à peine plus vite. Elle gardait un contrôle absolu de la situation.

– Ma pauvre fille, tu ne comprends donc pas que je t'ai simplement protégée de lui.

– Protégée ?!

Nina essuyait les larmes qui avaient envahi son visage. Elle secouait la tête.

– Ma pauvre maman, toi me protéger ? Mon Dieu, es-tu tellement aveuglée ?

L'espace d'un instant, la mère de Nina parut troublée par la remarque. Elle se reprit aussitôt.

– Tu croyais peut-être connaître ton père ?

Ce fut au tour de Nina de marquer un temps d'arrêt. Sa mère le perçut, bien sûr.

– Si tu crois cela, alors tu te connais bien peu toi-même. Car vous êtes pareils, toi et lui. Son sang est en toi, ce besoin de partir, ce tempérament qui explose, ce goût des choses viles et faciles.

Nina entendait le fiel se déverser. Ma mère, ça ! ? Elle qui voit en moi une personne qui aime les choses viles ? Simplement parce que j'ai choisi une vie loin d'ici ? Ou parce que je lui rappelle à ce point mon père ? La colère brouillait les sens de Nina. Elle voyait ce bout de femme aigrie, tellement sûre d'elle, qui devait se consumer de l'intérieur, damnée par ses vérités immuables. Sa mère posa le verre d'eau et s'approcha d'un pas vers Nina, bras le long du corps, tendue à bloc, regard pointu.

– Ton père, s'il n'était pas parti, Dieu seul sait ce qui te serait arrivé. C'est cet argent qui l'a aveuglé, qui l'a tué à petit feu.

– Dis-moi simplement où je peux le trouver, siffla Nina, tentant de retrouver son calme.

La mère de Nina s'était encore rapprochée de sa fille, yeux plantés dans les siens, ignorant sa requête.

– Quand je l'ai connu, ton père était pêcheur. Son bateau avait fait escale ici. Il était simple et travailleur, un homme léger avec la foi, léger avec la vie, mais dur à la tâche et respectueux de Dieu. Il était un agneau qui écoutait les paroles de bon sens. Et sa digue a cédé, il a été pris par le démon de l'ailleurs, il a cédé à l'aventure et à l'argent facile, et il est devenu plongeur. Notre vie a basculé. Il n'a plus cessé de changer. De ce jour, je n'ai eu de cesse de vous protéger de lui, d'extirper de vous ces gènes qui le détruisaient et vous menaçaient.

– Mais tu réalises l'horreur de ce que tu dis ? Tu parles comme une exorciste ! Tu parles de mon père !

En face d'elle, Nina ne voyait plus que le regard brûlant de sa mère. Elle sortit en claquant la porte. Dehors, elle respira à grands traits les embruns salés qui l'enivrèrent. Elle retrouva lentement son calme. Elle regarda autour d'elle, cette mer énigmatique qui avait amené et repris son père, cette montagne qui ne voulait pas renvoyer l'écho que Nina espérait, ces maisons qui gardaient leurs secrets et pétrifiaient les vies. Dans la petite maison voisine, son regard triste s'arrêta sur la fenêtre éclairée. Debout, la vieille Margareta l'observait d'un air inquiet, comme si elle avait attendu sa sortie. Elle aussi semblait attristée, songea Nina. Elle lui fit signe.

Nina entra. Margareta était une femme plus âgée que sa mère, plus forte. Plus vivante, se dit Nina. Elle portait un foulard sur la tête, d'où sortait une mèche rebelle de cheveux gris et fins. Elle avait le front grand et large, des yeux bleu-gris qui étaient encore beaux. L'un était large et profond, l'autre, le gauche, paraissait plus éteint, comme fatigué à force de résister à une paupière qui, de ce côté-là, s'affaissait. Le nœud du foulard soutenait le double menton de la vieille femme qui portait deux vestes l'une sur l'autre. Elle ne pouvait que voir l'air défait de Nina et la fit s'asseoir.

– Tu as faim, ma fille ?

Elle n'attendit pas sa réponse et déballa devant Nina des tartines de pain de pomme de terre avec de la saucisse. Elle lui prépara une assiette de salade de chou et lui servit une tasse de café, et la regarda manger, soucieuse, caressant les cheveux blonds. Nina remercia Margareta d'un regard. Elle se sentait trop émue pour parler et prenait le temps d'apprécier la nourriture.

– Ta mère n'a donc pas changé…

Nina gloussa et secoua la tête, puis prit la main de Margareta.

– Toi, Margareta, toi qui la connais mieux que quiconque sur cette terre, tu imagines vraiment ma mère changer ?

Ce fut au tour de Margareta de rire, d'un bon rire qui réchauffa Nina. Elle sentait la colère s'atténuer.

– Oh, si on nous entendait, rit Margareta.

Nina se leva et serra longuement la vieille voisine contre elle. Elle l'avait vue grandir ici, elle l'avait recueillie souvent pour un goûter que Nina savait toujours plus sucré que chez elle. Sauf quand son père était là. Quand son père était là, trop peu souvent, la fête s'invitait dans la vie de Nina.

– Margareta, je dois retrouver mon père. Et ma mère est persuadée qu'elle doit m'en protéger.

La vieille voisine sourit et caressa encore les cheveux de Nina.

– Assieds-toi, il faut que je te raconte, dit Margareta en s'asseyant elle-même à ses côtés.

Et pendant les heures qui suivirent, Margareta raconta. L'arrivée du père de Nina, Todd, jeune pêcheur plein de vie et d'énergie, l'escale avec d'autres dans le petit port du village, sa mère, jeune, si jeune, qui devait avoir dix-sept ans. Lui, Todd, en avait bien vingt-cinq, déjà un homme, qui parcourait l'océan depuis déjà dix ans ou presque. Il l'avait aidée à porter un plein panier de poissons chez elle, au lieu de rester boire avec les autres sur le ponton, et cela avait plu à Marit. Il avait un bon rire franc, il riait de tout avec bonne humeur. En arrivant chez elle, il avait vu un coin du toit abîmé par une tempête d'automne. Sans demander son reste, il avait passé l'après-midi à scier et à clouer de nouvelles planches. Marit lui avait offert une petite broderie pour le remercier, comme elle continuait à en faire, et elle avait insisté pour l'emmener jusqu'à la chapelle, pour lui montrer l'endroit où elle parlait à Dieu. Elle le trouvait différent. Margareta croyait bien que c'était là, derrière le petit mur blanchi, à l'abri des embruns, que son père avait embrassé sa mère pour la première fois.

Ensuite son bateau était reparti car une nouvelle saison de chasse à la baleine s'ouvrait. Mais il était revenu. Ils s'étaient mariés. Il aurait pu rester à Skrova, aux Lofoten, mais Margareta avait compris que son père s'était lassé des campagnes des militants antichasse à la baleine. La pêche à la morue lui suffisait bien. Il avait pu acheter un petit bateau et travailler depuis leur fjord, comme bien d'autres. Et puis il y avait eu la mer du Nord, la découverte du pétrole. Et Todd, l'aventure lui manquait. Quand il avait entendu parler de tout ce qui se passait, il n'avait pas résisté. Bien plus tard, Margareta avait compris que son père avait entendu un jour à la radio parler d'une formation de scaphandrier. Et son destin avait basculé. Il n'avait jamais plongé avant, assurait Margareta, il savait à peine à quoi ressemblait un plongeur. Mais il était allé jusqu'au bout. Et c'est après ça qu'il avait commencé à changer car il avait gagné beaucoup d'argent ensuite, comme plongeur. Et ça, Marit n'y était pas préparée. Elle avait épousé le pêcheur. Elle ne reconnaissait plus le plongeur. Ses problèmes de santé étaient venus des années plus tard, Nina n'était pas encore née.

– Laisse-moi me rappeler, dit Margareta, l'air concentré. 1989 !

Nina sourit. Oui, elle était bien née en 1989. Son père avait une quarantaine d'années.

– Ses problèmes… poursuivit Margareta.

Todd avait eu des accidents de plongée. Et plus rien n'avait vraiment été pareil ensuite. À la naissance de Nina, son père était fou d'elle. Les garçons étaient déjà grands, plus éloignés de lui, sous l'emprise totale de Marit. Entre le père et sa fille, une relation très forte se construisit.

Nina resta songeuse. Elle se rappelait si bien ces jeunes années précédant la disparition de son père. Elle ne comprenait pas qu'il était malade alors. Sa mère ne faisait que lui répéter d'un ton sec que son père devait se reposer. Elle rajoutait souvent qu'il n'était plus bon qu'à ça, ou bien qu'il ne pouvait pas rester. Parfois, Nina se réveillait en pleine nuit et surprenait son père qui sortait loin dans le fjord. Il ne revenait que bien plus tard et partait s'écrouler dans son lit, ivre de fatigue. Quand Nina voulait s'approcher, l'ombre de sa mère s'interposait pour fermer la porte de la chambre. À l'insu de Nina, fillette crédule, le lien s'était distendu. Toujours une image plus fugace, toujours un manque plus poignant. Nina se rappelait d'un regard très bon, qui parfois devenait très triste, mais qui toujours s'animait quand elle approchait. Les rares fois où sa mère ne pouvait faire autrement. Jusqu'à ce qu'il disparaisse.

– Tu étais la seule joie de ton père, Nina. La seule. Et tu étais sa bouée aussi. Tu ne t'en rendais pas compte, mais il se raccrochait à toi parce que, entre ta mère et lui, il n'y avait plus rien. Ton père plongeur ne surnageait que grâce à toi. Il n'y avait que toi. Et même quand il est parti, il n'a jamais cessé d'écrire.

Cette fois-ci, Nina resta silencieuse.

Il existait des lettres, elle n'en avait jamais rien su. Elle eut l'impression que son visage d'un coup se transformait en masque. Comme celui de ces femmes se drapant pour le reste de leur vie du costume noir de la veuve. Un masque de détresse.

– Tu dois savoir, Nina, dit Margareta en se levant et en prenant la jeune femme dans ses bras, que ton père a fait plusieurs tentatives de suicide à cette époque. Il souffrait.

Nina repoussa doucement Margareta, se leva et sortit. Sa gorge s'était asséchée. Un vertige s'emparait d'elle. En passant devant la fenêtre, elle vit sa mère assise devant une broderie et un sac de couture, mais elle paraissait songeuse. Dès que Nina entra dans la pièce, elle se remit à l'ouvrage.

– Je veux voir les lettres.

D'un côté, ce silence, ce regard pointu. De l'autre, le vertige, la gorge sèche.

– Les lettres de Papa. Celles qu'il n'a jamais cessé d'écrire et que tu m'as toujours cachées.

Et pour la première fois depuis la petite enfance de Nina, Marit Eliansen, femme de devoir et de foi, se mit à rire. Mais d'un rire qui écorchait, dénaturé par les méandres aigres de cette femme usée.

– Pauvre folle et orgueilleuse que j'étais, de penser que je pouvais changer tout cela, vous changer.

Elle riait et par ce rire s'apitoyait sur son propre orgueil. Elle se réfugiait dans son monde rassurant du péché et de la contrition. Pour Nina, deux évidences se firent. Elle voyait sa mère pour la dernière fois. Et celle-ci allait céder. S'il y avait des lettres, elle les lui donnerait. Mais aucun salut ne viendrait. Marit Eliansen s'enfoncerait aussitôt après dans une voie sans retour où son mari et sa fille ne pouvaient plus avoir droit de cité, au risque de détruire son équilibre vital. En demandant ces lettres, Nina choisissait son camp.

Le rire finissant déformait son visage en une grimace abominable. Elle finit par se calmer, reprit le contrôle de sa respiration, recomposa son visage. Elle revenait d'un très long voyage.

– Tu veux donc le rejoindre en enfer…

Elle se leva et sortit. Nina attendit. Elle regarda cette broderie, du genre qu'elle avait toujours vu sa mère travailler, des napperons finement ouvragés pour les œuvres des missions évangéliques, qui avaient fait sa réputation dans tout le comté. «Les doigts du Seigneur», disait-on. Nina en avait reçu à chaque anniversaire aussi loin qu'elle s'en souvienne. Qu'une femme aussi impitoyable ait été capable d'exprimer tant de finesse et de sensibilité à l'aide de ses mains sèches et nerveuses avait de tout temps fasciné Nina. Sa mère revint après deux minutes. Elle posa devant Nina quelques lettres.

– Autant que tu le saches… j'ai renvoyé la plupart de ses lettres.

Nina hésita un instant. Devait-elle lire les lettres sur-le-champ ? Elle ne voulait pas risquer d'exposer son émotion à cette femme grise. Elle se contenta de retourner les enveloppes. Une boîte postale. Un nom de lieu inconnu.

– Où est-il ?

Toute trace de l'épisode précédent avait disparu du visage émacié de Marit.

– Je ne sais pas. Et ça ne m'intéresse pas.

– Je ne suis plus une petite fille. Et j'ai besoin de le retrouver, pour une enquête. Si une fois dans ta vie tu peux oublier ta rancœur, fais-le maintenant.

– Et pourquoi devrais-je savoir où il est ?

– Pourquoi ? Simplement parce que tu veux tout contrôler.

Marit Eliansen ne paraissait même pas blessée par la pointe de sa fille. Les deux femmes s'affrontaient, combat de masques.

Si peu de courrier, toutes ces années.

– Combien de lettres as-tu renvoyées ?

Marit secouait la tête, comme si elle était prise d'un tremblement, mais il n'exprimait que dégoût et rejet. La carapace se reconstituait. Marit Eliansen ne voyait plus sa fille devant elle, Nina en fut soudain persuadée. L'inquisitrice ne voyait plus qu'une fille perdue. Nina vit dans ce tremblement de la tête un soudain apitoiement. Elle me voit comme une fille en perdition, une inconnue qui a besoin d'aide. Cela seul pouvait expliquer ce brusque éclair d'humanité dans ce regard. Une cause à sauver. Le Bien, le Mal, tout ce que Nina emporterait de sa jeunesse ici. Elle prit les lettres d'un geste rapide et se tourna vers la porte.

Elle s'arrêta sur le seuil. Regarda les enveloppes. Elle se retourna, montra les lettres.

– Pourquoi as-tu gardé celles-ci ?

Marit Eliansen regarda longuement sa fille. Elle aussi comprenait enfin que le point de non-retour venait d'être franchi.

– Vous avez toujours été pareils. J'espère seulement que tu ne finiras pas comme lui. Mais je prierai pour toi.

37

Hammerfest. 8 h 35.

Nils Sormi avait été réveillé tôt ce matin par un coup de téléphone qui l'avait laissé perplexe. Il avait passé la nuit sur le *Bella Ludwiga*, le flotel qui mouillait l'ancre près de l'usine de Melkøya pour éviter de rester avec Elenor. En ce jeudi matin, il était presque seul debout sur le navire. Le travail ne s'arrêtait jamais sur ce type de chantier et beaucoup d'ouvriers qui avaient travaillé deux semaines d'affilée s'apprêtaient à repartir chez eux profiter d'une longue semaine de repos. Le dernier jour avant le week-end, ils mettaient les bouchées doubles pour partir plus tôt le lendemain. Nils prenait son petit-déjeuner dans la cantine lugubre de l'hôtel flottant. C'était la première fois qu'il y passait la nuit depuis la mort des deux pétroliers. L'ambiance était encore plus sinistre que d'habitude. Paulsen ne l'avait pas encore rejoint. Nils mangeait seul à la table en bois clair, sous une faible lumière.

Le coup de téléphone provenait d'un bureau d'avocats de Stavanger. Si tôt, s'était étonné Nils Sormi, méfiant. Son interlocuteur s'était contenté de lui dire que son cabinet travaillait vite, avec efficacité, et surtout discrétion. Avant même d'en savoir plus, le plongeur avait posé une batterie de questions pour contrôler l'identité du juriste. Mais le type avait gardé son calme et demandé si Sormi voulait enfin l'écouter. Le cabinet d'avocats représentait toutes sortes de clients et procédait à une multitude d'actes en leurs noms. L'anonymat était parfois requis, pas tout le temps bien sûr, mais Nils n'avait pas à se soucier de ce genre de questions. Il saurait ce qu'il devrait savoir. L'interminable prélude de l'avocat commençait à énerver Sormi.

– Tout ce que vous avez à savoir, monsieur Sormi, c'est que vous êtes bénéficiaire d'une assurance vie et que mon client a tenu à ce que son anonymat soit respecté. Et il en sera fait ainsi. Je tenais juste à vous prévenir le plus vite possible. Vous recevrez les documents officiels dans le courant de la semaine, ainsi que le versement dès que les vérifications d'usage auront été faites.

Nils Sormi repoussa son plateau et resta un moment à fixer sa tasse de café. Autour de lui, tout continuait comme d'habitude. Les rares ouvriers en combinaison orange et bleue quittaient la salle les uns après les autres, vidant leur plateau près de la sortie. Sormi allait toucher un sacré paquet de pognon. Il était euphorique mais n'en laissait rien paraître. Deux millions et demi d'euros. Près de vingt millions de couronnes norvégiennes. Même pour lui qui était très bien payé, cela représentait une somme énorme. Une dizaine d'années de salaire. Il fut pris d'un doute et chercha sur Internet des renseignements sur cette firme d'avocats. Elle comptait parmi les plus sérieuses de Stavanger. Il composa leur numéro, au prétexte de demander une précision, juste pour s'assurer que la ligne n'était pas bidon. Le juriste était tout aussi déférent.

– J'ai juste oublié de vous préciser qu'une lettre cachetée vous sera également envoyée avec les documents officiels. Elle émane de mon client.

– Mais c'est qui, bordel, ce client qui me balance vingt millions ! ?

Sormi regretta aussitôt son explosion. Les derniers ouvriers présents s'étaient arrêtés. Ils le regardaient.

– Vingt millions de dinars irakiens, grommela Sormi de manière à se faire entendre, que dalle ouais, et ils vont me faire chier avec ça.

Sans attendre, il se précipita vers la cabine de son binôme.

Sud-ouest de la Norvège. 8 h 40.

Nina fut réveillée par la bonne odeur de café que Margareta venait de verser. Elle réalisa qu'elle avait faim. La jeune policière avait obtenu l'hospitalité pour la nuit. La veille, elle avait récupéré les quelques affaires auxquelles elle tenait encore. Elle s'était promenée longuement dans le fjord. Elle tournait une page de sa vie, elle s'en rendait bien compte, et tenait à donner de la solennité à ce moment. Elle respirait profondément, s'imprégnait à nouveau de ce paysage idyllique qui avait ciselé son enfance. Ces hautes montagnes abruptes, ces tapis de verdure à mi-pente où elle courait derrière les moutons, les échafaudages de bois où les morues séchaient, exposées aux vents de l'Atlantique. Elle se rappelait cet argent de poche gagné comme tous les enfants du village à couper les langues de morue et à les vendre comme des gourmandises. Elle s'avança jusqu'au bord du fjord, regarda ces rochers en contrebas où elle avait connu son premier grand drame, la découverte d'un agneau fracassé sur les rochers. Un agneau que son père avait aidé à mettre au monde, en compagnie de Nina. Pendant près d'une semaine, elle était restée inconsolable. De ce jour, son père avait pris l'habitude de lui caresser les cheveux le soir pour l'aider à s'endormir. Nina ferma les yeux et put sentir à nouveau cette caresse tandis que le vent du large lui chuchotait des mots si souvent entendus. Elle était à peine adolescente lorsqu'il avait disparu.

Lorsqu'elle était rentrée en fin d'après-midi, elle avait frappé à la porte de Margareta. La vieille voisine lui avait servi un bol de soupe et Nina était partie s'écrouler dans la petite chambre que Margareta lui avait préparée, incapable de lutter contre la fatigue et les émotions. Elle avait dû écourter un coup de téléphone de Klemet, qui lui faisait part de son intention d'enquêter plus avant sur Gunnar Dahl et Markko Tikkanen. Il voulait aussi se pencher davantage sur Nils Sormi, et Nina eut juste la force de lui déconseiller cette dernière enquête, à cause de la gifle.

Au réveil, les idées à nouveau claires, elle posa les enveloppes à côté de son bol de café. Elles étaient déjà anciennes, écornées. Sa mère n'avait pas voulu lui dire pourquoi elle avait gardé celles-ci ni combien elle en avait jeté. Les lettres étaient adressées expressément à Nina. Quel âge avait-elle alors ? Quinze, dix-sept ans ? Elle ouvrit la plus ancienne, datée de ses quinze ans, celle-là. Une carte postale de la région de Stavanger. Son père commençait justement par lui souhaiter son anniversaire. Elle qui pensait qu'il l'avait complètement oubliée. Il avait toujours eu le chic pour lui inventer des surnoms, et il l'appelait cette fois-ci « ma Ninette ». C'était une lettre simple. « Bon anniversaire ma jolie Ninette, quinze ans, te voilà une vraie jeune fille. J'aurais voulu te serrer très fort dans mes bras, mais je dois encore rester là où je suis à cause du travail, j'espère que tu le comprendras plus tard. Mais tu dois savoir qu'il ne se passe pas un jour sans que je pense à toi. Prends bien soin de toi, et reste la jeune fille forte et décidée que tu as toujours été. »

Nina se demandait pourquoi cette carte avait été épargnée. Pourquoi celle-ci parmi d'autres puisque, apparemment, il avait tant écrit. Elle regarda à nouveau la carte, puis le cachet sur l'enveloppe. L'adresse postale correspondait. Mais elle était si vieille.

La lettre suivante était du même genre. Des mots de tendresse, l'évocation d'une promenade qu'ils avaient faite pendant deux jours sur le plateau au-delà du fjord, lorsqu'ils avaient campé sous la tente pour la première fois. Nina se rappelait très bien cette escapade. Elle avait une dizaine d'années, elle avait été très fière de marcher avec son sac à dos pendant des heures. Elle revoyait aussi ce qui n'apparaissait pas dans la lettre de son père. Cette nuit passée avec lui, sous la tente, où il avait été secoué de cauchemars. Nina avait été terrifiée. Le lendemain matin, elle lui avait dit sur un ton de reproche qu'il l'avait empêchée de dormir et elle avait vu le regard de son père, un regard qu'elle n'avait jamais oublié. Il n'avait pas répondu à ses questions, il l'avait juste ébouriffée en s'excusant et il était parti en riant jusqu'à la rivière pour se laver, bientôt rejoint par Nina qui avait hurlé en riant dans le froid de l'eau glacée. Encore une boîte postale, une adresse en Finlande cette fois. Qu'avait-il été faire là-bas ? Il ne disait rien là-dessus.

Il ne disait rien sur lui, dans aucune des lettres. «Ici, tout va bien.» La même formule. Encore dans la lettre suivante. «Bon anniversaire ma grande Nanou, seize ans, te voilà une vraie jeune fille maintenant», «... prête à affronter le monde», «Ici, tout va bien». La lettre était à nouveau postée de Finlande, d'Utsjoki. Nina regarda sur son téléphone. Utsjoki était un petit village de Laponie finlandaise, sur la frontière norvégienne. Les autres lettres – elles n'étaient pas très nombreuses – étaient aussi postées de ce petit village. Jusqu'à la dernière «Ma très chère Nina, vingt ans déjà, quelle magnifique jeune femme tu dois faire. » Avec comme adresse à Utsjoki ce qui devait être une sorte de boîte postale. Pouvait-il être en Laponie ? Mais qu'y faisait-il, s'il y était encore ? Il était peut-être là, si proche d'elle finalement.

Hammerfest. 9 h.

Tom Paulsen finissait de se raser. Nils tenta de se composer une bonne mine. Il était surexcité. Mais resta prudent. Il raconta le coup de téléphone, sans préciser la somme.

– Un gros paquet en tout cas, mais ce n'est pas ça l'important.

– Et aucune idée sur ce type ?

Sormi secoua la tête.

– J'attends un courrier de l'avocat dans la semaine. Cette tête d'œuf n'a rien voulu dire. Franchement, j'y pige rien. Mais, en tout cas, ça va pouvoir accélérer mon petit projet sur la corniche.

– Sauf s'il y a une contrepartie, tu y as pensé ?

– Et pourquoi il y en aurait ? L'avocat n'a rien évoqué de tel. Une assurance vie, bon Dieu, un mec qui t'a à la bonne te file un gros paquet à sa mort. Point-barre. Pas de contrepartie là-dedans. Ça arrive tout le temps, ces machins-là.

Son binôme semblait sceptique. Pouvait-il le soupçonner de quoi que ce soit ?

– Et tu as la moindre idée d'une personne qui aurait pu te faire un tel cadeau post mortem ?

– Dans ma famille, je ne vois personne qui a disparu récemment.

Tom le regardait à nouveau avec un air qui lui inspirait le doute.

– Dis ce que tu as sur le cœur.

– Je ne sais pas, je pense à cet accident de caisson, à ces messages que tu as reçus, et…

– Et que j'ai reçus à nouveau deux jours plus tard, les mêmes mots exactement, à une heure d'intervalle, comme la première fois, et idem encore deux jours plus tard.

– Les messages, donc, et puis ce paquet de fric maintenant. Sois prudent seulement, c'est tout ce que je veux dire.

– Ce que tu veux dire ? Tu peux être plus précis ?

– Je te dis simplement de faire gaffe. Tout le monde ici sait que le Texan t'avait vraiment à la bonne.

38

Skaidi. 10 h 30.

Les obsèques de Lars Fjordsen étaient fixées au mercredi 12 mai. La commissaire Ellen Hotti avait insisté aussi explicitement que possible sur l'urgence d'établir les circonstances de la mort du maire avant la cérémonie. Trop de politiciens et de responsables en tous genres allaient assister à l'enterrement. Ellen Hotti ne pourrait éviter une pluie de questions et elle entendait bien y répondre. Klemet avait tenté de protester. Ce n'était pas du ressort de la police des rennes. Mais la commissaire avait balayé son objection. Toutes les forces devaient être mobilisées. Que Klemet ne l'embête pas avec des détails. Il appela son oncle. Nils-Ante avait retrouvé le contact dont il lui avait parlé. La tante de Nils Sormi habitait Alta, à une grosse heure du refuge de la police. Klemet avait le temps de l'interroger avant le retour de Nina. Elle atterrissait à 17 h 18 à l'aéroport d'Alta et il en profiterait pour aller la chercher. Cela lui ferait plaisir. Peut-être.

Il resta vague au téléphone, mais la tante de Nils Sormi accepta de le recevoir. Voix agréable, éraillée. Fumeuse. Comme Eva. Enquêter sur Nils lui faisait prendre des risques. On pouvait l'accuser de s'acharner, de vouloir régler des comptes personnels, surtout après la gifle. Enfoncer Sormi pour justifier, après coup, son enquête approfondie, et pouvoir dire, vous voyez, j'avais raison de me méfier de lui. Klemet avait du mal à se l'avouer, mais un détail le troublait : cette tache de vomi sur la manche de combinaison de Sormi. Il ne lui en avait pas reparlé. Même sur le lac, lorsqu'ils s'étaient expliqué. Un détail qui ne collait pas à l'image généralement associée au petit chouchou des compagnies pétrolières. À ce jeunot arrogant qui traficotait je ne sais quoi avec Tikkanen. Pourquoi Klemet ne parvenait-il pas à se détacher de ce sentiment ? Lui, flic rationnel par excellence, tenu en échec par une vulgaire tache de vomi.

Après une heure de route, il tapa à la porte d'une petite maison coquette, d'un bois jaune fraîchement repeint. Les fenêtres aux rebords blancs étaient voilées de rideaux. Au moins, elle n'est pas laestadienne. Les adeptes de cette mouvance luthérienne habitaient en nombre à Alta. Une femme d'une cinquantaine d'années vint lui ouvrir. Elle regarda Klemet avec amusement. Il resta un instant sans réagir, essayant de réaliser à quoi il ressemblait dans sa combinaison d'uniforme gris foncé et ses bottes de marche. Il enleva sa chapka, s'essuya les pieds et défit ses chaussures. L'oncle Nils-Ante ne lui avait pas menti. Jolie femme aux cheveux noirs, visiblement teints. Sûre d'elle. À la façon de Nils Sormi, sans la touche d'arrogance du jeune plongeur. D'après son cher oncle, Sonia Sormi ne s'était jamais mariée, ce qui ne l'avait pas empêchée d'avoir une vie sentimentale tout à fait honorable menée généralement dans la plus grande discrétion. Klemet n'avait pas cherché à savoir si son oncle avait figuré sur la carte amoureuse de cette belle quinquagénaire. Sonia Sormi enseignait la gastronomie dans une école professionnelle d'Alta spécialisée dans la mécanique. Ses élèves voyaient son cours optionnel comme une soupape et cela ne la dérangeait pas. Elle le fit entrer dans la cuisine. Une cafetière fumait. Elle remplit deux tasses, s'assit, sourit à Klemet, dans l'attente qu'il prenne la parole.

– J'aimerais autant que cette conversation reste entre nous.

Sonia Sormi ne lui offrit qu'un air interrogatif et toujours amusé. Klemet regrettait de ne pas s'être préparé. Qu'avait-il sur Sormi ?

Le plongeur avait récupéré le corps d'Erik Steggo.

Il avait des contacts étroits avec Tikkanen.

Il se trouvait sur le navire-hôtel au moment de l'explosion du caisson qui avait coûté la mort à deux hommes avec qui il avait eu des différends peu de temps auparavant. Il avait, lui plus que quiconque, la connaissance requise pour manipuler un tel caisson et provoquer un accident. Était-il de mèche avec l'homme reconnu par les prostituées russes et retrouvé noyé au détroit du Loup ? Pourquoi n'ai-je pas pensé à cette hypothèse plus tôt ? En face de lui, Sonia Sormi respectait son silence, buvant son café à petites gorgées.

Nils, Erik, Juva, trois amis d'enfance.

– Je veux comprendre un peu mieux la personnalité de Nils.

– Pourquoi, tu le soupçonnes de quelque chose ?

– Non, non, c'est bien la raison pour laquelle je souhaite que cela reste entre nous. Pas la peine de faire des vagues. Si cela te gêne, je ne t'importune pas plus longtemps.

– Non, reste.

Elle posa la main sur la tasse de Klemet.

Il fut sensible au geste, comme si elle lui avait touché la main. Il en sentit presque la chaleur.

– Est-il du type rancunier ?

– Quelle drôle de question ! Rancunier ? Elle secoua la tête. Je ne sais pas, comme nous tous j'imagine. Nils a passé beaucoup de temps chez moi, quand ses parents l'ont éloigné du milieu sami.

– Éloigné ?

– Oui, éloigné. Je ne peux pas dire autrement. Mon frère et sa femme vivaient à Kautokeino, Nils a grandi là-bas, mais ils ont décidé assez vite de l'envoyer sur la côte, chez moi en fait. C'était la décision de ma belle-sœur, surtout. Cela ne me posait pas de problème. Je n'avais ni mari ni enfant. Il habitait chez moi quand il a vu un scaphandrier pour la première fois. Il était tellement excité.

– Je ne savais pas qu'il y avait aussi eu des plongeurs à Alta.

– À l'époque, j'habitais encore à Hammerfest. Je travaillais dans une usine de poissons. Avant que le gaz n'emporte tout. Ce fut une espèce d'aubaine pour Nils. Ses parents l'ont poussé vers ce milieu. Ils étaient trop heureux de…

– De l'éloigner ?

– Oui.

– Je ne comprends toujours pas.

– Tu es sami ?

– Ça ne se voit pas ?

– Pas vraiment, non.

– J'imagine que je dois répondre oui à ta question. Elle rit.

– Tu n'as pas l'air sûr de toi…

– Tu as tout compris.

Elle resta un moment à le regarder, l'air grave et bienveillant.

– L'histoire n'est pas très drôle mais tu en connais des bouts, comme tout le monde, si tu es un Sami des villes. Mon frère est un gentil garçon mais il est assez fragile. Nos parents ont grandi avec un malentendu. Dans notre famille, on a longtemps été fiers d'un de nos ancêtres.

Elle réfléchit un instant, comme si elle comptait.

– Arrière-grand-père, enfin arrière-quelque chose, plus vieux encore sûrement. Il avait fait le tour d'Europe. Ce n'était pas fréquent à l'époque, je t'assure. Il y avait des photos de ça chez mes grands-parents, avec des souvenirs de ces voyages. Et puis dans les années 1970, ou plutôt 1980, il y a eu le retour de bâton. Moi j'étais toute jeune, mon frère est un peu plus âgé que moi.

– Un retour de bâton ?

– Je crois qu'un jour, un jour de manif contre le projet de barrage d'Alta, mon frère a été pris à partie par des militants. À l'époque, tu le sais, les Sami se sont politisés comme jamais avant.

Klemet écoutait sans rien dire. Il ne le savait que trop bien.

– Ils dénonçaient la politique colonialiste passée, avec tous ses attributs. Et l'un de ces jeunes s'était rappelé que le fameux grand-père ou arrière-je ne sais quoi avait été…

– Oui ?

– Il avait été exhibé dans les foires. Comme un bon sauvage. Tu sais, cette époque…

Klemet hocha la tête.

– C'était une autre époque. Et, dans notre famille, on avait toujours entendu cette histoire comme une source de fierté. L'arrière-grand-père qui avait été choisi pour aller faire le tour d'Europe. Avec ces photos, où il posait fièrement, avec quelques rennes et toute une famille. Et puis ces manifestants ont tout cassé. L'ancêtre avait été une victime honteuse et consentante de la politique raciale de l'époque, il ne pouvait, ne devait en rien être source de fierté. Et il y a eu des mots durs, à l'époque. Mon frère n'était pas préparé à ça. Il s'est recroquevillé sur lui-même. J'ai eu peur pour lui. Il n'osait plus sortir.

Elle se leva pour remplir les tasses de café. Klemet voyait qu'elle était émue.

317

– Le grand-père est devenu un sujet tabou dans la famille. Mon frère en a voulu à nos parents de nous avoir élevés dans le culte de cet animal de cirque.

– Ils n'y étaient pour rien. C'était l'époque qui était comme ça.

– Va expliquer ça à un ado. Il l'a vécu beaucoup plus durement que moi. Je ne sais pas ce que ces types lui ont dit à l'époque, mais ça a bousillé mon frère. Il a rejeté complètement tout ça et tout le folklore qui avait entouré le côté sami éleveur de rennes.

– Et le lien avec Nils aujourd'hui ?

– Je ne sais pas. Mais Nils n'est pas au courant de cette histoire. Ce qui est sûr, c'est que je sais très bien pourquoi ses parents l'ont poussé hors de chez lui, hors de ce milieu des éleveurs, pour qu'il échappe à tout ça. À notre histoire.

Klemet avait eu du mal à quitter Sonia Sormi. Il se dit qu'il la reverrait peut-être. Elle lui avait montré quelques photos. Il s'était senti mal à l'aise. Il avait hésité à lui raconter sa propre histoire, celle de son grand-père écarté du milieu des éleveurs. Pour d'autres raisons. Parce qu'il avait perdu ses rennes. Mais des raisons qui faisaient tout aussi mal. Et l'histoire de son propre père qui avait vécu avec ce qu'il avait compris être une sorte de honte. Klemet voyait toute l'ironie de cette histoire. Ce petit con de Sormi et lui-même étaient finalement plus proches qu'il ne l'avouerait jamais.

En sortant de chez Sonia, il se dirigea vers le loueur de voitures situé sur la E6, la route de l'aéroport, sur la petite zone industrielle en bordure du fjord. La fonte de la neige était plus marquée ici qu'à l'intérieur des terres. Il s'arrêta devant l'enseigne suspendue au-dessus de l'entrée d'un hangar. Devant une petite porte, une table et deux chaises de camping dessinaient une sorte de salle d'attente improvisée, à côté de la grande entrée du hangar. Un homme fumait en le regardant descendre du pick-up. Un bonnet lui couvrait presque les yeux. Klemet le salua et lui expliqua ce qui l'amenait. L'homme se leva lentement et revint avec un classeur qu'il posa sur la table branlante. Il invita Klemet à s'asseoir et lui remplit une tasse de café. Il n'avait toujours pas prononcé un mot. Il ouvrit le classeur à la page voulue. Le contrat de location de la camionnette retrouvée au fond du détroit était au nom d'un Norvégien. Klemet montra les photos des trois hommes au loueur. La cendre frémissait au bout de sa cigarette. Elle tomba sur les photos. Il ne fit rien pour l'enlever. Pointa le doigt sur un visage. Klemet regarda la photocopie du permis de conduire. La photo était la même que sur le passeport. Les deux documents avaient dû être fabriqués en même temps. Il s'agissait bien de Knut Hansen. Qui était ce type ? Le passeport de l'autre était-il aussi faux ? Et Anta Laula, que fichait-il là ? Lui, au moins, avait été identifié. La commissaire Ellen Hotti lui avait recommandé de ne pas se perdre. L'enquête de la police des rennes devait porter sur l'affaire Sikku et le milieu des éleveurs, les liens éventuels avec l'histoire Fjordsen. Laisse tomber le reste, avait-elle insisté. Tu n'es pas le seul flic de la région. Il savait que ses collègues avaient téléphoné au loueur pour s'assurer du nom du conducteur. Il le savait. Il n'avait pas besoin d'être là. Ce n'était pas son boulot. Mais c'était juste à côté de l'aéroport, en attendant Nina. Comme ça, en voisin.

Klemet feuilleta le reste du registre. Il regarda le loueur, mégot au coin de la bouche. Il espérait que d'autres noms attireraient son attention. Il repensait à Fjordsen. Le maire d'Hammerfest avait pu attirer ici de vieux ennemis. Mais aucun nom n'éveillait quoi que ce soit. Cela ne voulait rien dire. Si le type de la camionnette avait de faux papiers, d'autres pouvaient en avoir. Il nota les noms, se fit faire une photocopie du permis de conduire, vrai ou faux, il l'ignorait encore. Aucun permis n'avait été retrouvé dans la camionnette. Il devait pourtant être quelque part, en cas de contrôle routier par exemple. Il fallait bien que le permis de conduire coïncide avec le contrat de location. Buter sur un vulgaire permis de conduire.

– Tu n'as rien remarqué quand ce type est venu te louer la camionnette ?

Klemet se demandait si le loueur serait capable de desserrer la bouche pour articuler des mots audibles. Il attendait, curieux.

Il secoua la tête. Non, il n'avait rien remarqué.

– Comment a-t-il payé ?

– Il n'a pas payé.

Klemet fut presque étonné de l'entendre parler. Une voix lente, caverneuse. Il n'a pas payé.

– Il devait payer en ramenant le véhicule ? Tu as pris une empreinte de carte bancaire ?

– Il n'avait pas de carte bancaire. Il a montré une carte de visite d'une entreprise, avec son nom, et il a donné les coordonnées d'un autre type qui devait se porter caution. Son chef, d'après ce que j'ai compris.

– Ça ne t'a pas paru bizarre ?

– Ça se fait dans le coin, avec toutes ces entreprises qui emploient des sous-traitants.

– Et tu as vérifié ?

– On fait confiance dans ce pays.

– Et on peut voir la carte ? demanda Klemet.

Elle était agrafée derrière le contrat de location. Il prit une photo de la carte et la retourna. Il découvrit le nom de la caution. Son regard resta figé. Il dégusta. Comment ses collègues avaient-ils pu louper ça ?

– Tu as dit ça aux policiers qui t'ont interrogé ?

– Ils m'ont juste demandé de vérifier le nom sur le contrat.

– Ils n'ont pas vu ça ? dit Klemet en levant la carte.

– Difficile par téléphone.

– Et tu ne leur as pas dit.

– Ils ont pas demandé.

Klemet sentait qu'il ne servait à rien d'insister. Il leva les yeux au-dessus du fjord et regarda sa montre. Nina allait atterrir.

Hauteurs de Kvalsund. Dans l'après-midi.

Depuis le matin, Anneli avait parcouru toute la vallée le long de Ravdojavri, passant le col entre Unna Jeahkiras et Skoletoppen. La fatigue que lui imposait cette longue randonnée à ski la calmait. Elle s'arrêta au bord du lac gelé d'Handdljavri, observant la surface. Avec le soleil qui luisait, la neige qui recouvrait une partie du lac était lourde d'humidité. Elle avait fondu par endroits. La couche de glace était encore suffisamment épaisse pour supporter son poids. Il en allait autrement de la neige. C'était de la *siebla*, de la neige en train de dégeler, mais qui avait regelé tôt ce matin, pour redevenir *tjarva* et fondre à nouveau. Quand la neige redevenait *tjarva* avec le froid de la nuit, qu'elle était à nouveau dure, les rennes devaient être surveillés avec plus d'attention encore car ils pouvaient profiter de la dureté de la neige pour partir au loin. Avec d'autres, Anneli avait passé une partie de la nuit à les surveiller, pour s'assurer qu'ils ne s'éparpillent pas avant la dernière étape de la transhumance qui devait les amener jusqu'au détroit, et au-delà, sur l'île de la Baleine. Elle avait attendu que la neige recommence à se ramollir ce matin pour relâcher la surveillance. Dans la petite vallée où ses rennes paissaient, la couche de neige était encore assez consistante. Ils en avaient au moins jusqu'au ventre, et cela les freinait. Tout n'était plus qu'une question de jours. Elle aurait dû partir se reposer ce matin mais trop d'idées lui traversaient l'esprit. Après un petit-déjeuner pris en commun sous la hutte de Susann avec les autres, elle avait chaussé ses skis. Elle reviendrait dans l'après-midi, avait-elle annoncé.

Anneli glissait sur la neige et la difficulté ne la freinait pas. En ce jeudi ensoleillé, elle croisa quelques familles norvégiennes qui partaient en randonnée à ski. Au moins ceux-là n'utilisaient-ils pas leur scooter dans cette zone si sensible. Anneli leur signala la présence de troupeaux plus loin et les Norvégiens la remercièrent avant de poursuivre vers une autre vallée. Si tout le monde y mettait ainsi du sien, pensa Anneli, la Laponie était bien assez grande pour toutes les bonnes volontés.

Elle traversa le lac. Par endroits, il n'était plus que glace presque translucide et Anneli s'émerveillait des teintes éclatantes qu'elle prenait avec les reflets du soleil. Elle quitta un moment le lac pour remonter à flanc de colline. Son rocher sacré était à découvert. Son rocher. Leur rocher. Elle avait été étonnée quand Erik l'avait amenée ici la première fois, deux ans auparavant. Au printemps aussi, mais un printemps plus doux, plus merveilleux, plus chaud, celui de leur promesse. Ils étaient venus à ski et Erik, sans rien lui dire, lui avait dit de poser ses skis à côté des siens au bord du lac et de la suivre. Ils avaient grimpé. Pas très longtemps, jusqu'au sommet de la petite colline. Vers le sud-est, on dominait le lac et on devinait la rivière Kvalsund, encore gelée. En se tournant vers le nord-ouest, on voyait clairement l'île de la Baleine, au-delà du détroit.

L'air mystérieux, Erik avait sorti de son gros sac à dos une peau de renne qu'il avait étendue sur la neige, contre un rocher. Le sommet de la colline n'était qu'à quelques mètres d'eux, derrière de gros rochers gris mouchetés de lichen brun et jaune. Erik finissait de sortir un thermos et des tasses en bouleau. Il avait tout prévu et elle s'était sentie inondée de bonheur. Il avait remis son sac sur le dos et, sans un mot, l'avait prise par la main. En contournant le sommet, côté sud, il l'avait conduite jusqu'à une pierre pointue et dressée vers le ciel, qui semblait se détacher du sommet et pencher légèrement vers le vide. Elle était de la taille d'Erik. Les abords étaient enneigés. Erik s'agenouilla et sortit de son sac un bois de renne. « Tu t'en rappelles ? » Oui, elle s'en rappelait. Quelques jours plus tôt, ils se promenaient au marché de Kautokeino, pendant le festival de Pâques. Un de ses grands-oncles vendait des bois de rennes aux formes extraordinaires. Erik avait pris Anneli par la main et les deux jeunes gens s'étaient amusés à interpréter les formes. Erik se plaignait de n'être capable d'aucune poésie face à elle et Anneli lui avait seulement souri, touchée par son humilité. Est poète celui qui sent la beauté des choses, lui avait-elle dit doucement. Il n'est besoin de mots pour voir le beau. Il lui avait serré la main, visiblement ému. Elle avait montré un bois dont des branches semblaient vouloir tourner l'une sur l'autre. Erik s'était disputé avec son oncle sur le prix, l'accusant de vouloir lui vendre un bois de renne mâle castré au prix d'un non castré. Les palabres avaient duré un temps et Anneli avait alors aperçu un bois dont la forme ressemblait à un arbre généalogique, d'une régularité et d'une douceur uniques. Une œuvre d'art à l'état pur. L'oncle avait pris un regard malicieux, toisé son neveu, lancé un clin d'œil à Anneli et déclaré que le bois n'était pas à vendre. Erik avait failli sauter sur son oncle qui avait éclaté de rire en déclarant d'un ton solennel que celui-ci était d'un mâle non castré, et qu'il le lui donnait. Tout le monde avait ri à nouveau, Erik avait poursuivi son oncle en essayant de le taper. Des moments rares de joie simple et vraie. L'oncle avait ensuite repris un air sérieux et s'était approché d'Erik et Anneli. Ce bois-ci, avait-il raconté, je ne pouvais le vendre pour la bonne raison qu'il m'a été donné par un marchand finlandais il y a bien long-temps. Ce marchand était pétri de remords, car il avait pris le bois sur un rocher sacré que lui avait indiqué un vieil éleveur qui n'avait plus toute sa tête. Et, en outre, le marchand avait fait boire le vieux Lapon. Erik avait regardé son grand-oncle d'un œil grave et lui avait assuré qu'avec lui, ce bois serait entre de bonnes mains. Et voilà qu'Erik le ressortait maintenant de son sac à dos. Ce bois était fait pour nous, lui dit-il. Je voulais un bois de mâle non castré, ajouta-t-il avec un air d'enfant sérieux, car ce bois-là est plus dur et plus résistant que celui d'un mâle castré. Et je voulais un bois aussi résistant que l'amour que je te porte.

Ce jour-là, Erik avait osé la demander en mariage. Il avait placé le bois derrière le rocher sacré, leur rocher sacré, jaillissant vers le nord.

Anneli n'était pas revenue au rocher depuis le départ d'Erik. Elle avança la main et sentit le bois. Elle sentit une vague de chaleur la submerger. Elle ferma les yeux un moment. Pria, comme le faisaient les Sami dans le secret de leur âme lorsqu'ils revenaient à leur foi d'antan, loin des yeux du monde.

Aéroport d'Alta. 17 h 30.

Klemet vit au premier coup d'œil que le voyage de Nina s'était mal passé. Traits tirés. Ses yeux bleus viraient au gris tant elle semblait sombre. Elle lui fit un sourire mais ne se força pas. Nina cachait rarement ses émotions. Pas de faux-semblant, pas de comédie.

Elle s'arrêta à la sortie de l'aéroport et respira profondément. Elle alla s'asseoir à une table en bois. Elle posa sa valise sur le banc.

– Si j'avais fumé, j'en aurais bien grillé une.

– Je te ramène un café.

Klemet revint avec deux tasses fumantes.

– Tu as encore tes parents ? lui demanda-t-elle.

Klemet essaya de se rappeler s'ils en avaient déjà parlé. Sans doute pas. Elle n'attendit pas sa réponse.

– Je viens de perdre ma mère. Elle n'est pas morte, mais je l'ai perdue.

Elle parlait vite. Klemet écoutait sans l'interrompre.

– Comment ai-je fait pour la supporter toutes ces années ? Klemet, sois franc, est-ce que tu me trouves bizarre, parfois ?

– Bizarre ? Qu'est-ce que tu veux dire ?

– Mais je ne sais pas, avec des réactions... bizarres.

Klemet détailla sa collègue. Bizarre. Évidemment il la trouvait bizarre, une nana du Sud qui débarquait ici, c'était déjà bizarre en soi. Et puis toujours à dégainer son appareil photo, et ses remarques quand ça touchait aux femmes, tout ça était un peu bizarre, mais pas plus.

– Non, je ne vois pas. Tu es plutôt… normale.

– Ah, normale…

Elle ferma longuement les yeux. Les rouvrit et fixa Klemet.

– J'ai une piste pour retrouver mon père. Je pense qu'il a connu ce milieu de la plongée mieux que n'importe qui. Il pourra peut-être nous dire ce qu'Anta Laula faisait là. Et puis, il y a des trucs, là, je le sens.

– Nina, tu sais que tes instincts…

– Oh, pitié, ne commence pas avec ça.

– Tu ne te lancerais pas sur cette piste juste pour reprendre contact avec ton père, par hasard ?

– Mais pas du tout, tu dis n'importe quoi, on patine dans cette enquête, comme toujours, et il faut bien tenter d'avancer.

– Donc c'est seulement ton instinct ?

– Mais lâche-moi avec mon instinct, moi au moins je ne fiche pas des claques aux suspects.

Klemet ne répondit pas tout de suite. Ils buvaient leur café. Chacun boude de son côté. Nina avait vraiment une tête de petite boudeuse en ce moment. Ça lui allait bien. Il faillit le lui dire, et pensa qu'il risquait de se prendre du café chaud en pleine figure.

– Gunnar Dahl avait loué la camionnette.

– Quoi ?

– La camionnette dans laquelle les trois types sont morts noyés, Anta Laula et les deux autres, Gunnar Dahl s'était porté caution pour la location à Alta, j'ai vérifié avant que tu atterrisses.

– Dahl ? Mais ça n'a pas de sens. Qu'est-ce qu'il a dit ?

– Je ne l'ai pas encore interrogé.

Elle regarda sa montre.

– Il m'avait dit qu'il ne connaissait pas Laula. Il m'a menti. Un salaud sous son air de pasteur.

– Peut-être, peut-être pas, s'il connaît l'un des deux autres occupants de la camionnette.

– Dahl avait en tout cas intérêt à éliminer Steel et Henning. Et, après, il se débrouille pour éliminer les types qui ont fait le coup. La présence de Laula dans la camionnette peut être une pure coïncidence. Formellement, ça se tient.

– Formellement, un Norvégien ne bute pas des concurrents en Norvège pour avoir plus de concessions alors que ces mêmes concessions sont distribuées à tout-va en ce moment tant le gouvernement veut développer le gaz et le pétrole en mer de Barents.

– Allons bon, te voilà devenu spécialiste de ça maintenant ?

– Eva m'a briefé.

– La chère Eva, bien sûr.

Elle se renfrogna.

– Bon, on y va ?

Nina porta sa valise jusqu'au pick-up sans attendre Klemet et s'installa côté passager. Il la rejoignit le plus lentement possible.

– Je te dépose où ?

Il était encore tôt. Elle songea à un message qu'elle avait reçu en son absence dans le Sud.

– Tu peux m'emmener à Hammerfest ?

Il y avait à peine deux heures de route, et elle pourrait se changer rapidement au refuge de Skaidi. Ce soir, elle avait besoin de se changer les idées.

Lorsque Anneli s'était remise en route, il était encore tôt. Elle avait poussé jusqu'au pont de Kvalsund, l'avait traversé à pied et s'était dirigée vers le rocher qui bordait le détroit. Celui où les éleveurs allaient dans le temps déposer une offrande avant de faire traverser leurs rennes. Elle en fit le tour, comme l'autre jour. Passant sa main sur le rocher, tentant de comprendre ce qui avait pu se passer. La neige s'était clairsemée au pied du rocher. Sur la face orientée au soleil, des gouttelettes suintaient. Le printemps imprimait sa marque. Anneli aperçut quelques pièces dans des petits recoins du rocher. Elle ne pouvait se hisser assez pour voir ce que pouvait contenir ce rocher de prières secrètes. Elle s'accroupit un instant, essayant de se faire toute petite dans la trouée creusée entre ce qui ressemblait aux deux jambes du rocher. Elle se sentit bien un instant. Ferma les yeux, laissant son esprit vagabonder. Elle se redressa, parcourut le rocher, le caressant encore, sans se soucier des écorchures qui striaient sa paume et aperçut un petit bracelet en cuir. Il ne lui fallut pas longtemps pour l'identifier. Elle le prit dans sa main d'où perlaient des gouttes de sang, en éprouva la douceur un instant et décrocha son téléphone.

40

Black Aurora, Hammerfest. 20 h 50.

Nils Sormi et Tom Paulsen buvaient une bière sur la terrasse extérieure. Accoudé au bar qu'il avait fait installer, Nils contemplait la baie d'Hammerfest. Un super tanker était arrivé dans la nuit le long de l'île de Melkøya. L'*Arctic Princess*, un méthanier de près de trois cents mètres construit spécialement pour récupérer le gaz du gisement de Snø-Hvit, scintillait au loin. Sur le pont, ses quatre énormes demi-sphères orange, aussi clinquantes que la coque, exprimaient toute la puissance de cet énorme projet. Qui n'en était encore qu'à ses débuts. Bientôt, toute la mer de Barents grouillerait d'activités, comme cela avait été le cas en mer du Nord depuis les années 1970. Les navires d'étude sismique se bousculaient déjà. Leur tour était venu. L'impatience était telle que lorsque, en juillet 2011, Russes et Norvégiens avaient enfin signé le traité délimitant leur frontière maritime en mer de Barents, après trois décennies de négociations, le *Harrier Explorer*, un navire norvégien d'étude sismique, avait mis le cap pour la zone frontalière que l'on pense riche en hydrocarbures dans les minutes qui avaient suivi l'entrée en vigueur de l'accord. Oui, leur tour était vraiment venu.

Le flotel *Bella Ludwiga*, tout en arêtes, faisait pâle figure à côté de l'*Arctic Princess*. Une boîte à chaussures flottante. Nils Sormi repensait à l'accident qui avait coûté la vie à Steel et Henning à l'arrière du navire-hôtel. Il but une gorgée ambrée. Les deux hommes n'avaient sans doute pas eu le temps de souffrir. Ce n'est pas ce qu'il leur souhaitait. Il imaginait très bien, au dixième de seconde près, le film des événements lors de l'ouverture du sas. Henning, lui, avait dû comprendre ce qui allait se passer. Lui avait peut-être eu le temps d'avoir peur. Steel ? Steel n'était pas un ancien plongeur. Henning l'avait été dans sa jeunesse. Henning avait peut-être eu le temps de comprendre que ses cellules allaient être pulvérisées sous l'effet de la décompression brutale. Nils avait vu des photos. La peau boursouflée et décollée des os du visage, un masque absurde, horrible, qui rappelait les masques grimaçants ciselés chez certains peuples primitifs.

– Tu penses à cette assurance ? lui demanda son binôme.

– Oui, une sacrée surprise, j'y pige vraiment rien. Mais bon, je garde le pognon, tu peux en être sûr.

– Ça pourrait venir de l'Américain ?

Nils voyait comme s'ils s'étalaient devant ses yeux les restes du visage de Steel. Le sommet du crâne et la cervelle du Texan n'avaient pas été retrouvés. Son bras gauche avait été ramassé à dix mètres du caisson, arraché sous la jointure de l'épaule.

– De Bill ? C'est vrai qu'il m'aimait bien. Bizarre.

– Il avait fait de toi le plongeur vedette de South Petroleum à Hammerfest. Il appréciait vraiment ce que tu faisais.

– Ce gros porc de Texan qui voulait se taper ma gonzesse.

– Il était bourré.

– Un gros porc qui m'a humilié.

– Nils, fais attention à ce que tu dis en public.

Son ami lui avait parlé d'une voix calme. Mise en garde sincère, il le savait. Il s'inquiétait pour lui. Nils restait songeur.

– La seule chose intacte qu'on a retrouvée de lui, c'est sa casquette des Chicago Bulls. Quelle putain de rigolade.

– Ce message, tu as une idée ?

– *Des profondeurs* ? Tu veux dire qu'il y aurait un lien avec cet… cet accident ? Quel genre de lien ? Que ça pourrait me relier à leur mort ?

– Tu dois tout envisager, avant que d'autres ne le fassent pour toi. Avec ce paquet d'argent, les gens vont se poser des questions. La police notamment. Tu devrais peut-être prendre les devants, leur raconter.

Nils regarda son ami sans comprendre. Fait rare. Paulsen était la personne au monde en qui il avait toute confiance. La personne qui le comprenait mieux que quiconque. Mais serait-il prêt à tout comprendre, vraiment tout ?

– Je veux dire, continua Paulsen, que ça désamorcerait certains soupçons.

Nils resta longuement silencieux. Les deux hommes buvaient leur bière à petites gorgées, sans se préoccuper des clients qui remplissaient le Black Aurora, jetaient un œil sur la terrasse et leur adressaient un signe. Nils ne faisait pas attention à la musique. Ni aux saluts. Elenor était rentrée à Stockholm quelques jours. Loin de lui, il se fichait de ses extravagances. À Stockholm, on ne le connaissait pas. Son image n'en pâtirait pas.

– Il m'est arrivé quelque chose récemment, commença Nils. Il regardait fixement l'*Arctic Princess*. Son ami devait l'observer intensément. Il y a quelques jours. Je…

Raconter ou pas ? Nils réfléchissait. Tom pourrait l'entendre. Mais Nils doutait à nouveau. Était-il vraiment capable de formuler ce qui lui était arrivé, d'expliquer ce qui l'avait amené à faire ce qu'il avait fait. Il ne voulait pas décevoir son ami. Tom était le seul qu'il devait pouvoir regarder en face, en toute circonstance. Un jour, sous l'eau, sa vie serait à ce prix.

Juva Sikku entra sur la terrasse à ce moment. L'éleveur devait mettre les pieds au Black Aurora pour la première fois, cela se voyait à son air emprunté. Nils le stoppa du regard. Fallait-il en plus qu'on le voie avec ce coureur de toundra ? Sikku resta à distance, attendant un signe de Sormi.

– Retrouve-moi dans une heure au Riviera Next, dit seulement Nils à son binôme.

D'un coup de menton, il indiqua à Sikku la sortie.

Nina heurta presque Tom Paulsen au moment où elle entrait au Black Aurora. Elle avait eu le temps d'aller se changer au refuge de Skaidi et Klemet l'avait déposée avant d'aller garer le pick-up.

À voir le sourire du plongeur, elle retrouva d'un coup l'impression du lac. Chaleur, confiance. Les yeux en amande, les lèvres ourlées.

Quand était-ce ? Hier. Hier ? Était-il possible qu'elle ait eu le temps d'aller voir sa mère dans ce laps de temps ? Impensable. Un mauvais rêve. Mais elle revoyait le visage creusé, les yeux inquisiteurs. Réels. Elle savait si bien vous donner mauvaise conscience sans prononcer un mot. Son visage s'assombrit. Le sourire de Tom disparut quand il parut prendre conscience de son changement d'attitude.

– Besoin d'un remontant, on dirait. Du nouveau avec ton père ?

Nina suivit Tom jusqu'au bar en terrasse sans se poser de questions. Elle n'était pas assez connue ici pour que cela fasse jaser. Et ce soir elle s'en fichait. Il lui apporta un gin tonic. Elle n'en raffolait pas, mais elle le but. Elle aperçut par la vitre Klemet qui entrait, la cherchait du regard. Il la vit en compagnie et s'installa au bar intérieur. Elle l'aima pour ça. Nina sourit à Tom.

– Je ne pensais pas revoir mon père, et voilà qu'il est peut-être tout proche, que je vais peut-être réussir à le voir ces jours-ci et cela me donne le vertige.

– Tu disais qu'il avait été plongeur.

– Pêcheur d'abord, puis plongeur. Il a démarré au milieu des années 1970.

Tom Paulsen siffla. Avec une moue de la bouche. Une jolie moue. Mais une moue très expressive.

– Je ne peux qu'imaginer cette époque. Mais quand je vois comment on nous presse aujourd'hui, je me dis qu'il fallait un sacré courage pour être plongeur à cette époque.

– Ou de l'inconscience ?

– Beaucoup d'histoires courent sur cette époque. Des histoires incroyables. Avec une part de racontars sûrement. Mais avec d'innombrables accidents aussi. Et des morts. Des dizaines de morts en mer du Nord. Et de types détruits. Mais que tu ne vois pas. Le milieu écarte ces types-là.

– Les écarte ?

– Pas bon pour le moral des troupes.

– Tu as l'air critique…

– J'ai choisi ce métier parce que ça paye bien. Je n'en ai pas honte. J'ai découvert ensuite un esprit particulier. Ce travail d'équipe. Ce binôme que nous formons avec Nils par exemple. On peut penser ce qu'on veut de lui, mais il risquerait sa vie pour moi, je n'en doute pas une seconde. Et beaucoup de types qui ont risqué leur peau pour le pétrole ont été lâchés. C'est plus encadré aujourd'hui. Mais le milieu n'a pas été correct.

Nina resta silencieuse, regardant son verre vide.

– Je me demande si mon père avait un binôme comme ça.

– Il en avait un, sois-en sûre. Et si ton père est le genre d'homme que j'imagine à travers toi, il a dû risquer sa vie pour lui.

Nina le regarda en fronçant les sourcils.

– Mais tu ne me connais pas.

Tom Paulsen lui répondit d'un sourire et, d'un geste doux, il l'entraîna vers l'extérieur.

Klemet s'était demandé s'il devait rester au bar ou retourner à Skaidi. Il avait vu Nina sortir avec le binôme de Nils Sormi. Il n'appréciait pas vraiment. Ces plongeurs bourrés de fric qui n'avaient qu'à claquer des doigts pour… Un instant, ça lui rappela cette jeunesse pas si flamboyante où il attendait à la sortie des fêtes que les copines aient fini de se faire embrasser par les autres avant de servir de chauffeur. Le sympa Klemet, l'ami solide et fidèle, disaient-elles, qu'un bisou de remerciement au coin de la bouche suffisait à contenter, pas comme ces obsédés qui ne vous laissaient pas tranquilles tant qu'ils n'avaient pas fourré leurs mains partout.

Ce soir, du café, seulement du café, pensa Klemet. Il se rappelait une certaine gifle claquante que Nina lui avait flanquée le soir où il l'avait embrassée par… erreur ? D'accord, j'avais bu, et normalement je ne picole jamais. Embrasser Nina, une erreur ? Mais oui, mon vieux, une erreur. Une erreur de le faire bourré en tout cas. Quel idiot. Terrain mouvant. Une collègue. Et seulement une collègue. Point. Pas comme Eva. Il pensait Eva, mais voyait Sonia. Sonia Sormi, la jolie tante. Il avait envie d'être avec elle ce soir. Il était sûr qu'il la reverrait. Mais bon Dieu, pourquoi était-elle à Alta, et lui à attendre je ne sais quoi, que Nina ait fini de s'envoyer en l'air avec un mec au sourire de publicité ? Du café, seulement du café. Sonia Sormi. L'histoire qu'elle lui avait racontée l'avait troublé. Cet ancêtre exposé comme dans un zoo. Qu'est-ce que ça disait sur Sormi ? Rien, finalement, puisqu'il n'était pas au courant de cet épisode. Mais Klemet n'en était pas si sûr. Ses parents avaient tout fait pour le pousser vers ce milieu pétrolier. Ce petit prétentieux de Sormi avait l'air de s'y plaire comme un poisson dans l'eau. Le petit Sormi, la fierté des compagnies pétrolières. Klemet pensa au plaisir qu'il prendrait à lui révéler la vérité sur ses origines, à lui raconter comment on exhibait son ancêtre sur les planches des cirques d'Europe et comment on se servait de lui de la même manière.

– Tu as l'air bien songeur.

Nina venait de s'asseoir à ses côtés. Elle avait l'air malicieux. Il la regarda, un peu étonné.

– Eh bien quoi, tu n'as jamais vu une blonde ?

Il pencha la tête un peu de côté, comme pour souligner son étonnement, attendant qu'elle parle. Elle ne parla pas, se contentant de sourire. Il n'en tirerait rien. Il la vit prendre un visage plus sombre, soucieux. Il était toujours frappé de voir à quel point son visage exprimait le moindre de ses états. Et changeait si vite.

– Klemet, mon père…

– Ton instinct, encore…

Elle fit comme si elle n'avait rien entendu.

– Utsjoki, trois cents kilomètres, on peut y être en fin de matinée, le trouver, pas difficile, c'est un trou, on le voit, on est fixés et on est de retour demain soir. Irrésistible, non, comme proposition pour passer un vendredi de merde ? À moins que tu aies un plan à Kiruna ? Mais il y a le double de kilomètres, tu le sais.

– Pourquoi crois-tu tellement, un, que tu peux le retrouver si vite, et deux, qu'il peut nous aider ? D'autres pourraient le faire aussi bien, mieux sûrement. Des gens dans le coup. On devrait obtenir des infos du Directorat du pétrole, ou des compagnies de plongeurs. Ton père, ça fait une éternité qu'il a quitté ce milieu.

– Trop long, on n'a pas le temps. Bien sûr, on pourrait le faire, mais franchement ce n'est pas notre champ d'expertise. Et puis il a vécu cette époque, quand Anta Laula faisait je ne sais quoi là-bas. À moi, il dira peut-être des choses. Je ne suis pas sûre que les compagnies parlent trop de ces histoires. J'ai déjà bien vu la façon dont Gunnar Dahl présentait les choses.

– Il faut au moins demander à Hotti de s'en occuper, de son côté. Elle peut mettre un type là-dessus, ça nous soulagera.

– Bien sûr, bien sûr. On va demander à notre chère commissaire. Alors, Utsjoki ?

Klemet poussa un long soupir. Nina lui faisait un grand sourire, incapable d'en camoufler la fausseté. Elle avait les traits tirés, des cernes sous les yeux. Cette histoire la secouait.

– Mais on part tôt alors. Pas envie de rentrer à pas d'heure.

Nina lui prit la tête à deux mains et lui embrassa le front. Elle prit les clefs de voiture qu'il avait posées devant lui et les lui mit sous le nez.

– Allez, au dodo alors.

41

Le jeudi n'était pas jour de grande affluence sur le quai des Parias. Les deux bars ouvraient comme toujours mais les habitués étaient soit chez eux, soit, pour les plus entreprenants, au Redrum, voire au Black Aurora. Nils Sormi attendait à l'intérieur du Riviera Next. Son court entretien avec Juva Sikku sur le parking du Black Aurora lui avait permis de mettre la pression sur l'éleveur. Tikkanen devait être mis au pas et Nils comptait bien sur Sikku pour s'acquitter de la mission. Nils avait tenté d'être aussi évasif que possible tout en s'assurant que Sikku comprenne bien le message. Il fallait que ce soit discret, mais clair. «Tu comprends, Juva?» L'éleveur avait hoché la tête, il paraissait au supplice. Pauvre mec. Nils voyait à quel point Sikku voulait lui plaire. Si Tikkanen avait été là, il l'aurait assommé sur-le-champ. Et il m'aurait ensuite regardé avec son air d'ahuri. Tikkanen trempait dans des tas d'histoires, putes, caisson-lupanar, ses pro-messes en l'air. Surtout, il parlait trop. Notamment à la police. Trop soucieux de protéger ses petites affaires avec tout le monde. Il avait fait comprendre à Sikku qu'il en allait de leur intérêt à tous deux que Markko Tikkanen reçoive une leçon. «Une leçon, tu comprends, Sikku?» L'autre l'avait regardé avec l'air de ne rien comprendre du tout, mais Nils lui avait rappelé que Tikkanen avait

337

désigné à la police Juva Sikku comme le chauffeur des putes. «Tu t'en rappelles, ça, Juva?» Bien sûr il s'en rappelait. «Et à toi, il t'a fait des promesses aussi, le gros Markko, non?» Juva était gêné. Il réalisait que trop d'informations circulaient, et Dieu sait comment tout ça finirait. Ses pensées torturées creusaient son front. Nils avait invoqué leur vieille amitié. Il ne s'attendait pas à ce que Juva lui tombe dans les bras et l'éleveur n'était pas non plus idiot au point de ne pas comprendre que Nils le méprisait. Mais le plongeur pariait sur le besoin de reconnaissance de Juva. Il connaissait son projet de ferme sur la frontière finlandaise. Je pourrais investir, lui avait-il glissé, je crois en ton projet. L'autre s'était éclairé.

Sikku n'était pas blanc ou noir, le genre de type prêt à la compromission, dans tous les domaines, cela se lisait sur son visage, et c'était comme ça depuis l'enfance. Et, après tout, celle-ci n'était pas si loin. Pourquoi aurait-il changé? En se quittant, Nils lui avait nonchalamment glissé une carte de membre du Black Aurora dans la main. Tu lui fais comprendre au gros, hein? Je compte sur toi. L'autre avait esquissé un sourire. Qu'il était fier, ce pauvre con. Nils lui avait mis la main sur l'épaule, l'avait serré d'une pression qui voulait dire confiance et complicité, pouvait en tout cas s'interpréter ainsi, et l'avait poussé vers sa voiture.

Après avoir congédié Juva Sikku, il lui fallut à peine dix minutes pour venir se garer devant le Riviera Next. Sikku avait été facile. En apercevant Tom Paulsen qui l'attendait à l'une des tables à la banquette rembourrée, les images lui revinrent. Elles n'étaient pas agréables. Celle de Bill Steel, passe encore. Non, les autres. Il prit la bière que le serveur lui tendait et s'assit face à Tom.

– Qu'est-ce que tu fiches? demanda Paulsen.

Nils ferma longuement les yeux. Son binôme ne le jugeait pas. Il s'inquiétait pour lui. Il sentait qu'il se passait des choses.

– Un type est venu me voir il n'y a pas longtemps. Je l'ai connu quand j'étais gamin.

Les images. Celles-là n'étaient pas désagréables. Surtout les sensations qui les accompagnaient. Excitation à son comble, émerveillement, frissons, admiration, tout ce qui pouvait bouleverser un jeune garçon épris d'aventure et de dépassement. Et cette autre image, ces jours-ci. Il se rendit compte qu'il fixait son verre. Les bulles ambrées de sa Mack le ramenèrent à la réalité. Ces bulles qui lui en rappelaient d'autres qui pouvaient vous flinguer un plongeur.

– Je peux dire que c'est ce mec qui m'a entraîné dans le monde de la plongée.

– Tu m'en as déjà parlé.

– Oui. Eh bien ce type-là est revenu. Et… je l'ai à peine reconnu, Tom. Une épave. Je n'en croyais pas mes yeux.

– Comment ça, une épave ?

– Je ne sais pas… son regard… tu reconnais ça quand tu le vois, tu vois quand un type est parti en vrille, c'est des choses qu'on voit, non ? Sa façon de bouger, tu sens qu'il a mal, sa voix, ses mots, et puis ses yeux. Ce type-là était sur une autre planète.

– Qu'est-ce qu'il voulait ?

– Je ne sais pas. Il voulait me parler, d'une chose importante, mais…

– Oui ?

– Il a insisté. Il m'a dit qu'il avait besoin de moi, qu'il s'était trompé, que…

– Quoi ?

Affronter le regard de Tom, maintenant, penser à toutes ces valeurs qu'ils ressassaient entre eux, à la vie à la mort, se jurer l'un l'autre que jamais on n'abandonnera un camarade dans le besoin…

– Mais je l'ai renvoyé. Je lui ai dit de partir, que je ne voulais pas l'entendre.

Tom gardait le silence.

– Il voulait de l'aide, Tom, et je l'ai rejeté. Putain, ça fait des jours que j'ai ça en tête.

– Et tu ne sais vraiment pas ce qu'il voulait ?

Nils se contenta de faire non de la tête.

– Tu sais comment le joindre ?

La tête, de gauche, à droite, regard dans les bulles.

– Tu as envie de le retrouver ?

Nils releva les yeux pour les mettre dans ceux de Tom.

– Je ne sais pas.

Il se redressa, s'avança au-dessus de son verre, murmura.

– Il m'a fichu la trouille, Tom. Tout d'un coup, je me suis vu dans vingt ans, dans dix ans. Je ne sais pas pourquoi, d'où ça m'est venu, mais il m'a foutu la trouille, et je n'ai plus voulu le voir. Ce mec-là, bon Dieu, c'était mon héros de jeunesse. Et là, une épave, un mec qui venait mendier je ne sais quoi. Et j'ai pas pu, Tom, j'ai pas pu. Je lui ai tourné le dos.

Paulsen hochait la tête, à son tour plongé dans l'observation de sa bière.

– Tu sais quoi, on va le retrouver. Et on tentera de voir ce qu'il veut.

Nils mit un temps à relever les yeux. Il le remercia d'un rictus, mal à l'aise. Ils burent et restèrent silencieux un moment.

– Ces messages, ces sms, tu crois que ça venait de lui ?

– *Des profondeurs* ? Et l'autre imprononçable ? J'y ai pensé. Ça pourrait. Mais qu'est-ce qu'il voulait dire ?

– On trouvera, je ne sais pas comment, mais on trouvera.

42

Vendredi 7 mai.
Lever du soleil : 1 h 51. Coucher du soleil : 22 h 52.
21 h 01 d'ensoleillement.

Hammerfest. 6 h 30.

Il avait fallu à peine deux jours à Tikkanen pour trouver un semblant de solution. Dans l'affaire de la petite Steggo. Il avait pris sa voiture dès l'aurore pour la retrouver. Il la savait lève-tôt, après s'être un peu renseigné auprès de Sikku. Devenait nerveux celui-là. Il était temps que tout ça se termine. Il faut dire que tout le monde était nerveux. Les obsèques du maire Fjordsen mobilisaient beaucoup d'énergie. Et puis il y avait cette lumière aussi, ces jours sans fin. Des vraies piles électriques, ça leur mettait les nerfs à vif à tous. On ne s'en rendait pas bien compte, mais toute cette lumière, ça vous tapait sur le système. Heureusement que Tikkanen, lui, il avait les nerfs solides. Pas du genre à craquer, le Tikkanen, ça non. Pas une petite nature. Mais bon, sacré soleil.

D'après Sikku, la petite Steggo préparait l'embarquement du reste de son troupeau pour l'île. Elle devait utiliser le bateau de l'Office de gestion des rennes. Des faons étaient nés, avant l'heure, et ils étaient trop

341

faibles pour traverser le détroit à la nage. Ça arrangeait bien Tikkanen finalement, parce que ça allait dans son sens. Avec la proposition qu'il pensait faire à la gamine, elle n'aurait plus besoin de s'emmerder à faire passer ses rennes sur une île. Ben voilà, tout le monde serait content. Décidément, je suis franchement un chic type. Ah ça, Fjordsen, ça lui aurait pas déplu. Vraiment bête qu'il ait glissé comme ça. Contre-productif. Bah, son remplaçant fera très bien l'affaire. Tikkanen empruntait le tunnel, là où les rennes venaient chercher de l'ombre au plus fort de l'été, et il traversa bientôt le pont jeté sur le détroit. Il remit sa mèche en place en l'aplatissant comme s'il écrasait de la pâte, sans ménagement. Il eut un sourire. Fjordsen serait content de voir que Tikkanen avait réglé le problème de la petite Steggo. Un éleveur de moins sur l'île de la Baleine, ça ferait un beau cadeau post mortem au maire, tous les gens d'Hammerfest devraient bien en convenir. Ça pourrait même suffire à faire taire les mauvaises têtes qui l'accusaient de tirer des ficelles. Et alors, pour en faire des pelotes peut-être ? Il secoua la tête, sa mèche retomba. Je m'énerve tout seul maintenant. Je rends service moi, je rends service. Il aperçut les tentes du campement. On voyait de la fumée en sortir, des hommes et des femmes circulaient entre les tentes. Les enfants paraissaient dormir. Un éleveur en scooter, debout avec un genou posé sur la selle, passa devant lui en le forçant à piler. L'éleveur lui lança à peine un regard, poitrine bardée d'un lasso orange et cigarette au coin de la bouche. Tikkanen regarda la neige fondue par endroits et ses mocassins noirs. Ouais, ça n'allait pas très bien ensemble. C'est vrai qu'il ne sortait pas souvent de son bureau. Il se décida en voyant Anneli Steggo sortir d'une tente avec un bidon.

Le soleil brillait depuis déjà quelques heures mais la neige n'avait pas encore ramolli au point de ne plus

342

être porteuse. Il s'enfonça dès les premiers pas. Bon, quelques kilos en trop. La petite Steggo venait d'entrer sous une tente. Elle en ressortit bientôt tandis que Tikkanen tentait de sautiller d'une plaque de bruyère à l'autre. Il lui fit signe, épuisé par ces sautillements. Enfin il put lui expliquer ce qu'il avait en tête, il était fier, ça devait lui plaire. Il avait même amené une carte pour lui montrer son plan. Il voulait juste la consulter bien sûr, la décision ne lui appartenait pas, mais les terres d'un paysan déjà vieux pourraient faire l'affaire, là, sur la côte, près de Naivuotna, et les histoires de contrat, ça, Tikkanen se faisait un devoir de faciliter tout ça, un devoir, il insista sur le mot, pour la mémoire de ce pauvre Hendrik, ah oui pardon Erik, Erik, quel malheur, si jeune, si talentueux. Pendant qu'il parlait, cette bougresse le regardait à peine, les yeux perdus vers les montagnes et, quand elle le regardait, elle posait sur lui des yeux, comment dire, des yeux qu'on n'avait jamais posé sur lui. Normalement, il y avait toujours une petite marque de dédain, qui le rassurait sur le rôle que chacun tenait, mais pas là. Elle était ailleurs, mais pas méprisante, pas désagréable en fait, pas supérieure, et ça, Tikkanen, il faut bien dire que ça le déstabilisait un peu, qu'on ne le prenne pas de haut, avec un sourire en coin. Il s'était promis d'essayer d'arracher un accord de principe, mais là, il se trouvait tout chose, et il se retrouva dans sa voiture sans vraiment comprendre ce qu'il y faisait. Et elle n'avait presque pas ouvert la bouche.

Anneli avait laissé l'agent immobilier s'éloigner. Elle l'avait écouté sans vouloir lui répondre. Cela l'aurait sans doute blessé. Elle voyait bien où il voulait en venir. Son ami Olaf Renson l'avait mise en garde contre les gens comme Markko Tikkanen. Ils seraient là, à l'affût. Elle avait éprouvé de la peine. Cet homme ne connaissait pas les rennes. Sinon il ne serait pas venu la voir. Il avait l'air de penser qu'on pouvait changer les habitudes des troupeaux par la simple volonté. Sans savoir qu'un troupeau revenait toujours sur le même pâturage de printemps car c'était là et nulle part ailleurs que les femelles mettraient bas, comme les saumons revenaient à leur rivière natale pour frayer. Il fallait des années, quatre ans peut-être, pour qu'un troupeau se réhabitue à de nouvelles terres.

Cet homme ne la connaissait pas. Sinon il ne serait peut-être pas venu la voir. Il ne pouvait pas comprendre que pour elle, pour Erik, tout cela n'avait en fin de compte rien à voir avec les traditions. En dépit des apparences, Anneli n'était pas une jeune fille pour qui les traditions revêtaient tant d'importance. Elle voyait trop de gens qui au nom des traditions refusaient d'avancer. Tout le contraire du projet qu'Erik et elle partageaient. Depuis qu'Erik avait été emporté dans le détroit du Loup, elle pensait que son âme restée là lui indiquait la voie à suivre. Si quelqu'un avait voulu la décourager, il s'était trompé. Le rocher sacré du détroit était disputé, elle le savait. Olaf lui avait raconté avec sa touchante indignation le projet des autorités pour le déplacer sur la berge d'en face et permettre ainsi d'élargir la route. Cela n'avait aucun sens, s'était énervé Olaf. Elle l'avait calmé.

Elle demanda son scooter des neiges à Susann pour rejoindre Kvalsund, et de là emprunter la voiture de Morten Isaac qui avait simplement grogné en lui donnant les clefs. Une heure plus tard, elle atteignit Skaidi, juste à temps avant que Nina Nansen ne quitte la cabane de la police des rennes. Nina l'avait attendue, comme promis.

Elle entra et salua les deux policiers. Sans attendre, elle tendit à Nina le bracelet en cuir.

La policière la regarda en fronçant les sourcils, sans toucher le bracelet.

– Anta Laula en est l'auteur, j'en suis sûre. On reconnaît son motif. Je l'ai trouvé au rocher sacré.

Klemet Nango prit un sachet plastique dans lequel il la fit déposer le bracelet.

– Oui, je me rappelle en avoir vu d'identiques à l'exposition de Kiruna, dit Nina. Où l'as-tu trouvé exactement ?

– Sur le rocher, dans une espèce de petite faille.

Nina reprit le bracelet, le retournant entre ses doigts. Il était en peau de renne, noir, avec des fils d'argent à base d'étain. Ces bracelets devenaient de plus en plus populaires. Celui-ci était particulier. L'entrelacement des fils d'étain ondulait jusqu'à un motif.

– Je pense qu'il s'agit d'une stylisation de son ancienne marque de renne, dit Anneli.

– Je suis quasiment sûre qu'il n'y était pas l'autre jour quand...

Nina se tut. Anneli lui sourit.

– Quand Erik s'est noyé, n'est-ce pas ?

Nina hocha la tête. Anneli se leva.

– J'aurais sans doute besoin de votre aide samedi. Je dois faire traverser le reste du troupeau. Il faudrait bloquer la route, le temps que les rennes embarquent sur le bateau.

Les policiers la raccompagnèrent. Quand ils partirent, Anneli vit Nina brandir le bracelet et s'engager dans une conversation animée. Anta Laula allait-il réussir à faire passer un dernier message ?

Le pick-up de la patrouille p9 roulait depuis déjà une bonne heure et longeait le fjord de Porsanger en direction du sud. Trois cents kilomètres les séparaient d'Utsjoki, sur la frontière finlandaise. Dans le Grand Nord, les routes étaient rares et souvent droites, et il fallait franchir de longues distances pour relier deux points pas si éloignés à vol d'oiseau. Pas vraiment un problème pour Klemet, qui avait toujours aimé les voitures. Il faisait partie de ceux que ça ne dérangeait pas d'aller faire ses courses à Ikea, quand il était à Kautokeino. Le magasin le plus proche était à quatre cents kilomètres, à Haparanda, plein sud, mais ici on faisait cinquante kilomètres pour aller s'acheter des cigarettes s'il le fallait. Les distances étaient une notion toute relative. Nina conservait le bracelet entre les mains. Elle regardait par la vitre et Klemet notait qu'elle caressait doucement la fine peau de renne, son doigt suivant inconsciemment le fil d'étain.

Klemet avait failli finir dans un fossé quand Nina avait sursauté. Un bracelet, Anta Laula… l'image de son corps lui revenait. La camionnette des noyés. Anta Laula portait un bracelet lors de l'accident. Était-ce le même, avec le motif de l'artiste ? Si tel était le cas, Anta Laula aurait pu faire passer une sorte de message. Et cela confirmerait en outre qu'il était venu au rocher sacré après la mort d'Erik Steggo.

– Fais demi-tour, il faut voir le bracelet que portait Anta Laula le jour de sa mort, lança-t-elle.

– Mais bon Dieu, explosa Klemet. On ira voir si tu veux, mais au retour. Tiens, on passera même ce soir. Maintenant on est partis, comme tu l'as voulu. Et tu te calmes. Je comprends que ça te perturbe de retrouver ton père, mais bon Dieu, calme-toi.

– Ça me perturbe ? Tu tires ça d'où ? Je suis parfaitement calme. Ces bracelets, ça n'a pas de sens.

– Eh bien on ira ce soir.

– Attends, attends…

Elle se concentrait, mais Klemet poursuivait comme si de rien n'était.

– Ce que je sais, c'est qu'il n'y était pas au moment de la mort d'Erik. Je me rappelle avoir regardé déjà à ce moment-là, par curiosité. C'était quand déjà, le…

346

– Le 22 avril.

– Oui, et j'ai vu ce machin, je l'ai vu… c'était quand ? On y est retournés… si, quand on est rentrés de Kautokeino avec cette histoire de photos, on y était un dimanche, il y a presque deux semaines, et on y est retournés le lendemain pour se faire une idée des lieux avec la photo, et je suis quasi sûre que c'est là que j'ai vu ce bracelet pour la première fois. Et qu'il n'y était pas avant.

Klemet voyait maintenant où elle voulait en venir.

– Donc le bracelet a été déposé entre le 22 et, quel jour était le lundi ?

– Le 26.

– Entre le 22 et le 26. Et rappelle-toi, nous avons appris la mort de Fjordsen le dimanche 25, on était en route pour Kautokeino.

Ils s'étaient arrêtés pour une courte pause-café à Lakselv. Klemet avait calmé les ardeurs de Nina. Le fait qu'Anta Laula soit l'auteur de ce bracelet ne signifiait pas qu'il l'ait déposé au pied du rocher. Ces bracelets étaient en vente, n'importe qui avait pu en acheter. Et n'importe qui en déposer. Sans que cela ait une signification décisive.

– Dis-moi, réalisa-t-elle, on n'a pas eu les résultats d'analyse de l'ADN trouvé sous les ongles de Fjordsen ?

– Non, et je te rappelle que la mort de Fjordsen n'est pas notre enquête. Nous, on s'intéresse à la mort d'Erik.

– Tu parles d'une enquête ! La mort d'Erik. Dis-moi un peu ce qu'on a trouvé.

– La question n'est pas là pour l'instant.

– Mais tu pourrais peut-être appeler ton pote de foot à Kiruna, lui doit savoir.

Klemet décida de ne pas discuter et d'appeler. Le médecin légiste faisait la grasse matinée, jour de récup, il grogna en entendant Klemet, mais se réjouit aussitôt, ravi de lui apprendre qu'Hammarby avait battu la veille au soir Djurgården en match avancé du championnat suédois. Un petit but, et encore sur penalty, mais remporter ce derby, ça effaçait beaucoup des humiliations de la saison. Pour le reste, le toubib fut formel. L'ADN retrouvé sous les ongles de Fjordsen correspondait sans la moindre incertitude à l'un des noyés de la camionnette, mais ce n'était pas Laula.

– Est-ce que l'on sait quand Anta Laula s'est retrouvé avec les deux types de la camionnette ? dit Klemet, réfléchissant à haute voix, après avoir informé Nina.

– Quand ? Voyons voir. Quand on était à Kiruna, moi à son expo, toi avec Eva, c'était le 29 avril. Laula aurait dû venir au vernissage, or il n'y était pas. Le 29, c'était donc quatre jours après la mort de Fjordsen, le 25. Quand on a annoncé la mort d'Erik à Anneli, le 22, j'avais aperçu Anta Laula au campement.

– Ok, donc le 22, il n'y a pas de bracelet au rocher et Laula est encore présent au campement de Susann et Anneli, Fjordsen est retrouvé mort le 25, et le lendemain, le 26, tu vois le bracelet au rocher. Quand Susann voit-elle Anta Laula la dernière fois au campement ?

– Anneli m'a dit dimanche dernier, le 2 mai, après la messe, que Laula avait disparu depuis quelques jours déjà. Mais quand exactement… ? De toute façon avant le 29, et je crois me rappeler, je ne sais plus si c'était une info dans le journal ou quelqu'un qui me l'a dit, Susann peut-être, qu'on s'inquiétait déjà de son absence. Quand Anneli m'a dit ça, Fjordsen était déjà mort depuis une semaine. Est-ce qu'il aurait pu avoir disparu depuis déjà plus d'une semaine ? Après tout, il était apparemment coutumier du fait. Disparaître ainsi puis revenir, passant chez l'un et chez l'autre, sachant qu'il serait toujours accueilli au campement de Susann.

– Comment se déplaçait-il ? En scooter, en voiture ?

– Il se faisait accompagner. En période de transhumance, il y a toujours beaucoup de mouvements dans tous les sens.

– Il a pu en tout cas être présent le jour où Fjordsen est mort. Évidemment, après avoir séjourné dans l'eau, on ne pourra rien tirer de l'examen de la terre sous les chaussures.

– Les empreintes des chaussures ?

– Ça ne fait que trois jours que les corps ont été retrouvés. Et les résultats d'ADN ne datent que d'hier. Rien n'a été fait encore. Mais je vais appeler Ellen pour lui signaler ça, si ça n'a pas encore été fait.

Nina avait pris le volant. Klemet en profita pour prévenir la commissaire Ellen Hotti.

– Franchement, dit Nina après un long moment, tu vois vraiment Laula en train d'essayer d'étrangler Fjordsen ?

– Écoute, Nina, apprends à te contenter des éléments de preuve. Le motif, je te l'ai déjà dit, c'est la cerise sur le gâteau si on l'obtient. Mais n'oublie pas que Laula éleveur a été éjecté de l'île de la Baleine dans le temps. C'est après ça qu'il a commencé à plonger, au propre et au figuré. À faire des expériences en tout cas.

– Mais Fjordsen n'était pas maire d'Hammerfest quand Laula a dû quitter l'île. Ce n'est pas sa faute.

Klemet resta silencieux. Une sensation bizarre. Ce mot, faute. À qui la faute ? Sa question n'avait rien de policier. Était-ce une fatalité que les Sami soient écartés de leurs territoires et poussés à adopter le même mode de vie que leurs voisins non sami ? Est-ce que moi, je suis malheureux finalement ? Pour mon grand-père, forcé de quitter le milieu de l'élevage, ça a dû être dur. Pour mon père, qui a vécu cette dégradation en voyant son propre père dépérir, ça a dû être dur. Mais moi ? Si je suis honnête, je n'ai pas grandi avec des rennes dans mon jardin. Et c'est comme ça pour la plupart des Sami. Alors à qui la faute ?

Klemet finit par s'endormir.

Il se réveilla quand Nina le secoua. La voiture était arrêtée sur un parking devant une station-service épicerie-café, de ces lieux comme il y en avait partout à travers le Grand Nord, au fur et à mesure que l'État-providence se désengageait. La station-service faisait aussi poste, boutique souvenirs, marchand de journaux et loueur de vidéos. Utsjoki était une petite commune d'à peine plus de mille habitants mais, comme Kautokeino, elle s'étalait sur une surface immense. Klemet hésita à franchir la frontière finlandaise, marquée par une rivière. La police des rennes avait mandat pour intervenir mais localement, certains policiers pouvaient se révéler susceptibles.

Le village se trouvait juste de l'autre côté du cours d'eau. Mais il se dit qu'il pourrait toujours trouver une excuse. Après tout, il fallait prendre de l'essence. Il sortit jusqu'à la pompe tandis que Nina partait vers la boutique d'un pas décidé après lui avoir laissé les clefs. Ils étaient en tout cas habillés en civil, ce qui leur assurait au moins un peu plus de discrétion. Klemet se demandait si Nina avait une photo récente de son père. Il ne lui avait pas posé la question et s'en voulait. Il s'en voulut, en fait, de ne pas avoir discuté la question pendant le trajet. Mais cela n'aurait qu'accru le stress de sa collègue. Il entra pour payer et vit Nina en pleine discussion. Elle s'énervait, souriait, levait les bras au ciel, suppliait, jamais il ne l'avait vue comme ça. Elle vit Klemet, se calma, conclut sa discussion, sortit un bout de papier où elle griffonna quelque chose, serra la main et passa devant Klemet sans s'arrêter, l'air fermé, et grimpa dans la voiture. L'homme revint derrière sa caisse. Il portait des bottes, un pantalon de survêtement bleu marine, une veste polaire orange et une casquette bleue et verte Neste Oil d'où des cheveux raides dépassaient et il ne semblait pas avoir souri depuis une bonne quinzaine d'années. Klemet faillit lui poser une question et renonça. Il paya et rejoignit Nina. Elle n'ouvrait pas la bouche. Par précaution, il repartit en direction du pont suspendu qui enjambait la rivière Tana et passa de l'autre côté de la frontière. Des collines pelées les entouraient, encore coiffées de neige mais là aussi déjà parsemées de taches brunes sur les hauteurs, là où les bouleaux nains émergeaient aux côtés de rochers. Sur les bords de la route, les taches viraient au jaunâtre là où l'herbe écrasée depuis des mois était encore incapable d'envisager un quelconque sursaut. Cela viendrait doucement, mais ici, la nature savait prendre le temps de reprendre des forces. Une fois passé le pont, Klemet s'arrêta sur le bas-côté.

– Mon père est bien passé par ici, mais il n'a qu'une boîte postale et le type ne veut rien entendre. Pas question de dire où il est. Et mon père ne vient pas lui-même chercher son courrier. Il ne l'a pas vu depuis des années. Un homme assure la liaison et fournit aussi mon père en marchandises. Il vit isolé, côté norvégien. Ici c'est le village le plus proche. Bon Dieu, Klemet…

– Tu sais comment joindre cet homme de liaison ?

– Non, le gars du magasin me contactera d'ici deux heures. Pourquoi deux heures ? Mon père habite à deux heures d'ici ? Il n'a pas le téléphone ?

Elle regarda l'heure. Klemet la trouvait énervée, les traits tirés. Elle supportait mal ces nuits de plus en plus blanches.

– Estime-toi heureuse d'avoir une piste aussi rapidement. Maintenant, il n'y a plus qu'à attendre. Tu n'as qu'à nous faire un café pour te changer les idées.

Nina se tourna vers lui, lui fit un sourire, un doigt d'honneur, et se tourna en boule pour dormir.

43

Hammerfest. 11 h 30.

Juva Sikku grimaça malgré lui en entendant la corne de brume de l'*Hurtigruten*. Le ferry allait bientôt déverser sa cargaison de touristes qui resteraient là une grosse heure. Il patientait, garé sur la place, au volant de sa Skoda, et il essayait de réfléchir. Il n'avait pas dormi de la nuit. Et s'il avait dormi, il n'en avait retiré aucun repos. Cela ne le dérangeait pas plus que cela. Il avait l'habitude des longues passes sur la toundra où il fallait surveiller les rennes des journées et des nuits entières. Il était dur à la douleur, dur à beaucoup de choses. Il se coinça une portion de tabac sous la lèvre et sentit la nicotine l'envahir. Il avait connu dans le temps un éleveur qui vivait à l'ancienne. Il ne lui avait jamais parlé. Mais il l'avait observé de loin. Un gars qui gardait encore ses rennes à ski. Un illuminé, un peu comme Erik Steggo finalement, un gars qui refusait le progrès, à son goût, et qui surtout vivait dans une bulle, refusant de voir que le monde changeait. Garder ses rennes à ski ou à cheval, à quoi ça menait tout ça, alors que le réchauffement climatique, les compagnies minières et les multinationales pétrolières étaient en train de tout réduire à néant. Markko Tikkanen avait raison. Élever ses rennes dans une ferme, sur un territoire bien à soi, limité peut-être, mais que personne ne pouvait vous contester, voilà quel était l'avenir. En tout cas le moyen de survivre quelques années de plus. Tout le côté romantique, lié à la transhumance, lui ça le laissait froid. C'était une sacrée loi de la jungle là-haut. Ce gars à ski, il était allé l'observer de loin. Incroyable ce qu'il était capable de faire. Juva, qui était dur à la tâche, lui avait reconnu un courage physique évident. Le gars impressionnait. Il savait que d'autres éleveurs, comme lui, étaient parfois venus l'observer en cachette. Il se rappelait que même Erik Steggo l'avait observé de loin comme ça. Ce type, Aslak, était devenu une légende sur le vidda. Erik, ça lui avait apparemment tapé un peu sur le système, parce qu'il avait commencé à parler un peu bizarre après, avec de ces idées qui dérangent et qui vous agitent les bonhommes. Maintenant, il était calmé. L'autre, il avait disparu sur le vidda, à l'ancienne.

Il jeta un œil sur la carte du Black Aurora.

Que penser de Nils ? Bon Dieu, pas grand-chose, Nils c'était Nils.

Maintenant, il en voulait surtout à Tikkanen. Il lui avait promis sa ferme du côté de Levajok. Mais Sikku pensait avant tout qu'il était censé pouvoir se taper une ou deux putes russes et ça lui était passé sous le nez avec l'histoire du caisson. « J'aurais mieux fait de prendre une avance. » Les filles, évaporées maintenant. Elles étaient toujours dans le coin, mais entre les pattes des services sociaux, et elles seraient renvoyées sans qu'il puisse avoir sa petite récompense. Faut dire que tout était bien parti en couilles. Il se passa la langue sur la gencive pour remettre en place le tabac à sucer. Et maintenant Nils qui lui demandait ce machin. Au nom de leur amitié. Leur amitié. Fallait pas trop pousser quand même. Juva aurait bien aimé être copain avec Nils quand ils étaient gamins. Et parfois il faut bien dire qu'ils formaient une belle petite bande avec Steggo et quelques autres. Certains s'étaient perdus de vue. Juva avait toujours fréquenté Erik bien sûr, entre éleveurs du même district, on se fréquente, il y a plein d'occasions pour ça, les tris à l'automne, la transhumance même parfois, la surveillance l'hiver, enfin c'était pas les occasions qui manquaient. Mais on peut pas dire que c'était comme ce que les anciens racontaient, la solidarité et tout ça. Trop de pressions. Les gens n'avaient plus vraiment le temps de discuter comme dans le temps. Plus il pensait à tout ça, plus Sikku trouvait que c'était lui qui prenait la bonne décision, de quitter l'élevage extensif pour aller dans une ferme. Ça faisait bien cinq ans que Sikku faisait ça à plein temps, et il se sentait comme un vieil éleveur déjà, avec des réflexes de vieux, des pensées de vieux. Endetté jusqu'au cou, avec sa Skoda en leasing. Il se gratta la barbe. Demain le rasage. Une fois par semaine, pas plus.

Levajok, ça faisait une trotte, mais il repartirait de zéro là-bas.

Il était emmerdé. Comment s'acquitter de la promesse faite à Nils sans se mettre Tikkanen à dos ? Nils voulait infliger une leçon au gros Finlandais. Il causait trop. Il leur faisait prendre trop de risques. Et Nils avait raison. Tikkanen parlait trop. Il suffisait de le secouer un peu, de lui mettre un flic en face, et il se mettait à parler, trop inquiet d'être mal vu et de mettre en danger son édifice si patiemment construit. Prêt à balancer les autres pour ne pas mettre son business en péril. « C'est lui qui a raconté que j'avais réceptionné les putes. » Un cas, ce Tikkanen, il se faisait fort de tout savoir sur tout le monde, il avait des petits secrets sur tous, à ce qu'il disait, avec ses petites fiches, du coup il se sentait sûr de lui. Et il faut bien dire qu'il était fortiche. La première fois où Juva l'avait approché, Tikkanen avait l'air de sortir de sa banque, il savait quasiment tout de sa situation financière. Juva Sikku n'avait pas aimé, mais alors pas du tout. Il avait eu l'impression d'avoir un mec des impôts en face de lui. Et le Finlandais était pareil avec tout le monde. Il paraissait tout savoir avant les autres.

Mais s'il cassait la gueule à Tikkanen, il fallait qu'il fasse ça sans se faire reconnaître. Sinon, adieu sa ferme de Levajok. Mais comment le prendre par surprise ? Le Finlandais était un méfiant. Il savait qu'à force d'avoir des secrets sur tout le monde, on se faisait aussi des ennemis. Attendre la nuit ? Mais, en cette saison, il n'y avait plus de nuit. Même quand le soleil était couché, il ne faisait jamais noir. Fallait pas compter avec l'effet de surprise. Se mettre une cagoule, impossible, Tikkanen le reconnaîtrait quand même, Sikku en était certain. Comment faire ? « J'ai jamais fait ça, moi. »

Il jeta des regards inquiets au bureau de Tikkanen qui donnait sur la place, pas loin du club de l'Ours blanc. Le club venait d'ouvrir pour accueillir les touristes. Il refermerait aussitôt après le départ du navire. La lumière du bureau était allumée. Il occupait le rez-de-chaussée d'un bâtiment au bout de Sjøgata, juste devant la station de taxis. De son bureau, Tikkanen pouvait voir le débarcadère de l'*Hurtigruten*. Sikku était garé entre le club de l'Ours blanc et le bureau de Tikkanen. Il commençait à avoir mal au crâne à ne pas trouver de solution. Il sortit de sa voiture, enfonça son bonnet sur ses yeux, remonta le col de sa parka et enfila ses lunettes de soleil. Avec sa démarche chaloupée, mains dans les poches, il s'avança jusqu'au coin de la station de taxis. Le *Polarlys* venait juste d'accoster le quai. Il faudrait encore un moment avant qu'il ne déverse les passagers. Certains étaient sur les passerelles, découvrant Hammerfest, faisant des signes de la main, prenant déjà des photos ou découvrant des détails aux jumelles. Des photos. « Faudrait pas en plus qu'ils me piègent, ces idiots-là, juste quand je fiche une correction à Tikkanen.» Il remonta encore son col. Tikkanen était gros et gras, mais il n'était pas courageux. Peut-être que c'était pas si grave finalement si Tikkanen le reconnaissait. Ça lui montrerait, au gros, à qui il avait affaire. Et que s'il se magnait pas, ça irait encore plus mal. Comme Tikkanen n'était pas courageux, ça pourrait le faire. Oui, voilà, lui faire peur un bon coup. Est-ce qu'il fallait dire que c'était de la part de Nils, ou de sa part à lui? Ou des deux? S'il le faisait de la part de Nils, c'était en quelque sorte le plongeur qui portait le chapeau. Mais si c'était de leur part à tous les deux, ben Tikkanen verrait bien que Sikku et Nils étaient amis, des égaux, qu'ils en avaient discuté, ça lui en imposerait peut-être à Tikkanen. Il s'avança encore un peu du bâtiment, s'arrêta au coin, il s'apprêtait à se lancer lorsque Tikkanen passa en trombe devant lui, sans le remarquer. Il se dirigeait vers le club de l'Ours blanc. «Bon Dieu, j'ai l'air d'un abruti maintenant. Je ne peux pas aller lui casser la gueule au club.» Il fit demi-tour, puis fut pris d'un doute. Il revint sur ses pas et regarda par la vitre. Le bureau de Tikkanen était éteint. Il n'y avait donc plus personne. Il prit dans sa poche le double que Tikkanen lui avait laissé l'autre jour quand Sikku devait remplir un dossier, une énième déclaration pour l'Office de gestion des rennes, et se servir d'un ordinateur. Belle ironie. «Il m'a laissé la clef comme marque de confiance, pour me rassurer rapport à la ferme, j'en suis sûr.» Fais comme chez toi, qu'il lui avait dit. Le papier est là, et voilà le code pour l'ordinateur, et je te mets en marche l'imprimante, et tu fermes bien à clef en repartant.

Sikku ouvrit et s'engouffra dans le bureau. Il pourrait attendre le gros ici et lui casser proprement la gueule. Nils serait content. Il fit un tour des deux pièces du bureau, cherchant le meilleur emplacement. Combien de temps avait-il avant que Tikkanen ne revienne ? Il aperçut ce qui ressemblait à des touristes passer devant la vitrine. Le *Polarlys* avait commencé à cracher ses passagers. Il restait une bonne heure à patienter, si le gros demeurait bien au club tout ce temps, à filer un coup de main au patron pour vendre ses babioles. Sikku regarda autour de lui. Il pourrait peut-être se servir d'un objet pour cogner. Il les passa en revue, évaluant leur capacité de nuisance. Il secouait la tête tout seul parfois. «Non, pas ça, ça pourrait le tuer. Et j'aurai pas ma ferme.» Il touchait, palpait, retournait, fouillait et finit par trouver le coffre. Bizarre comme on peut pas s'empêcher de regarder derrière un tableau, surtout quand il n'y en a qu'un. Quel idiot, ce Tikkanen. «Et maintenant, je fais quoi ?» Sikku avait regardé dans les placards, les tiroirs, sans rien trouver. Et là ?

Sikku regarda le système d'ouverture. Il était un esprit pragmatique, qui n'aimait pas se compliquer la vie et qui toujours estimait que les autres feraient bien de faire comme lui. Il composa le code de l'ordinateur de Tikkanen. Et le coffre s'ouvrit.

Sikku trouva ça normal. Si un type met un coffre derrière le seul tableau de son bureau, alors il est logique que le code de l'ordinateur soit celui du coffre. Tout le monde aurait trouvé ça logique, et Juva Sikku ne se trouvait même pas particulièrement futé. «Ça en dit plus long sur Tikkanen que sur moi.» Tikkanen avait tellement confiance en lui qu'il était sûr que personne n'irait penser ça. Sikku résista à la tentation de prendre de l'argent. Il souleva le couvercle d'une boîte à chaussures.

Tout d'un coup, il fut pris d'un frisson. Les sacrées fiches avec lesquelles Tikkanen n'arrêtait pas de leur rabattre les oreilles… Il referma le couvercle et sortit la boîte. Il réalisa qu'il transpirait. Quelle heure ? Il jeta un œil par la fenêtre. Ce qu'il pouvait voir de la rue était calme, mais sous cet angle, il ne voyait pas jusqu'au club. Mais peut-être Tikkanen ne restait-il pas au club jusqu'au départ du navire. Peut-être venait-il aider juste pour la première vague de touristes. Il prit la boîte sous le bras, sortit du bureau et risqua un œil pour voir jusqu'à l'entrée du club, sur sa gauche. Il aperçut la masse ronde et gominée de Tikkanen se déplaçant rapidement dans sa direction.

Nina sursauta lorsque son portable sonna. Elle venait juste de s'endormir. L'appel la réveilla au milieu d'un sommeil profond. Elle eut du mal à ouvrir complètement les yeux, puis se souvint de l'appel qu'elle attendait. Elle se frotta les yeux, fut aveuglée par le soleil. Klemet n'était pas à côté d'elle. Où sommes-nous ?

– Oui ?

– Il faudrait qu'on se voie.

Nina se frotta le front. Ce n'était pas le Finlandais à casquette Neste Oil. Tom. Elle se rappela. Hier soir. Le Black Aurora. Le parking.

– Maintenant, je ne peux pas.

– Quand tu pourras.

Elle voulait le revoir. Elle regarda autour d'elle. Klemet était à l'arrière du pick-up. Le coffre était ouvert. Elle ne pouvait pas voir ce qu'il faisait, mais il pouvait peut-être l'entendre. Elle eut froid.

– Je te rappelle.

Sa portière s'ouvrit. Klemet lui tendit une tasse de café.

– Il y a des sandwichs derrière si tu veux.

Elle regarda l'heure. Neste Oil aurait dû rappeler déjà. Klemet lisait dans ses pensées.

– On peut retourner le voir si tu crains qu'il ait oublié.

– C'est juste que je ne voudrais pas qu'on rentre trop tard. On a toujours nos trois heures de route.

Nina se fichait bien de rouler la nuit s'il fallait. Elle voulait savoir. Elle n'en pouvait plus d'attendre en pensant que son père pouvait se trouver si près. Devait-elle sentir sa présence ? Est-ce qu'une fille ressent des choses comme ça ? Des vibrations, des visions ? Elle pensa à Anneli, à son rocher sacré qui murmurait des histoires au-delà du temps. Elle se demanda si Anneli était capable de communiquer ainsi avec son père à travers un tel rocher sacré. Il faudrait lui demander. Elle regarda à nouveau sa montre. Le Finlandais aurait dû rappeler. Elle se leva, avala une tartine au fromage, une deuxième, finit son café et rangea le coffre. Klemet n'avait pas attendu et s'était mis au volant. Cinq minutes plus tard, Nina se présentait à la station-service. Pour ne provoquer personne – il fallait passer devant la station de police d'Utsjoki – Klemet l'attendait de l'autre côté de la frontière. Nina s'approcha de Neste Oil. Son visage n'était pas plus expressif. Nina se demanda s'il était sami. Klemet lui avait expliqué qu'Utsjoki était la commune la plus sami de Finlande. Mais elle n'aurait pas su dire si ce type qui ne se déridait jamais était sami ou pas.

– Tu me reconnais ?

Un grognement.

– Tu devais m'appeler.

Zéro mouvement.

– Tu es entré en contact avec lui ?

Un hochement de tête. Son pouls s'accéléra. Il fallait tout lui arracher. Mais son père savait maintenant.

– Je peux le voir ?

Grognement. Le Finlandais fouilla dans sa veste polaire orange et en sortit un papier. Nina le déplia fébrilement. Un rendez-vous. Le lendemain soir, au café Reinlykke, à l'intersection des routes de Kautokeino et de Karasjok. Nina fronça les sourcils. Pourquoi demain soir ? Et pourquoi pas un mot pour elle.

Juste ce rendez-vous. Était-ce bien de lui ce mot ? Elle releva les yeux pour détailler l'ours à casquette. Ce gars-là pouvait-il se foutre d'elle ? Elle n'avait pas trop le choix. Elle appela Klemet.

Tom Paulsen avait longuement hésité avant d'appeler Nina. Maintenant que c'était fait, il se demandait s'il fallait passer outre l'interdiction de Nils. Son binôme avait été intraitable : pas question de contacter la police pour retrouver cet ancien plongeur français. Tom connaissait bien Nils Sormi. Même parcours, mêmes envies, et en dépit de leur jeune âge, déjà beaucoup de souvenirs en commun. Il était de retour dans sa cabine du flotel *Bella Ludwiga*. Il avait besoin d'être seul. Il regarda par la fenêtre. Le soleil faisait briller les installations de l'usine de gaz liquide de Melkøya et du chantier du futur terminal pour le pétrole du gisement de Suolo. Dans une génération, cette partie-là des eaux norvégiennes serait le nouvel eldorado du royaume. La mer du Nord était en passe d'être reléguée dans les pages Histoire de l'épopée industrielle du pays.

La virée sur la toundra se ferait sans lui aujourd'hui. Pourquoi Nils faisait-il un tel blocage ? Comment pouvait-il l'aider à retrouver ce plongeur sans trahir son ami ? S'il s'adressait à Nina en lui demandant la plus grande discrétion, ça ne serait pas tout à fait trahir. Mais pouvait-il faire confiance à Nina ? Était-elle une policière avant tout, ou bien était-elle capable de garder un secret sans qu'elle-même trahisse son propre code ? Allait-il la mettre dans une position inconfortable s'il lui adressait une telle demande ? Nina paraissait une chic fille. Il revoyait tous les instants intenses du parking. Il serait toujours temps d'aviser lorsqu'il la retrouverait. D'ici là, il devait essayer d'aider Nils. Un dimanche, aucune chance de trouver une quelconque administration ou compagnie susceptible de répondre à une question. Qui alors, à Hammerfest, un dimanche ? Gunnar Dahl peut-être. Le pétrolier de Norgoil avait connu cette époque. Mais Tom ne pensait pas qu'il pouvait déranger le représentant à tête de pasteur un dimanche. Il aurait pu tenter de le cueillir à la sortir du culte, mais l'heure était déjà passée. Moe. Leur super-viseur de l'*Arctic Diving*, Leif Moe, était d'une généra-tion intermédiaire, la quarantaine bien tassée. Il devait connaître ce monde des anciens, mieux en tout cas que Nils ou lui-même. Par fierté, Nils n'irait pas s'adresser à lui, mais Tom pouvait s'en charger, sans révéler à Moe les dessous de sa requête.

Tom Paulsen prit la navette et se rendit au quai des Parias. L'*Arctic Diving* était amarré. Il devait repartir en mission le lendemain. Moe était un client régulier du Riviera Next. Paulsen le trouva au bar, seul devant une bière, comme à son habitude, comme des centaines de gars parachutés au fin fond de l'Arctique le temps du chantier. Paulsen commanda une bière et vint s'asseoir à côté de lui. Ils trinquèrent sans échanger un mot d'abord, deux solitudes qui venaient étancher une soif d'huma-nité. Leif Moe avait un passé plus qu'honorable comme plongeur. Comme un ancien combattant, il collectionnait les campagnes : mer du Nord, golfe du Mexique, golfe de Guinée, missions de coopération au Viêtnam. Il s'était vraiment fait peur au large des côtes brésiliennes, là où on plongeait le plus profond au monde actuellement, dans des conditions de sécurité qui donnaient parfois le frisson. Ce passé-là, Tom le connaissait, et il le res-pectait. Tout comme il respectait son choix d'avoir raccroché et d'être passé superviseur. Son expérience avait sauvé bien des vies. Tom savait aussi que Leif Moe considérait Nils comme un enfant gâté. Il n'était pas le seul, conscient de la casserole que traînait son binôme, soi-disant chouchou des compagnies. Et ce surnom de PC, politiquement correct, le Sami qu'on exhibe. Quelle ironie, se disait Tom, quand on savait ce que pensait Nils de ce côté sami. Son ami en rajoutait, mais ce n'était pas son affaire. Mieux valait en tout cas que Leif Moe ne sache pas qu'il venait là pour le compte de son ami.

– Prêt pour demain ?

Tom leva son verre sans répondre. Nils et lui étaient toujours prêts et Leif Moe le savait. Juste une façon d'engager la conversation. Il aurait pu parler du beau temps. Ils constituaient sans doute la meilleure équipe de plongeurs en activité en mer de Barents. De ces plongeurs que les compagnies s'arrachaient car ils leur faisaient économiser beaucoup d'argent en évitant les conneries d'autres moins aguerris. Voire leur sauvaient des coups comme l'autre jour, lorsque Nils avait été au-delà des consignes de sécurité, calculant les risques au plus serré, un peu trop cette fois-là. Mais Tom avait fait son boulot. Ce qu'on attendait de lui. Ce que Nils attendait de lui.

– Bizarre tout ce qui se passe dans le coin.

Tom ne réagit pas. Il savait que Moe aimait bien parler et il aimait bien les gars qui l'écoutaient.

– Ouais, bon, enfin. Ça reste moins le délire que dans les années 1970. Et puis il faut bien reconnaître qu'on n'utilise pas trop les plongeurs dans le Grand Nord. Pas comme dans le temps, en mer du Nord. Maintenant, c'est du sous-marin partout. Remarque, moi, ça me dérange pas. Ils nous font chier avec les règles de sécurité, mais d'après ce que disaient les mecs qui ont fait les années 1970, c'était un sacré bordel, tu vois, les années cow-boys, pas de règles, marche ou crève. Bon, tu me diras, y a encore de ça maintenant, ça reste un métier de mecs bizarres, mais quand même, les règles, tu les as maintenant, et franchement je m'en plains pas.

Leif Moe commençait déjà à se répéter.

– J'ai l'impression qu'il ne reste plus beaucoup de Français maintenant dans le secteur. Ils étaient plutôt pionniers à l'époque, non ?

– Ça tu peux le dire, même si c'était avant mon temps. T'avais les gars d'une compagnie de Marseille, et puis t'en avais de la Navy aussi, des Ricains, enfin les premiers, c'était des anciens nageurs de combat pour la plupart. Des mecs pour qui la sécurité était une seconde nature, de vrais pros. Et puis après, quand ça s'est développé en mer du Nord, ça a été le big boom, du pétrole partout, eh ben alors il fallait recruter des mecs à toute vitesse, ils n'arrivaient plus à fournir, ils ont commencé à prendre des mecs qui ne savaient même pas nager, je te jure, j'en ai vu. J'ai commencé un peu après cette époque, t'avais encore pas mal de mecs fracassés. Mais beaucoup avaient déjà renoncé. Ou étaient morts.

Leif Moe leva son verre.

– Aux morts, et aux vivants.

Tom Paulsen leva son verre. Même si Moe se répétait, ces histoires le touchaient.

– Et les Français alors ? Tu en as revu, des anciens ?

– Certains. En fait, ce milieu est assez bizarre et plein d'individualistes. Certains types se sont fait beaucoup d'argent et ont disparu. Certains ont été blessés et ont disparu aussi. Tu n'aimes pas avoir dans les pattes un mec amoché qui te rappelle en permanence que ça peut t'arriver aussi à toi. Les Français, en plus, ils ont été éjectés parce que les marchés passés étaient de plus en plus internationaux, que les règles étaient en anglais et que les Français, qui étaient pourtant super compétents, c'était des billes en anglais. Et ils se sont fait niquer comme ça. C'est con, mais c'est comme ça. Tu en trouves encore, mais ils sont rares.

– Et tu en as revu récemment ?

Tom se demandait s'il n'insistait pas trop, mais Moe ne semblait pas trouver ça bizarre. Il réfléchissait.

– Des Français, non. La plupart des anciens sont plutôt dans le Sud, tu sais. Les mecs qui ont un peu de blé, ils filent au soleil. Les autres, ben ils sont là où ils sont, mais beaucoup venaient de la région de Stavanger. J'ai revu un mec y a pas longtemps, justement un de ces anciens nageurs de combat. Un Norvégien, lui. Pas mal amoché quand même. Picole, clopes, et puis des séquelles visibles, tu voyais que le type avait des articulations en compote et les traits vachement marqués, vachement.

– Qu'est-ce qu'il voulait ?

– Oh, parler un peu du bon temps, savoir les projets en cours ici, si les petits gars faisaient le boulot, retrouver quelques anciens dans le coin, des choses comme ça.

– Il est toujours par là ?

– Non, plus de signe de lui. Je crois qu'il m'avait laissé un numéro, au cas où. Attends, si ça t'intéresse, je dois l'avoir.

Il fouilla dans les poches de son manteau, en sortit une facture gribouillée au dos. Il déchira la facture en deux, recopia et donna le papier à Tom.

– Des anciens dans le coin, il y en a ?

– On m'a parlé d'un type qui vit isolé dans une cabane dans la toundra.

– Un Français ?

– Décidément, tu y tiens, à tes Français. Non, un Norvégien, je crois. Mais un mec pas en très bon état, à ce qu'il paraît. Le problème avec beaucoup d'anciens plongeurs, c'est tout ce que tu vois pas, toute la casse là-dedans.

Moe se touchait le crâne. Il commanda deux autres bières.

– Tu es un bon, Tom. Si j'ai un seul conseil à te donner, un seul, c'est de ne pas faire ce boulot trop longtemps. Ne fais pas la plongée de trop. Et tu dois savoir que si tu la fais, cette plongée de trop, il ne faudra pas compter sur l'État et les compagnies.

Les bières arrivèrent. Moe leva son verre.

– Allez, aux morts, et aux vivants.

44

Skaidi. Fin d'après-midi.

Klemet avait déposé Nina à la cabane de Skaidi. La jeune femme n'en pouvait plus. Klemet poussa ensuite jusqu'au rocher sacré afin d'examiner l'endroit où le bracelet avait été trouvé. Imaginer une fois encore la scène, tenter de déceler un détail révélateur sur la chute mortelle de Fjordsen. Il passa devant les décombres du cabanon incendié. On avait retrouvé un corps dans les décombres. Les analyses étaient en cours au labo d'Hammerfest.

Il ne restait rien du chalet mais la location du combo Volkswagen était au nom d'un Français, cela avait été confirmé. Un médecin à la retraite qui pour une raison inconnue s'était entiché de ce coin. Un passionné de pêche sans doute, se dit Klemet. Trop pressé d'arriver. La famille avait été prévenue.

D'après les premiers éléments que Klemet avait lus sur l'intranet, une histoire de gaz était à l'origine du sinistre. Les accidents n'étaient pas rares après ces hivers rudes qui malmenaient les tuyauteries, arrivées d'eau et autres structures de ces cabanons inhabités la plupart du temps. La bouteille de gaz avait apparemment explosé. Classique, on s'acharne à allumer le gaz, ça ne marche pas pour une raison quelconque, et on ne réalise pas que le gaz s'accumule en fait dans la petite pièce et puis tout d'un coup l'étincelle, et boum.

Klemet voyait bien au ton du rapport que l'affaire était virtuellement classée. Les rubans de la police entouraient la carcasse brûlée. Il n'y avait personne. Klemet se gara. Le temps était encore au beau, le soleil brillait, pas de vent. Cela faisait un moment qu'il songeait à s'acheter lui-même un petit cabanon de vacances au bord d'une rivière, mais il hésitait. Il était trop souvent au contact des éleveurs qui râlaient contre ces cabanons qui poussaient comme des champignons. Cela risquait de le mettre en porte-à-faux. Les experts de l'assurance ne passeraient que le lendemain. Prudemment, Klemet avança et observa le bric-à-brac de planches, de poutres, de ferraille, de verre cassé, de cendre, d'objets calcinés. Une partie des décombres s'étalait sur un périmètre assez important. Tout avait dû être soufflé par une explosion avant de brûler. Il se demandait si cela ferait un bon emplacement pour lui s'il cédait malgré tout à l'envie de s'embourgeoiser. Sa tente sami dans son jardin lui permettait déjà de nombreuses voluptés, mais la proximité d'une rivière n'était pas à négliger. Il regardait les alentours, le fleuve encore gelé qui coulait sous la couche de glace, les bouleaux qui noircissaient le paysage maintenant qu'ils étaient déneigés. Par l'effet de ce soleil tenace, des rigoles de neige fondue coulaient le long de rochers. Des objets projetés par l'explosion s'étaient enfoncés dans la neige. Klemet n'avait pas demandé dans quel état le locataire avait été retrouvé. Le message intranet ne le précisait pas. Il ne toucha à rien. Un bout de plastique vert qui avait dû être cubique avait atterri au pied d'un rocher.

Quand il avait travaillé pour le groupe Palme, chargé d'enquêter sur le meurtre de l'ancien Premier ministre suédois, Klemet avait été amené à s'intéresser à des groupes terroristes de tout acabit et à leurs arsenaux. Ses connaissances dataient un peu, mais c'est précisément cela qui l'étonnait. Il lui semblait reconnaître ce type de pièce comme faisant partie d'un déclencheur. Il permettait de mettre à feu un détonateur par le biais d'une impulsion électrique. Un système très simple, si l'on savait ce que l'on faisait. Un tel objet ne pouvait pas se trouver là par hasard.

Klemet retourna à l'emplacement du cabanon. Il cherchait la cuisine. Où se trouvait la bonbonne de gaz ? Comment voir dans ce fatras ? Il n'arrivait pas à relier tous les fils, mais pouvait tenir un élément.

Il appela Ellen Hotti pour la mettre au courant de sa découverte.

Elle se moqua gentiment de lui. Elle ignorait que la police des rennes avait des experts en sabotage.

— C'est que tu lis mal mes rapports. Tu devrais savoir que les clôtures sautent parfois sur la toundra.

— Avec des déclencheurs et des détonateurs ?

Elle enverrait quelqu'un dès que possible.

— À propos, je peux savoir ce que tu fiches là ?

— Veux juste m'assurer qu'il n'y a pas de rennes indisciplinés qui risquent de troubler tes obsèques de mercredi.

— Trop aimable. Tu ferais mieux de me dire où en sont les histoires qui te concernent. À propos, il paraît que tu as vu le petit Sormi et que vous vous êtes parlé.

— C'est bien ce que tu m'avais demandé, non ?

— Et tu t'es excusé, ou quelque chose qui y ressemble ?

— Comme tu me l'as demandé.

— Tu sais que sa plainte est toujours là.

— Ça ne m'étonne pas de ce…

La commissaire raccrocha dans un rire.

Quel salaud ! Sormi lui avait promis de retirer sa plainte. Il faisait traîner exprès pour gêner Klemet, sûr et certain. Pour se calmer, Klemet se répéta à nouveau la scène lorsqu'il révélerait à Sormi le passé peu reluisant de son aïeul animal de foire. À coup sûr, ça vaudrait toutes les gifles que Klemet avait envie de lui mettre. Il regarda l'heure. Il irait au rocher sacré demain. Nina et lui devaient de toute façon y passer pour aider Anneli à faire traverser ses rennes. Il jeta un dernier coup d'œil aux restes du cabanon. Pour l'instant, il avait juste envie de retrouver sa tente à Kautokeino, et il se dit qu'y passer une soirée avec la tante de ce petit con de Sormi serait aussi une revanche personnelle qui lui conviendrait tout à fait. Il sortit son téléphone, afficha le numéro de Sonia Sormi. Et rangea son téléphone. Plus tard, pensa-t-il en repartant sur Skaidi.

Nina reposait étendue en travers du lit depuis un moment quand un sms la tira de sa léthargie. Un simple point d'interrogation. De Tom. Elle l'avait complètement oublié. Et s'en voulut aussitôt. Mais elle était vraiment trop crevée. Elle lui renvoya un court sms. Il s'accrocha. Il lui proposa de venir jusqu'au pub de la station-service de Skaidi, comme ça elle n'aurait pas à se déplacer jusqu'à Hammerfest. Il commençait à être tard mais la lumière était toujours vive. Elle ne savait plus si elle était fatiguée physiquement, mentalement, ou les deux, ou si c'était d'avoir mal mangé. Elle se sentait lourde et moche, neurones en vadrouille. Elle se rafraîchit et se promena jusqu'au pub. L'air frais lui fit du bien. Elle commanda un hamburger. Elle sourit devant l'insistance de Tom. Le plongeur baroudeur au beau sourire de mec.

Il arriva une demi-heure plus tard et vint s'asseoir en face d'elle. D'abord des banalités, agréables, façon d'endormir l'attention des autres clients, de toute façon rares.

– Je vais rencontrer mon père demain, lui lança-t-elle enfin.

Tom Paulsen hocha la tête. Il le fait si bien, pensa-t-elle. Avec cet air sérieux lorsque son front se creusait légèrement, faisant tressaillir le haut de son nez, dévoilant de minuscules rides irrésistibles.

Ils ouvrirent la bouche en même temps, rirent, se renvoyèrent la politesse.

– Ton père, disais-tu. Tu ne l'as pas revu depuis longtemps, mais il avait peut-être des collègues, des amis avec qui tu aurais pu garder le contact. Les liens étaient forts dans ce milieu.

– J'étais si jeune et j'habitais loin, je ne crois pas que mon père amenait ses amis à la maison. Ma mère n'aurait pas tellement apprécié, pour tout dire. Et puis dans mon village, il n'y avait même pas de pub, alors…

Tom paraissait réfléchir.

– Et donc tu ne sais pas si ton père avait un ancien collègue français, par exemple ?

Nina s'étonna de la question.

– Tu sais, on avait parlé de binôme. Tu sais qui était son partenaire ?

La question paraissait importante pour Tom. Elle fit un effort de mémoire. Des scènes de son père à son époque. Cela semblait si lointain. Quel âge avait-elle lorsqu'il était parti ? Une douzaine d'années. À peine. Qui venait chez eux, à part Margareta, à part les femmes qui venaient préparer le culte autour d'un café ? Les hommes dont elle se rappelait étaient tous très vieux, bien plus vieux en tout cas que son père. Mais il était si jeune, lui. Elle savait qu'il n'était pas si jeune que ça en fait, mais il était toujours prêt à la plaisanterie dès que sa fille était dans les environs. Jusqu'au jour où… Pas un jour, la première fois, ce fut une nuit. Elle s'était réveillée parce que la porte était restée ouverte, laissant entrer le froid dans la maison. Elle avait couru de l'étage au rez-de-chaussée et retour en haut. Sa mère dormait, mais son père était introuvable. Juste son coussin en travers de la porte. Elle était retournée en bas. Il faisait nuit et elle n'avait rien vu. Elle s'était lovée dans le fauteuil de l'entrée et avait attendu. Elle ne savait pas combien de temps, elle n'avait pas de montre, mais très longtemps pour une petite fille pas très rassurée. Elle n'avait pas osé fermer la porte, la peur que son père imagine je ne sais quoi. Elle avait allumé la lumière de l'entrée. Et attendu. Il avait fini par rentrer. Avant qu'il ne l'aperçoive dans son coin, Nina avait eu le temps de saisir son regard perdu, ses traits creusés, sa démarche pesante, sa respiration saccadée. Elle ne l'avait jamais vu comme ça. Elle n'avait posé aucune question, s'était seulement précipitée sur lui pour l'entourer de ses bras. Elle avait eu peur, l'avait senti froid. Elle avait pris la main de son père. Il s'était laissé faire. Elle l'avait mise dans ses cheveux. Cela les avait calmés tous les deux.

Qui était le binôme de son père ? Elle se rendait compte qu'elle ignorait une information qui avait dû être essentielle pour lui. Qu'elle ne savait pas le nom d'un homme qui avait peut-être sauvé plusieurs fois la vie de son père. Et qui saurait peut-être pourquoi ce dernier était devenu ce qu'il était. Elle secoua la tête. Tom parut déçu. Pas autant que moi, pensa-t-elle.

– Et toi, tu dois bien connaître d'anciens plongeurs.

– Bien sûr.

– Et tu es au courant d'expériences de plongée ?

– Oui, ça se pratiquait dans le temps. Beaucoup moins maintenant. Il y a eu trop de blessés, je crois. Surtout à l'époque de la mer du Nord. De nos jours, ce n'est plus politiquement défendable d'après les patrons. On préfère miser sur les sous-marins. Nous, on est là en soutien, au cas où, mais en fait la grande époque des plongeurs est passée. Trop de casse.

– Comment ça, trop de casse ?

– Les dangers de la pression quand tu plonges très profond longtemps, et surtout les dangers de la décompression. À l'époque, les compagnies se faisaient concurrence en raccourcissant les temps de décompression, car elles payaient les plongeurs à ne rien foutre, c'est comme ça qu'elles le voyaient en tout cas. Elles grignotaient toujours un peu plus, mais les plongeurs le payaient au prix fort, à coups de bulles d'air qui se baladaient dans le corps, de bends, de souffrance qui leur tombaient dessus des jours après parfois. Tu as vu le caisson hyperbare sur le flotel, celui où les deux types sont morts ?

– En photo seulement.

– C'est là-dedans qu'on décompresse, en principe. Si un type remonte trop vite, il faut le recomprimer dans un caisson. Si tu veux, je te montrerai le nôtre sur l'*Arctic Diving*. Proposition tout à fait honnête.

Nina n'avait pas la tête à la galipette, même dans un caisson.

– Tu veux dire que certains plongeurs gardaient des séquelles de la plongée après avoir été en mer ?

– D'après certains toubibs, oui. Et d'après des plongeurs aussi. Le problème souvent est que ces problèmes sont invisibles. Ça se passe dans les articulations, ou dans les poumons, ou là-dedans, dit-il en se touchant la tête. Changement de caractère, perte de mémoire à court terme, problèmes de concentration, et j'en passe, sans compter les tentatives…

Tom laissa sa phrase en suspens, avec un air gêné. Il reprit.

– Mais les gens n'en parlent pas. Si tu connais un peu ce milieu par ton père, tu dois savoir que les petits bobos sont tabous chez les plongeurs. Il faut être au top tout le temps.

Nina resta songeuse. Elle avait trop peu de souvenirs, et elle s'en voulait.

– Excuse-moi, je suis crevée.

Elle se leva. Tom resta assis. Il regardait autour d'eux, profil droit, profil gauche, parfaits tous les deux. Dommage que je sois fatiguée, songea Nina. Tom semblait hésiter, ce qui ne lui ressemblait pas.

– Une dernière question, finit-il par dire. As-tu par hasard entendu parler d'un ancien plongeur français qui traîne dans le coin ?

– Un plongeur français ? Non, le seul ancien plongeur dont j'ai entendu parler récemment est un ancien éleveur qui avait participé à des expériences il y a longtemps. Mais il était norvégien.

– Et si… si on voulait rechercher la trace du passage d'une telle personne, comment on pourrait faire ?

Nina commençait à trouver cette insistance étrange.

– J'y réfléchirai, mais là je suis vraiment crevée.

Dehors il fut tendre. Il lui caressa la joue, sans insister. Elle le quitta et rentra à pied, baignée par les dernières lueurs du soleil. Il était onze heures du soir, elle n'avait pas vu la journée passer et demain elle devait retrouver son père, et elle n'avait aucune idée de ce à quoi elle devait s'attendre.

45

Samedi 8 mai.
Lever du soleil : 1 h 41. Coucher du soleil : 23 h 01.
21 h 20 d'ensoleillement.

Détroit du Loup. 5 h.

Klemet et Nina se postèrent de bonne heure sur la route qui longeait le détroit. Ils retrouvèrent Anneli qui leur expliqua où son troupeau devait traverser la voie. En contrebas, un enclos prévu à cet effet se trouvait sur la plage de galets où les rennes arriveraient avant d'embarquer sur la péniche de l'Office de gestion des rennes. Le navire était en vue, et Klemet entra en contact avec le pilote. Il le connaissait depuis longtemps. Un Sami de la côte, ancien petit pêcheur qui avait été loué par les compagnies pétrolières pour le soutien logistique dans le temps, lorsqu'elles avaient commencé à prospecter en mer de Barents. Il possédait toujours son chalutier, mais avait plusieurs casquettes, travaillant tout à la fois pour lui, pour les pétroliers et pour les éleveurs de rennes.

Le troupeau errait encore sur le plateau, encadré par plusieurs éleveurs qui avaient démarré depuis plusieurs heures leur travail d'approche pour regrouper les centaines de bêtes et les amener à se diriger vers la côte. D'autres éleveurs préparaient l'enclos. L'opération se découpait en plusieurs moments. Les rennes devaient suivre un certain tracé jusqu'à la route, emmenés par un renne de tête. L'enclos était assez vaste pour les contenir tous.

Klemet et Nina se placèrent chacun à une extrémité de la route, prêts à bloquer la circulation. Ils attendaient un signal d'Anneli. Cela pouvait durer encore. Dix minutes ou deux heures. La côte était encore endormie. Klemet envoya un message à Nina. «Pas trop fatiguée ? Tu avais des petits yeux ce matin.» La réponse ne tarda pas. «Je veux me plonger la tête dans une baignoire de café, *please.*»

Klemet n'avait pas voulu l'assaillir de questions la veille au soir. Son histoire avec ce plongeur ne lui plaisait pas vraiment. Il n'avait pas non plus osé raconter à la commissaire Hotti qu'ils allaient faire traverser des rennes sur l'île de la Baleine à deux jours des obsèques de Fjordsen. Certains pourraient y voir une pure provocation car le risque serait plus grand encore d'avoir des rennes se baladant en plein service funèbre. La chose serait sûrement mal vécue en ville, mais de son point de vue de police des rennes, Klemet devait respecter la volonté des éleveurs. Anneli n'était pas seule à décider. D'autres rennes que les siens étaient concernés. Il fallait réunir de nombreux bergers pour cette opération et on ne pouvait pas la reporter indéfiniment juste pour attendre les obsèques d'un maire qui avait en plus pris beaucoup de soin de son vivant à clôturer le périmètre urbain pour empêcher les intrusions de rennes.

Anneli appela. Les rennes approchaient.

Klemet prévint Nina par téléphone, à un kilomètre de là. Ils bloquèrent la route. À cette heure-ci, cela ne dérangerait pas grand monde.

Ils patientèrent encore une vingtaine de minutes avant que les premiers rennes ne s'annoncent. Klemet était trop loin pour les voir mais il entendait les engins. Il vit bientôt surgir un scooter des neiges de derrière un talus, venant du plateau. Le conducteur coiffé d'une chapka enleva ses lunettes de soleil. Klemet reconnut Jonas Simba et le salua. Simba coupa son moteur et alluma une cigarette. Il salua le policier. Klemet ne l'avait pas revu depuis l'enquête sur la mort d'Erik, presque deux semaines plus tôt. Ils se retrouvaient au même endroit, toujours pour ces rennes qui s'acharnaient à vouloir retrouver leurs pâturages ancestraux. Simba avait l'air énervé.

– Alors, ça y est ?

Klemet ne comprenait pas. L'éleveur le regardait d'un air dur.

– Vous faites les gentils ici mais, à côté, vous allez finalement le déplacer, le rocher. Et vous, les flics, vous ferez le même boulot, juste en face d'ici, pour que les engins de chantier puissent déplacer le rocher tranquillement sans être dérangés. Finalement, Juva Sikku, il a bien joué sa carte. Il avait raison de prendre les devants. Il savait ce qu'il faisait.

– Je ne suis pas au courant, se défendit Klemet, ce qui était la vérité. Il avait entendu ces rumeurs, mais ne savait pas que la décision avait été prise. Il allait ajouter que s'il y avait une décision, il faudrait la faire respecter, mais Simba avait déjà jeté son mégot, remis ses lunettes et redémarré, repartant d'un coup d'accélérateur brutal le long de la route.

Klemet secoua la tête et chercha ses jumelles.

Au bout de quelques minutes, il aperçut les premiers rennes qui traversaient la route. Ils étaient canalisés pour entrer dans l'enclos. Le passage dura quelques minutes, le temps que les retardataires rejoignent le groupe. Aux jumelles, Klemet pouvait suivre les faons qui se pressaient aux côtés de leur mère. Ils paraissaient bien fragiles et il était probable que nombre d'entre eux auraient pu se noyer durant une traversée à la nage. Lorsque l'enclos fut fermé, il prévint Nina qu'elle pouvait libérer la route. Il alla la récupérer et revint surveiller le transbordement des animaux depuis la route. On n'avait plus besoin d'eux. Nina lui demanda de prendre une photo d'elle avec le bateau en contrebas. Il se demanda si le contre-jour serait trop grossier. Il savait bien qu'elle lui demanderait de reprendre la photo sous un autre angle. Il plaça le bateau à moitié derrière sa tête, légèrement de travers. Elle fit une moue mais sembla s'en contenter. Les rennes, affaiblis depuis des mois, se reposaient maintenant, léchant les rochers ou broutant ce qu'il y avait de mousse sur les bouleaux. En bas, les bergers dépliaient des bâches pour sécuriser un corridor entre l'enclos et la péniche qui avait accosté et abaissé la rampe d'accès sur la berge. Klemet aperçut Jon Mienna, le pilote de la péniche de débarquement. Il surveillait les opérations depuis sa passerelle, une tasse de café à la main. Des compartiments séparés de grilles étaient aménagés dans la péniche. Bientôt, tout fut prêt et Jon Mienna donna le signal. Les bergers ouvrirent l'enclos. Certains d'entre eux entrèrent et séparèrent le troupeau qui s'était mis à tourner en rond à l'arrivée des hommes. Ils réussirent à isoler un groupe d'une quarantaine de rennes avec des bâches tendues et les poussèrent vers le corridor. Les rennes, bave pendant de leur gueule ouverte, se précipitèrent sur la rampe dans un vacarme soudain. Ils s'engouffrèrent sur la péniche. Les bergers, cachés derrière des panneaux, fermèrent les grilles au fur et à mesure que le troupeau pénétrait au plus profond de celle-ci. L'opération fut renouvelée plusieurs fois jusqu'à ce que l'enclos fût vide. Les deux policiers descendirent jusqu'à la berge. Klemet fit un signe de la main à Mienna qui leva son pouce. La traversée ne durerait pas longtemps.

– Tu savais que la décision de déplacer le rocher avait été prise ?

Nina l'ignorait.

– Je n'aime pas ça, dit Klemet.

Ils regardèrent le navire s'éloigner vers les monts enneigés et baignés de soleil de l'île de la Baleine, et Klemet se dit que c'était peut-être une des dernières fois qu'il assistait à ce spectacle ici.

– Mon fichier, on m'a volé mon fichier.

Markko Tikkanen criait dans son bureau. Désespéré. Il ne comprenait rien. Qui pouvait lui vouloir tant de mal ? Tikkanen s'était rendu compte de la disparition en arrivant ce matin, très tôt comme à son habitude. Il avait cru mourir sur-le-champ. Il aurait préféré qu'on lui réclame de s'amputer lui-même d'un bras. Ses centaines de fiches qu'il chérissait plus que tout, mises à jour en permanence. Et aucune sauvegarde. Tikkanen sautait de colère et d'incrédulité, ne sachant par quel sentiment se laisser submerger, s'épongeant, éreinté par tant de haine. Qui ? Qui ? Une catastrophe. Rien de moins qu'une catastrophe. Pourvu que le voleur ne sache pas lire, pria Tikkanen. Il remit sa mèche en place, se dit qu'il y avait peu de chances pour qu'un voleur ne sachant pas lire prenne ses fiches. Et aujourd'hui tout le monde savait lire, c'était une calamité, tous ces gens qui lisaient. Un analphabète aurait plutôt pris le tableau. Le tableau. Comment ? Comment a-t-il fait ? Pour entrer ? S'était-il caché et avait-il attendu que Tikkanen sorte ? Sa secrétaire, Mme Isotalo… Qui voyait-elle ? Elle avait des fréquentations peu recommandables. Quand s'était-il servi de son fichier pour la dernière fois ? Vendredi ? Était-elle revenue après lui ? Elle avait les clefs. Mais elle ne connaissait pas le code. Personne ne le connaissait. Il cria. Tikkanen regarda par la vitre du salon donnant sur la rue, se retira dans son bureau, claqua la porte et se rassit. Du sang-froid. Tikkanen était connu pour son sang-froid. Tikkanen ne faiblissait jamais, on le connaissait pour ça. Il n'allait pas flancher maintenant. Qui avait intérêt à lui prendre ce fichier ? Il devait bien l'admettre, tout le monde y avait intérêt. Mais qui en connaissait l'existence ? Pas mal de monde, il devait bien le reconnaître aussi. Il en parlait comme de son enfant chéri, toujours fier de montrer à un client qu'il était à jour. Il gémit. Il prit son carnet de rendez-vous et regarda toutes les personnes rencontrées les semaines passées, essayant de se remémorer la teneur des rencontres. Sympathiques, tendues, cordiales. Il se forçait à évaluer honnêtement la qualité des entretiens et il devait bien admettre qu'il n'avait de relation sympathique avec personne. Il se reprocha aussitôt cette vision des choses. Tout le monde est sympathique avec moi. Au pire, ils sont impressionnés par ma force, voilà tout. Ma mère m'a toujours dit qu'avec ma stature, les gens fileraient doux. C'est ça, je les impressionne, mais au fond les gens pensent du bien de moi. Ils voient bien que je suis là pour rendre service, et rien d'autre. Après des efforts supplémentaires pour faire un tri, il lui resta une liste d'une quinzaine de noms. Il sortit en trombe et se mit en chasse.

46

Tom Paulsen avait récupéré auprès de Leif Moe le nom et le numéro de téléphone de ce Norvégien amoché rencontré récemment. Le nom, Knut Hansen, ne lui disait rien. Il patientait dans la salle à manger de l'*Arctic Diving*. Le navire ne partait pas très loin cette fois-ci, à quelques kilomètres seulement, du côté du chantier de construction du terminal de Suolo. Une simple mission d'inspection et de prises d'échantillons sans grand intérêt ni le moindre danger. Il profita qu'il lui restait un peu de couverture mobile pour appeler. Un répondeur se déclencha. Il s'agissait d'un message préenregistré de l'opérateur. Tom laissa son nom et son téléphone puis raccrocha. Il se leva et s'approcha de Nils.

– Alors, du nouveau de ton avocat ?

– J'attends son courrier. Tu crois que cette histoire d'assurance pourrait venir de Steel ?

Nils paraissait soucieux. Ça lui ressemblait peu.

– Je t'ai déjà dit, il t'avait vraiment à la bonne, et il n'a pas de famille au Texas. Je crois que tu l'as mal compris.

– Je n'y pige rien. Mais je verrai bien avec la lettre. Ce que je voudrais maintenant, c'est retrouver Jacques.

– Ton ancien plongeur français ?

– Il a dû rencontrer d'autres gens pour arriver à moi.

– Leif m'a dit qu'il avait vu un ancien plongeur récemment, mais c'était un Norvégien, un type assez usé apparemment. J'ai essayé de l'appeler, mais ça ne donne rien.

– Et tu ne m'as rien dit ?

– Mais il n'y a rien à dire jusqu'à présent. Un Norvégien, je te dis.

– Pourquoi tu m'en parles, alors ?

– Je ne sais pas. Pour l'instant, allons-nous préparer. Ta lettre sera peut-être arrivée ce soir à notre retour. Et ton Français, on finira bien par mettre la main dessus.

Klemet et Nina traversèrent le pont pour assister à l'arrivée de la péniche de débarquement. Ils retrouvèrent Anneli et d'autres éleveurs. La manœuvre de débarquement fut bien plus rapide et les rennes disparurent rapidement vers l'intérieur de l'île.

Lorsque chacun fut reparti de son côté, Anneli rejoignit les policiers auprès du rocher sacré. Nina lui avait demandé de leur montrer là où elle avait trouvé le bracelet.

– C'est bien là, dit Nina en se tournant vers Klemet. Elle jeta un œil au pied du rocher pour voir si autre chose attirait son attention. Rien. Elle se releva, cligna les yeux sous les rayons du soleil et pensa qu'elle avait encore très peu dormi cette nuit-là.

– Je ne sais pas comment vous faites pour vous habituer à ce soleil jour et nuit.

Anneli sourit.

– Quand nous avons passé tout l'hiver à espérer le retour de la lumière, aller dormir quand elle nous inonde prend des allures de trahison.

– Eh bien moi, je me sens bien une âme de traîtresse en ce moment, dit Nina en bâillant.

– Comment vas-tu faire maintenant ? demanda Klemet.

Anneli tourna son visage vers l'intérieur de l'île.

– On est venu me suggérer d'emmener mes rennes du côté de Naivuotna pour les pâturages d'été.

– Qui, *on* ?

– Ce n'est pas très important. Je ne vois pas ce que je ferais là-bas. Il faudrait empiéter sur les pâturages d'un autre éleveur, cela entraînerait des conflits peut-être, et je crains que ce soit précisément le but recherché. Plus nous sommes divisés, plus nous aurons du mal à nous défendre.

Klemet restait silencieux, mais Nina comprenait que ce n'était pas de leur ressort. Une camionnette approchait d'eux. Deux employés de la Direction nationale des routes en descendirent. Ils saluèrent tout le monde et déchargèrent un tachéomètre qu'ils installèrent. Sans plus se soucier des policiers et d'Anneli, ils commencèrent leurs mesures. L'éleveuse s'avança vers eux. Elle avait perdu son air doux.

– On peut savoir ce que vous faites ici ?

– Ben, on mesure, parce qu'après ils vont élargir la route ici. Il paraît qu'ils vont bouger ce caillou aussi, ça va se faire ces jours-ci, à ce qu'on sait.

– Et vous pensez vraiment pouvoir faire ça ? demanda Anneli d'un ton doux.

– Vous, vous, c'est pas nous, hein, nous on mesure et après c'est d'autres qui feront le reste du boulot.

– Vous savez ce que ça représente, ce rocher ?

– Ben, un emmerdement pour la mairie, apparemment.

D'un coup sec de la main, Anneli fit tomber le tachéomètre.

Les deux employés se mirent à crier.

– Pouvez pas faire attention, non, vous savez combien ça coûte ces engins ?

– Et ce rocher, vous savez ce que ça vaut pour mon peuple ?

Klemet et Nina s'approchèrent rapidement. Nina attrapa Anneli par les épaules et la força à reculer.

– Anneli, tu ne peux pas faire ça, lui lança Klemet. Ces gens font leur travail, rien de plus, si tu as des choses à dire, va voir leur patron ou la mairie.

– Vous savez très bien ce qu'ils trament tous et vous laissez faire. Olaf Renson a raison finalement.

– On te raccompagne.

Cette fois-ci, ce fut Nina qui l'entraîna vers leur voiture. Ils la ramenèrent chez Morten Isaac, de l'autre côté du pont. Ils restèrent silencieux.

– Sacré caractère en fin de compte, dit Nina après leur départ. Et maintenant ?

– Nous avons le temps jusqu'au rendez-vous avec ton père. Pousse jusqu'à Hammerfest, nous avons beaucoup de questions à poser à Gunnar Dahl.

47

Hammerfest.

Le pétrolier ne pouvait pas les recevoir avant l'heure du déjeuner. Klemet et Nina se rendirent au commissariat. Ellen Hotti passa les voir à la cafétéria avec une chemise remplie de documents.

– Vous trouverez la liste de tous les passagers arrivés aux aéroports d'Alta et d'Hammerfest depuis la mi-avril, idem pour les passagers de l'*Hurtigruten*. Mes équipes ont déjà regardé, on a croisé nos données avec celles de nos amis des services de renseignements et, visiblement, on ne trouve personne susceptible d'être un vieil ennemi de Fjordsen du temps où il travaillait pour le comité Nobel. Ça n'exclut pas que ce soit une affaire liée à cette époque, mais il faut chercher ailleurs.

Klemet prit la chemise.

– Franchement, que les gars des services puissent écarter aussi vite tout lien avec son passé au comité Nobel me laisse dubitatif. Il y a si peu d'étrangers qui transitent par ici ?

– Ils ont fait leurs vérifications, Klemet. On ne peut pas mettre en cage le moindre touriste qui vient du Moyen-Orient ou de je ne sais où, simplement parce que

Fjordsen a fait élire un Nobel qui a des ennemis. Reviens plutôt à ce que nous avons de concret.

– Ellen, tu sais bien que nous ne pouvons pas faire grand-chose de ça, dit-il en soulevant la chemise. Nous sommes deux et nous travaillons sur une autre histoire. En revanche, ça nous aiderait si tu nous disais quelque chose sur les empreintes de chaussures là où Fjordsen a été retrouvé, ou sur les appels qui ont été reçus ou passés de son portable.

– Oui oui oui, dit la commissaire pour l'arrêter. J'ai mieux pour l'instant, même si ça ne vous concerne pas. Mes experts m'ont appelée du cabanon. Avec ton petit bout de déclencheur, tu sais. Ils ont découvert une plaque de pression pour la mise à feu du dispositif. Il suffisait que le gars marche dessus pour déclencher le dispositif. Boum. Le cabanon était donc bien piégé. J'ai mis la Criminelle sur le coup. Mais je n'ai pas oublié de signaler qui a levé le lièvre.

– Et ce Français, on en sait plus sur lui ? demanda Nina. Parce qu'on m'a posé des questions assez insistantes sur un ancien plongeur français qui traînait dans le coin ces derniers temps.

– Et qui s'y intéresse ?

Nina parut absorbée par ce qu'Ellen Hotti leur disait et ne répondit pas à Klemet.

– Pour l'instant nous avons un nom. Raymond Depierre, un médecin du sud de la France, une ville près de Marseille. On le passe au crible. L'épouse a été prévenue. Il avait acheté son chalet depuis déjà sept ans, il venait pêcher ici, retrouvait parfois des amis. Sa femme est sous le choc mais recherche le nom de ses amis pour nous. Il a travaillé en Norvège pour des missions. La police française nous assiste sur place.

– Un médecin français victime d'un attentat ici ?

– On est vraiment sûr qu'il était médecin ? insista Nina. Est-ce que ce médecin et ce fameux plongeur français pourraient être une et même personne ?

– Si ça vous intéresse autant, je vous tiendrai au courant. On doit pouvoir vérifier facilement si ce toubib était aussi plongeur. En attendant, au lieu de râler, Klemet, tu verras que tu as la liste des appels sur le portable de Fjordsen en fin de dossier. Et je te signale qu'on a encore eu un vol de renne hier après-midi. Vous étiez en congé, je n'ai pas voulu vous déranger, mais c'est au sud de Skaidi. Allez y faire un saut plus tard.

Klemet et Nina quittaient la cafétéria lorsque la commissaire les rappela.

– Klemet, tu m'avais demandé de voir pour le bracelet que portait l'un des macchabées du détroit du Loup. Tiens, attrape, dit-elle en lui lançant un petit sachet plastique. Et vous n'oubliez pas mes funérailles ?

Gunnar Dahl attendait les deux policiers dans le lounge bar de l'hôtel Rica. La bâtisse était en bord de mer, orientée face à la baie, avec au loin l'île artificielle et sa torchère où Norgoil avait ses bureaux. Dahl avait voulu les recevoir à l'hôtel Thon afin, avait-il dit, de leur éviter la lourdeur des procédures pour accéder à l'île. Ils s'assirent autour d'une table surélevée et légèrement à l'écart. Nina aurait préféré le convoquer au commissariat afin de donner un côté plus formel à l'interrogatoire, mais Klemet avait été d'avis de ne pas brusquer les choses. Il avait donc choisi l'hôtel Rica, histoire de prendre au moins la main sur le choix de l'hôtel.

De nombreuses questions préoccupaient Nina.

Comment Gunnar Dahl expliquait-il que son nom figure comme caution sur le contrat de location de cette camionnette utilisée par ce Knut Hansen retrouvé noyé dans le détroit du Loup ?

Était-ce son vieil air de pasteur avec son collier de barbe, toujours est-il que Nina ne put s'empêcher de voir en lui une reproduction de sa mère. La même race, bienveillante en surface, mais impitoyable, coupeuse de têtes. Que fabriquait-il dans ce milieu pétrolier ? Un monde qui n'était pas fait pour les délicats, elle entendait cette même rengaine pour les éleveurs de rennes : la toundra, ce n'est pas pour les enfants de chœur. Sous prétexte que Dahl travaillait pour la compagnie publique norvégienne, ça ne faisait pas de lui un angelot. Cela en faisait-il un pourri ? Nina avait hérité de sa mère un certain sens du bien et du mal. La frontière entre les deux était une ligne que jamais sa mère n'avait semblé éprouver le moindre mal à tracer. Elle ignorait les pointillés. Aujourd'hui, Nina doutait du discernement de sa mère quand elle voyait son comportement vis-à-vis de son père. Mais ce Dahl…

Un brouhaha venant du lounge attira leur attention. Un groupe d'hommes en grande discussion se dirigeait vers la sortie. Nina reconnut certains de ceux rencontrés le matin même lors du transbordement des rennes sur la péniche, ainsi que le chef du district Morten Isaac, et même l'Espagnol, Olaf Renson. Que faisait le député du parlement sami de Suède à Hammerfest ? Renson les aperçut et se dirigea vers eux d'un pas vif, suivi par Morten Isaac et quelques autres, tandis que le gros de la troupe gagnait la sortie.

– Gunnar Dahl, te voilà, tu auras à répondre de tes actes. Voici des semaines qu'on demande à rencontrer les responsables de Norgoil, sans la moindre réponse. Et te voilà ici, quelle chance.

La voix d'Olaf Renson exprimait la colère.

– Nous nous connaissons ? demanda le pétrolier.

Nina reconnut l'attitude drapée de dignité de Renson qui redressa le menton, une main sur la hanche. Un matador face au taureau, conscient des regards du public. L'Espagnol.

– Je suis député au parlement sami de Suède et membre du groupe de coordination entre les parlements sami suédois, finlandais et norvégien. Nous allons être amenés à nous rencontrer, car ce que vous faites ici est inacceptable. Ce rocher sacré que vous voulez déplacer, comment pouvez-vous imaginer que nous allons vous laisser faire ? Vous êtes déjà en train de détruire ce pays et cette planète. Vous pensez vraiment pouvoir tout vous permettre ?

– Détruire ce pays ? Gunnar Dahl s'était levé tranquillement. Nous fournissons de l'énergie et des emplois, nous créons la richesse de ce pays.

– Avec les gisements que vous développez en mer de Barents ? Laisse-moi te dire une chose. À cause de vous, la Norvège est un pays pollueur, en dépit de toutes les belles paroles de votre gouvernement. Et encore une chose. Si on veut rester dans la limite d'un réchauffement du climat de la planète à deux degrés, au-delà desquels on va dans le mur, il faut laisser les deux tiers des réserves prouvées de pétrole, de gaz et de charbon sous terre. Les deux tiers. Mais vous, vous continuez comme si de rien n'était. Et Norgoil va même tripler ses investissements dans la recherche pour l'exploration arctique.

– Nous produisons plus proprement que les autres, et nous produisons pour des pays qui ont le droit de se développer.

– Plus proprement ? C'est quoi cette foutaise ? Renson prenait Morten Isaac et les autres à témoin. Tu n'entends pas ce que je dis ? Il faut laisser les deux tiers des réserves prouvées dans le sol, celles qui sont déjà prouvées. Mais vous, vous continuez encore à en chercher de nouvelles !

– Mais nous produisons plus proprement, insista Dahl, il vaut mieux que ce soit nous que d'autres, non ?

Renson se tourna à nouveau vers les éleveurs, écartant les bras.

– Il ne comprend vraiment pas. Et tu crois que ton pétrole est consommé proprement ? Propre ou pas, tout ce que vous tirez du sous-sol accélère le réchauffement climatique.

Il toisa le pétrolier.

– Et là-dessus, un petit rocher sacré sur la route qui doit permettre de développer encore plus Hammerfest, on le dégage. On n'arrête pas le progrès ni la prospérité, j'imagine ?

Dahl s'était levé. Il fit un geste apaisant. Mais Olaf Renson donna le signe du départ et le groupe se dirigea vers la sortie. Dahl se rassit et prit les policiers à témoin.

– Et vous, vous croyez vraiment que notre fonds du pétrole de six cents milliards d'euros s'est bâti sur des belles paroles ?

Ni l'un ni l'autre ne réagirent. Klemet releva le nez de son carnet.

– Gunnar Dahl, peux-tu m'expliquer pourquoi ton nom figure comme caution sur le contrat de location d'un véhicule emprunté à Alta par un certain Knut Hansen ?

Dahl le regarda sans paraître comprendre.

– Vous êtes en train de procéder à un entretien ou à un interrogatoire ?

– Nous voulons des réponses, Dahl. Tout nous porte à croire que Knut Hansen a rencontré Lars Fjordsen peu avant sa mort.

Nina détaillait Dahl. Sa barbe en collier. Son regard qui s'affûtait. Dahl savait des choses. Ellen Hotti avait fait faire des recherches sur lui. Sources ouvertes pour la plupart. Un long passé de serviteur, fidèle, un bon petit soldat de l'industrie pétrolière norvégienne. Les recherches sur Knut Hansen n'avaient rien donné, si ce n'est le fait qu'il existait quelques centaines de Knut Hansen dans le pays.

– Knut Hansen ? Je suis censé savoir qui c'est ? Connais pas.

– Mais lui te connaît, apparemment.

– On trouve mon nom dans les journaux.

– Pourquoi aurait-il donné le tien ?

– Et vous croyez que je peux répondre à cette question ?

Air discrètement indigné, sans extravagance. Contrôle de soi. Retourner la faute sur l'autre. Sa mère. Sa mère avec un collier de barbe. Nina regarda sa montre. Quand devraient-ils partir pour être à l'heure au rendez-vous ? Le reconnaîtrait-elle ?

– Je te le demande encore une fois de façon informelle, Dahl, car la prochaine, ce sera au commissariat, avec la Criminelle.

Klemet devait savoir qu'il ne suivait pas la procédure en agissant de la sorte, mais il avait ses raisons, Nina le sentait. Bouche pincée, regard fulgurant. Dahl frémissait, tout au plus.

– Laisse-moi être plus clair encore, Dahl. Ton Knut Hansen s'est battu avec Lars Fjordsen au détroit, et il se trouve que Fjordsen a trouvé la mort pendant cette bagarre lorsque sa tête a heurté un rocher.

Dahl ne frémissait plus. En bon professionnel habitué à gérer les risques, il tentait d'évaluer les dégâts. Colonne des plus, colonne des moins, que dit le solde ?

– Je vous le redis, ce nom ne me dit rien.

– Bien, comme tu voudras, dit Klemet en se levant. Il rangea ses affaires et fit demi-tour et s'engagea vers la sortie. Nina lui emboîta le pas.

– Vous avez une photo ?

Ils avaient parcouru une dizaine de mètres et Klemet avait la main sur la porte. Gunnar Dahl était debout, mains posées à plat sur la table, ce qui lui donnait un air courbé. Assagi. Vaincu ? Ou roublard avec un geste calculé censé exprimer sa bonne volonté ?

– Si vous aviez une photo, qui sait ?

Klemet fit vivement demi-tour et sortit une photo de Knut Hansen. Le représentant de Norgoil prit le temps. Les plus, les moins. Il secoua la tête.

– Je ne peux pas être catégorique. Ni dans un sens, ni dans l'autre. Je vous prie de me croire. Je suis à peu près sûr que ce n'est pas quelqu'un rencontré récemment.

Klemet lui glissa les photos du Polonais et d'Anta Laula.

– Celui-ci travaillait, paraît-il, sur le chantier du terminal de Suolo. Un Polonais. Zbigniew Kowalski.

– Nous y avons tellement de monde.

– Mais il n'était connu ni sur le flotel, ni sur le chantier du terminal.

– Et ça ne veut pas dire qu'il ne travaillait pas là, dit Gunnar Dahl. Des centaines de personnes travaillent pour des sous-traitants et n'ont même pas besoin d'être accréditées pour accéder au chantier du futur terminal. Elles peuvent très bien être employées dans un atelier en ville et être logées par leur patron. Plein de gens louent leur appartement plein pot pour arrondir leurs fins de mois.

Location d'appartement, pensa Nina. Bien sûr, et nous n'avons même pas posé la question à Tikkanen.

– Et celui-là, compléta-t-elle, c'est celui dont je t'avais parlé, Anta Laula, qui aurait participé à des expériences de plongée.

– L'autre Sami, murmura Dahl comme pour lui-même. Que voulez-vous, je ne le connais pas, ni de nom ni de visage.

– Simple curiosité, reprit Nina. Vous avez envisagé une autre solution que de déplacer le rocher sacré ?

– Sacré, sacré… Je crois surtout qu'il était utilisé dans le temps. Le plan de la mairie est de le placer dans un endroit plus magnifique encore, ce sera du meilleur effet, avec une promenade autour, il sera accessible, avec des bancs, les familles pourront venir pique-niquer.

– Vous êtes sûr que c'est ce que les gens d'ici veulent, je veux dire ceux pour qui ce rocher est important ?

– Et alors, que fait-on ? On va avoir ce nouveau terminal, une nouvelle piste d'aéroport pour accueillir des gros porteurs avec une autre presqu'île artificielle à construire, Hammerfest a dix mille habitants et va grossir de milliers d'habitants dans les dix ans à venir. L'Arctique se réchauffe, tout le monde va aller chercher du pétrole là-haut.

– Il est certain que si les éleveurs de rennes ne viennent plus sur l'île, le rocher sacré perd de son intérêt, dit Nina.

– Exactement. Mais attention, nous avons le plus grand respect pour la culture sami, d'ailleurs nous finançons des projets artistiques et culturels magnifiques.

Nina voulut répondre, mais Klemet la prit par le bras.

– C'est l'heure du rendez-vous, lui souffla-t-il à l'oreille.

Le rendez-vous. Comment son ventre pouvait-il se tordre aussi vite à cette seule évocation ? Leur premier rendez-vous depuis une douzaine d'années.

– L'heure de quoi, risqua Gunnar Dahl, que voulez-vous dire ?

– Ce n'est pas pour toi, Dahl. Mais je pense que tu auras toi aussi bientôt un rendez-vous. Un vrai. Au commissariat.

48

Mer de Barents.

Leif Moe bâilla longuement. Avachi dans un fauteuil trop confortable, il se disait qu'il aurait mieux fait de se remettre sur son tabouret pour éviter de s'alanguir. Il était encore resté longtemps la veille au Riviera Next après le départ de Tom Paulsen. Beaucoup trop longtemps. Il se frotta le front, mais le mal de tête ne passait pas. Il ne comprenait pas pourquoi. Pas bu plus que d'habitude. Et pas différemment. Qu'est-ce que j'ai bu ? Bah, ça passera. Il se frotta les joues. Aujourd'hui, la procédure l'emmerdait.

– Tom, Nils, tout roule les gars ?

Paulsen et Sormi travaillaient au fond depuis une bonne heure. Du velours aujourd'hui. Une plongée à quelques dizaines de mètres de profondeur seulement, à l'air. Pas de mélange gazeux, pas de décompression compliquée et laborieuse. Et coûteuse. Leif Moe ne l'aurait jamais avoué, mais il n'était pas fâché de ne pas avoir Henning Birge sur le dos. Non pas que feu le représentant de Future Oil ait été plus emmerdant qu'un autre, mais il avait un genre. Il préférait un Bill Steel, plus franc du collier. Birge était une espèce de vipère froide. Et puis un sacré faux cul. Il poussa le volume

395

d'un interrupteur. Sous l'eau, Sormi et Paulsen étaient à la manœuvre.

Une caméra sous-marine permettait à Leif Moe de suivre les plongeurs. Leur combinaison en néoprène de sept millimètres laminée d'un nylon double épaisseur leur permettait de travailler en eaux froides sans souci.

Les travaux de la nouvelle île artificielle avançaient à bon rythme. Le terminal pétrolier de Suolo serait prêt dans une vingtaine de mois si tout allait bien, mais il restait beaucoup à mettre en œuvre. Un vrai bazar ce chantier, avec des grues embarquées, d'autres à terre, sur les parties de l'îlot déjà stabilisées. Ça allait vite, très vite, même si ça prenait un sacré temps. Mais bon, ça leur assurait des contrats à long terme. Moe voyait Sormi en train de remplir ses éprouvettes. Paulsen et lui devaient contrôler la qualité de l'eau aux abords du chantier, à cause de toutes les saloperies de produits utilisés un peu partout. Il ne fallait pas qu'il y ait de fuites en mer. Le moins possible en tout cas. Les organisations de pêcheurs ne les lâchaient pas au prétexte que ces eaux de la mer de Barents étaient très poissonneuses. Leif Moe n'allait pas dire le contraire. Du poisson, ses plongeurs en voyaient en pagaille. Moe comprenait les pêcheurs.

Une mission de routine, ouais, mais avec tout ce bazar Leif Moe n'était quand même pas trop tranquille. Trop de navires se croisaient, et ces grues le foutaient mal à l'aise. Leif Moe n'aimait pas avoir ces gros machins au-dessus de la tête. La seule chose qu'il supportait au-dessus de lui, c'était de l'eau de mer. Il changea d'écran pour le point de vue de la petite caméra du casque de Sormi. Moe apercevait parfois Paulsen, un peu plus loin. Il inspectait le fond de la mer, faisant son chemin à travers les blocs de béton, les maillages métalliques, tout ce qui faisait que parfois un chantier sous-marin ressemblait fortement au bordel en surface. Certaines des grues étaient d'ailleurs en train de déposer du matériel au fond de l'eau afin que les plongeurs puissent mener certaines opérations dans les jours à venir. Ah putain, j'ai oublié de les prévenir. Il regarda un classeur. Ces abrutis aussi avaient oublié de présenter leur planning quotidien détaillé. Ça arrivait tout le temps. Putain de grutiers, et putain de mal de crâne. Tout prenait plus de temps, gestes au ralenti, temps compté, froid qui au fil du temps vous saisissait. Leif Moe avait surtout travaillé en mer du Nord, où le fond de la mer était constant à 4°C. Ici, le long de la côte, même si l'on était beaucoup plus au nord, l'eau était à 3°C, grâce à la dérive nord-atlantique, une extension du Gulf Stream qui longeait la région et garantissait l'absence de banquise même en hiver.

Leif Moe se leva pour se verser sa cinquième tasse de café depuis le début de la plongée. Il fit quelques exercices d'assouplissement, surveillant toujours les écrans de contrôle. La mission touchait bientôt à sa fin pour aujourd'hui.

– Dis donc, Tom, tu l'as trouvé, finalement, ce plongeur français ?

– Pas de nouvelles, j'ai essayé d'appeler l'autre, le Norvégien, j'espère qu'il me rappellera.

– On peut travailler en silence, ici ?

– Du calme, Sormi. Tu as fini avec tes échantillons ?

– Encore deux.

– Tom, de ton côté ?

– Fini pour la zone que je devais…

Le hurlement fit sursauter Leif Moe qui renversa son café sur lui.

– Qu'est-ce qui se passe ? Tom, Nils, bordel ?

Le hurlement lui brisait les tympans. Il se jeta sur les boutons de commande, passant d'une caméra à l'autre. L'une ne montrait qu'une masse compacte. Impossible de voir quoi que ce soit avec la caméra de Tom.

– Nils, Tom, répondez, bordel.

– J'y vais, j'y vais.

C'était la voix essoufflée de Nils.

– Nils, qu'est-ce qui se passe ? Putain, réponds.

– J'y vais, j'y vais, j'y suis presque.

La respiration saccadée de Sormi.

– J'y suis, j'y suis.

Leif Moe percevait l'angoisse dans la voix de Sormi. Jamais il ne l'avait entendu ainsi. Les hurlements avaient cessé.

– Tom, Tom, tu m'entends, réponds, Tom.

– Oh, nom de Dieu. Du sang partout.

Leif Moe découvrait la scène à travers la mauvaise caméra du casque de Nils Sormi. Un nuage sombre entourait une forme au sol.

Il voyait maintenant le corps de Tom Paulsen. Le devinait plutôt, suspendu aux mouvements de casque de Sormi. Trop saccadé. C'est quoi, ce machin ? Petit à petit, Sormi lui-même se stabilisait. Leif Moe découvrit la scène et enfonça aussitôt le bouton d'alarme. Un pieu clouait Tom Paulsen au fond de la mer. Le superviseur n'en crut pas ses yeux.

– Il vit, Nils, il vit ?

– Je ne sais pas.

Moe se précipita vers la vitre de la salle de commande. Il repéra l'endroit où se trouvaient les plongeurs. Le bras d'une grue était arrêté au-dessus. Du matériel était suspendu au bout du filin. Il aperçut, tout petit là-haut, le conducteur de la grue, penché à la fenêtre de sa cabine, qui tentait de voir en dessous de lui au point d'impact.

– Nom de Dieu de connards de merde.

Le pieu avait dû tomber de la grue.

– Il faut que j'enlève le pieu.

– Non, Nils, ne fais pas ça, ne fais pas ça, tu vas le tuer.

– Il faut que j'enlève le pieu.

Leif Moe n'était pas sûr de comprendre exactement ce qu'il voyait, l'image était trop partielle, trop proche maintenant.

– Attends, attends, j'appelle un toubib, Nils, garde ton sang-froid, attends, bon Dieu, on va le sauver, je te le jure.

Leif Moe se jetait sur le téléphone pour appeler le médecin de permanence.

Il lança en même temps dans le micro un appel à la passerelle.

– Envoyez l'équipe de stand-by tout de suite. Toubib, putain, réponds, mais réponds.

– Il vit, il vit.

Le téléphone sonnait dans le vide. Des hommes d'équipage se précipitaient dans sa cabine de supervision, proposaient leur aide.

– Il faut que j'enlève le pieu. Il va crever ici.

Sormi criait, le nuage noirâtre se dissipait un peu. Moe ne pouvait rien voir du visage de Paulsen, les mouvements de la caméra de casque de Sormi étaient trop saccadés. Comme si le plongeur regardait désespérément autour de lui, cherchant une aide qui ne viendrait pas. Ou trop tard.

– L'équipe stand-by ! ?

Moe s'égosillait. Une voix lui répondit de l'extérieur.

– À l'eau, ils viennent de plonger.

Ils n'arriveraient jamais à temps.

Impuissant, Leif Moe vit alors Nils Sormi arracher brutalement le pieu.

Tout était devenu silencieux. Moe se sentait cotonneux. Nauséeux. L'équipage s'était regroupé autour de lui. Pas un mot. Des regards tendus. L'espoir qui viendrait d'un bruit. D'un souffle.

Une sorte de grésillement le sortit de sa léthargie. Un bruit nasillard. Cela venait du téléphone. L'information arriva lentement à la cervelle embrumée de Leif Moe. Le médecin.

Durant les trois heures de route entre Hammerfest et le café Reinlykke, au croisement des routes menant à Kautokeino et Karasjok, Nina n'ouvrit presque pas la bouche, laissant Klemet conduire avec pour seule compagnie la radio. La jeune femme oscillait entre le désir de revoir les scènes vécues avec son père et la nécessité de se concentrer sur l'enquête. Klemet, sans doute, ne s'était pas fait d'illusion dès le départ. Quel homme allait-elle retrouver ? Et si sa mère avait raison ? Si elle avait bien fait de la protéger ? Elle se rappelait ce que Klemet lui avait dit un jour en plaisantant. Nina, nous sommes rationnels, puisque nous sommes policiers. Policier car rationnel.

Elle avait posé sur ses cuisses les deux sachets contenant les bracelets de cuir. Ils étaient parfaitement identiques, œuvres d'Anta Laula. Était-il allé en déposer un au rocher comme une offrande ? Elle devait se concentrer sur l'enquête. Gunnar Dahl, Markko Tikkanen, Juva Sikku. Et Nils Sormi. Et ce Knut Hansen. Qu'avait-elle en main ? Des conflits de terrain sur l'île d'Hammerfest. Tout le monde semblait vouloir son bout. Et les perdants étaient invariablement les éleveurs sami. Si ce n'est que tous ne perdaient pas. Juva Sikku, par exemple, semblait tirer son épingle du jeu. Par fatalisme peut-être, car il avait accepté le fait que s'opposer au rouleau compresseur pétrolier serait vain. Et Gunnar Dahl ? Il avait besoin, comme Steel et Birge, de terrains pour agrandir ses activités. Mais les policiers n'avaient rien sur lui à part des spéculations. À part un motif. Nina imaginait la mine de Klemet. Un motif, c'est vraiment tout ce que tu as, ma pauvre fille ? Et tu veux continuer dans ce métier ? Elle ferma les yeux. Pourquoi son père n'avait-il pas voulu la voir dès hier, tout de suite ? Elle rouvrit les yeux. Klemet restait absorbé par la route. Le temps s'était couvert. Nina enleva ses lunettes de soleil.

– Nerveuse ?

– Je pensais à notre enquête. La mort d'Erik Steggo. Tu crois vraiment qu'on arrivera à quelque chose ? Enfin, à part Juva Sikku qui agite les bras, qu'avons-nous ? Et que pouvons-nous prouver avec ça ?

Klemet baissa le son de la radio.

– Toi-même tu m'as dit qu'il a menti sur la couverture de son téléphone mobile au détroit. Nous tenons un début de piste. Tikkanen a été interrogé par les collègues, sur ses liens avec Sikku, avec les pétroliers. Ils n'ont rien trouvé et comme il n'est pas formellement suspecté, ils n'ont pas pu perquisitionner. Ellen Hotti m'a dit qu'ils cherchaient un autre moyen avec lui.

– Un autre moyen ? La méthode Al Capone. Si tu ne peux pas le faire tomber pour meurtre, fais-le tomber pour fraude fiscale. Tu y crois, franchement ?

– Je ne sais pas ce qu'elle a en tête, mais fais-lui confiance.

Ils venaient de passer le village sami de Masi et seraient bientôt au café Reinlykke. Nina regarda sa montre. Ils étaient en avance. Le reste du trajet fut silencieux.

Quelques minutes plus tard, Klemet poussait la porte du café. La patronne était derrière la caisse, immobile. Elle portait un tablier brodé rouge à liserés bleus, verts et jaunes, une coiffe lapone bleue aux bords brodés. Une dizaine de personnes était attablée. Des chauffeurs routiers, des éleveurs, un jeune couple avec ses deux enfants. Et de dos, au coin, une forme. Nina pensait une forme, car rien ne semblait tenir cet homme. D'autres personnes étaient seules, mais Nina comprit que cette forme était son père. Elle se croyait en avance et fut surprise. Elle adressa un regard à Klemet. Maintenant, elle y était. Que faire ? Elle commanda un café à la caisse.

– Cette personne, là, elle est là depuis longtemps ?

La Sami, femme d'un éleveur du coin, regarda la pendule.

– Ça fait deux heures et quart qu'il est là. Il n'a pas bougé. Il a pris un sandwich en arrivant, une carafe d'eau. Et, depuis, il est là.

Nina se tourna à nouveau vers Klemet. Elle ne savait pas quoi lire dans ses yeux. Il prit sa tasse de café et alla s'asseoir à une table vide. Il lui fit un signe de la tête. Vas-y.

Nina s'approcha. Elle était derrière la chaise vide à côté de la forme. Elle découvrit son profil gauche. Son père. Elle réussit à réprimer une brusque montée de larmes. Ce regard bleu perdu. Si bleu et si perdu. Son visage était creusé de profonds sillons, mais Nina ne pouvait se détacher de ce regard qui disparaissait par la fenêtre, loin sur la toundra. Où s'arrêtait-il ? Que voyait-il que Nina ne pouvait voir ?

Le visage se tourna vers elle. Ce mouvement lent fut une torture pour Nina. Qu'allait-il voir en elle ? Que pouvait-il lire d'elle avec ce regard-là ? Tout d'un coup, elle ne savait plus si cela faisait dix ans ou quinze qu'elle avait croisé ce regard. Il avait gardé les cheveux courts, plus courts même, en brosse. Ils étaient gris, plus fins, plus rares, à la différence de sa barbe, blanche, épaisse. Un vieil homme.

Nina lui sourit. Elle réalisa que ce sourire devait ressembler à un rictus. Lui ne sourit pas. Il mit la paire de lunettes posée devant lui, à côté de l'assiette où le sandwich était toujours intact. Il la regarda longuement.

– Ça fait longtemps que tu es là ?

Pourquoi demander une chose aussi stupide, regretta aussitôt Nina.

– Je ne sais pas, répondit-il.

Nina hocha la tête et tira la chaise pour s'asseoir.

– Je ne sais plus.

Cette voix. À quoi ressemblait-elle ? Ai-je aussi oublié ça ?

– C'était urgent. Ta mère est morte ?

Ma mère ? Nina en était si loin, de sa mère, désormais. Oui, elle était morte, mais non, que lui dire ? Ce regard si lointain qui supposait un espace impossible à franchir. Nina jeta un œil vers Klemet. Il la regardait, impassible. Elle eut soudain envie d'être à côté de son partenaire, ou de sentir la main de Tom sur sa joue, quelque chose de vivant en tout cas, pas ce regard, pas ce gouffre.

Alors, Nina se mit à parler. Les lettres, comment elle avait découvert leur existence, sa mère qui les avait cachées, pour la protéger soi-disant, comment elle l'avait retrouvé, comment elle avait tenté de se rappeler. Son père avait repris sa position, regard perdu sur la toundra enneigée et bouchée par le mauvais temps qui s'alourdissait. De la neige fondue se mit à tomber. Nina frissonna. Son père entendait-il seulement ce qu'elle lui racontait ? Un zombie. Puis elle lui parla de son travail, de ses choix, de son collègue, là, derrière eux – il ne tourna même pas la tête – et puis de son enquête, de cet homme, Laula, qui avait participé à des expériences. Pas un cillement. Nina perdait la notion du temps à son côté. Combien de temps avait-elle parlé ? Il n'avait rien dit, ne l'avait plus regardée une seule fois. Lui en voulait-il car elle était restée silencieuse toutes ces années ? Mais elle venait de lui expliquer, les lettres cachées par sa mère. Oui, j'aurais pu chercher plus tôt, pourquoi ne l'ai-je pas fait ? Elle revint sur son enquête, sur Laula, ces expériences…

– J'ai besoin de ton aide. Tu as connu cette époque. Tu as connu les hommes qui ont vécu ça.

Elle resta un moment à attendre. Rien.

Ce qui se passa ensuite la prit totalement de court. De lourdes larmes se mirent à couler le long des joues de son père, se perdant dans sa barbe. Il se mordait les lèvres. Alors il se leva, se détourna et, sans dire un mot, marchant difficilement, il se dirigea vers la sortie.

Nina fut désemparée. Elle se leva, se planta devant Klemet en écartant les bras en signe d'impuissance et avança vers la porte. Une main se posa sur son bras. À la place de son collègue, elle découvrit un inconnu. Elle ne l'avait pas remarqué jusque-là.

– Laissez-le tranquille. Il n'est pas en état de vous parler. Croyez-moi.

Nina ne comprenait pas. Qui était cet homme ? Klemet s'était rapproché, prêt à s'interposer. Où était passé son père ? Elle ne voyait que les voitures et les camions sur le parking. Nina ouvrit la porte, la poigne de l'homme s'alourdit sur son bras. Elle voulut se dégager, la main se resserra.

– Depuis votre passage hier à Utsjoki, il est très perturbé.

La voix de l'homme était calme. Il n'était pas une menace. Il continua, desserrant sa prise.

– Il n'a fait que se préparer à votre rendez-vous depuis, pour être à peu près présentable. Il s'est forcé à dormir, avec des comprimés, pour ne pas penser. Pour ne pas faire de cauchemars. Il s'est forcé à manger aussi, pour chasser ses vertiges. Croyez-moi, il a fait un effort surhumain, normalement il lui faut au moins trois jours pour se préparer à un rendez-vous.

– Qui êtes-vous ?

– Son lien avec le monde extérieur.

– Ça veut dire quoi, ça ? Vous êtes quoi, un troll, un elfe, un hobbit ?

Ses yeux passaient du type au parking vide.

– Il m'a aidé dans le temps.

Nina le regarda. Il n'était pas très grand, portait une combinaison de scooter, des favoris, un front très dégagé avec un court catogan, un visage buriné. Il semblait tout en nerfs et muscles, mais ses yeux exprimaient une grande paix. De la bienveillance.

– Il faut que je lui parle.

La main toujours sur le bras.

– Laissez-lui du temps. Vous n'imaginez pas d'où il revient, ni où il se trouve.

Nina aperçut enfin son père. Il paraissait errer sur le parking. Il titubait, maladroit sur ses deux pieds qu'il peinait à lancer l'un devant l'autre, se frottait les yeux, la barbe. Il pleurait. Ou bien était-ce la neige fondue ?

– J'ai votre numéro de téléphone. Je vous appellerai demain. Laissez-moi faire, je vous en conjure.

L'homme ouvrit la porte et la referma doucement derrière lui. Il s'avança jusqu'au père de Nina, le prit par le coude et l'emmena vers une voiture. Les feux rouges se perdirent bientôt dans le voile de neige fondue. Nina était restée près de la porte. Klemet l'avait rejointe, silencieux, et attendait.

Elle regardait la direction qu'avait empruntée la voiture. La route de Karasjok, vers l'est, vers la Finlande.

Le sandwich était toujours sur la table. Pour la première fois depuis des jours, le ciel était complètement obscurci. Nina, soudain, se sentit très fatiguée.

49

Dimanche 9 mai.
Lever du soleil : 1 h 31. Coucher du soleil : 23 h 11.
21 h 40 d'ensoleillement.

Hammerfest. 6 h 30.

Nils Sormi ne pouvait chasser l'image. Un énorme cratère sanguinolent et béant, d'un côté comme de l'autre. Deux cratères. Le pieu avait transpercé la cage thoracique de Tom pour ressortir par son dos. Son ami dormait près de lui. Le petit hôpital d'Hammerfest avait mobilisé tous ses moyens pour tenter de sauver le plongeur. Un miracle. Poumon perforé, mais aucun organe vital touché. Un miracle, répétèrent les toubibs. « Et vous l'avez sauvé », lui avait dit le chirurgien. Nils l'avait regardé sans comprendre. Oui, Nils savait, il l'avait aidé à respirer alors qu'il surventilait et perdait la conscience d'être sous l'eau. Rien de miraculeux là-dedans. « En enlevant le pieu », insista le médecin. Si Paulsen avait été transporté avec le pieu, les mouvements auraient sûrement causé un paquet de dégâts supplémentaires. Et grâce à sa combinaison de plongée très moulante, l'hémorragie avait été très bien stoppée des deux côtés. « Franchement, un miracle », répéta encore le médecin avant de les laisser seuls dans la chambre blanche.

Il sentit un mouvement. Tom lui touchait la hanche du doigt. Abruti de calmants, il lui adressa un rictus, mi-merci mi-douleur. Il émergeait pour la première fois depuis sa première opération la veille après avoir dormi quatorze heures d'affilée. Nils lui prit la main et la lui serra.

– Alors comme ça, te voilà miraculé.

Nils montra les bouquets de fleurs qui envahissaient la chambre.

– Tu vas te remettre vite, les toubibs ont promis.

Nouveau rictus de Tom. Sa respiration était lente et profonde. Par à-coups. Il faisait des efforts.

– Ne parle pas, ne parle pas, repos, mon gars.

Tom réussit à articuler, très lentement.

– Passé quoi ?

Nils lui raconta, la grue, l'accident, le pieu, les cris de Leif Moe, et lui, Nils, qui lui arrachait ce pieu de la poitrine.

– J'ai cru que je te tuais, mon vieux. Mais tu étais épinglé comme un papillon. Il fallait que je te ramène. Après, les autres sont arrivés. Heureusement, on n'était pas très profond. Tu m'as fichu une de ces trouilles.

Tom lui serra la main. Il était faible, très pâle. Encore sous le choc.

– T'as une sale gueule, tu sais, mais je ne sais pas pourquoi, les infirmières se bousculent ici.

Tom réussit à sourire. Il fit une nouvelle grimace et essaya de se redresser un peu, grimaçant à nouveau. Il poussa une profonde inspiration.

– Les flics. Appelle.

Nils ouvrit des yeux étonnés.

– Qu'est-ce que tu me racontes, mon vieux, tu délires tout d'un coup ? Tu crois que quelqu'un t'a balancé ce pieu ? Allez, repose-toi plutôt.

Tom lui serra la main et secoua la tête. Il se mit à parler, lentement, puisant dans ses forces.

– Pas le pieu. Nina, et son collègue. Retrouve ce plongeur. Le Français. Le laisse pas dans sa misère. Peut-être eu un accident, aussi.

Il fournit un dernier effort.

– Tu m'as aidé. Aide-le.

Tom s'était épuisé. Il referma les yeux. Nils remonta la couverture sur son ami. Puis, face à la fenêtre, il resta un long moment à réfléchir.

Klemet et Nina retrouvèrent sans difficulté les restes du renne volé, le long de la route entre leur chalet de Skaidi et la ville de Kvalsund. Morten Isaac les attendait au bord de la route qui bordait le fjord et les amena à une dizaine de mètres en contrebas. Le chef du district 23 ne cachait pas sa mauvaise humeur. Il avait passé une partie de la nuit avec d'autres éleveurs à chercher des rennes isolés afin de leur faire rejoindre le gros du troupeau. Klemet avait dû insister pour que le chef du district les conduise aussi tôt. Klemet aurait pu trouver le lieu du délit tout seul, mais il voulait parler à Morten.

Nina souleva la peau.

– On a la peau, en mauvais état, et la tête, avec les oreilles, remarqua-t-elle.

– Il a pris les bois et la viande, dit Morten Isaac. Un sacré salopard.

– Bon, ben, en tout cas, comme on a les oreilles, on va faire un constat, pour les assurances.

Klemet mit des gants en plastique bleu comme Nina et toucha les oreilles, pour tenter de reconnaître les marques qui identifiaient son propriétaire.

– Te fatigue pas, dit le chef du district. C'était un renne du petit Steggo. Si c'est pas triste, quand même.

– Ah, et pour l'assurance alors, ça ira pour Anneli, j'imagine ?

– J'espère bien.

– Depuis combien de temps ça peut être là ?

Morten Isaac examina la peau.

– Plusieurs semaines.

Klemet se tourna vers Nina.

– Ça pourrait tout aussi bien être les Allemands ou les deux autres, Hansen et le Polonais. Ils tournaient dans le coin depuis un bon moment si ça se trouve.

– Tu sais que les Allemands sont repartis.

– Ah, à propos, dit Klemet à Morten Isaac, les obsèques de Fjordsen ont lieu mercredi à Hammerfest. Il va y avoir du beau monde et… et ce serait assez mal venu que des rennes se baladent aux alentours. Tu comprends ce que je veux dire.

– Évidemment, je comprends.

– Il faut renforcer la surveillance. On mettra quelques patrouilles de la police des rennes dans le coup aussi pour vous aider.

– C'est ça, aidez-nous à cacher à tous ces braves gens que notre place est là-bas, que la montagne est aux rennes, que cette côte est notre côte et que ses ressources sont les nôtres.

– Morten, ce sont des funérailles, et les gens veulent se recueillir. Et nous veillerons à ce qu'il n'y ait pas de rennes, voilà tout. Pour le reste, tu t'adresses à la mairie ou à la préfecture.

– La mairie, tu parles, le remplaçant de Fjordsen est encore pire. Avec lui, les éleveurs sont perdants à chaque coup.

– Combien vous serez pour mercredi ? le coupa Klemet.

– Oh, on y sera, t'inquiète pas.

– Morten, ce n'est pas le moment pour une manif.

– Alors, peut-être pourrais-tu faire passer le message aux gars de la Direction des routes que ce n'est pas le moment d'aller traîner du côté du rocher sacré.

Morten Isaac tourna les talons et repartit vers la route.

Les deux policiers restèrent près du renne. Nina regardait nerveusement son téléphone.

– Pourquoi il n'appelle pas ? Tu crois qu'il va oublier ?

– Tu aurais besoin de dormir un bon coup.

– Dormir ?

Elle éclata de rire en montrant le soleil dont la luminosité perçait les nuages.

Le téléphone sonna. Klemet brandit son appareil, d'un air désolé.

– Salut, Ellen, et alors, tu ne prends pas ton dimanche ?

Klemet resta silencieux, grognant de temps à autre, puis raccrocha.

– Les analyses. Les empreintes de chaussures au détroit d'abord. Il s'agit bien de ce Knut Hansen. Mais on y trouve aussi celles de Kowalski. Pas celles de Laula apparemment, si ce n'est près du rocher. Ensuite les analyses de sang. Kowalski, puisque c'est lui qui conduisait la camionnette, n'avait pas d'alcool dans le sang. En revanche, ils ont trouvé un sacré cocktail de médicaments dans ses veines. Elle m'envoie la liste. Le type était bien shooté quand il conduisait.

– Il aurait pu se mettre en l'air à cause de ça ?

– Le légiste est en train de vérifier à quoi correspond tout ça, mais s'il n'avait pris que sa dose normale, le type avait de sacrés problèmes.

– Et les deux autres, des médicaments ou autre chose ?

– Ellen n'en a pas parlé, mais on continue les analyses et les autopsies.

– Si c'est un accident, en supposant que Kowalski s'endorme à moitié et perde le contrôle du véhicule…

– Oui, Ellen a aussi précisé que la camionnette n'était certes pas en bon état, mais rien ne permettait de dire qu'elle avait été sabotée.

– Il reste ce contact avec Dahl, même si Dahl le nie.

Nina tourna son visage vers le soleil, comme par défi.

– Même derrière ses nuages, il me harcèle, celui-là.

Son téléphone sonna.

Elle fit une grimace à Klemet.

Elle était tout aussi silencieuse que Klemet l'instant d'avant.

– Entendu, dit-elle avant de raccrocher. Elle secoua la tête. Ce type qui était avec mon père hier paraît tout savoir de nos habitudes. Il sait qu'on est à Skaidi, et il m'a fixé rendez-vous ce soir au pub avec mon père.

– Tu n'es pas plutôt sûre que c'est toi qui lui as dit, tu m'as dit que tu lui avais raconté toute ta vie hier.

Elle soupira.

– Je ne sais plus, Klemet, je ne sais plus.

50

Juva Sikku avait eu l'impression de jouer à cache-cache depuis deux jours. Où qu'il se rende, il voyait surgir Markko Tikkanen. Les nerfs du berger étaient à vif. L'agent immobilier finlandais courait partout, arpentant les rues, interrogeant les passants, bondissant soudain dans sa voiture pour aller je ne sais où. Il cherchait son fichier, évidemment. Tu ne risques pas de le trouver, gros. Gros salopard, ajouta-t-il pour lui-même. Sikku avait pensé que le fichier ferait tout autant plaisir à Nils qu'une correction. À voir le Finlandais fureter comme un nuage de moustiques à la Saint-Jean, Juva Sikku se dit qu'il avait fait le bon choix. Le coup porté à Tikkanen était plus fort encore qu'une gifle. Sikku avait caché le fichier en lieu sûr, et il ne s'était pas privé de le feuilleter, même s'il n'était pas très friand des paperasseries en général. Mais après avoir lu quelques fiches, l'envie de ficher son poing dans la figure du Finlandais l'avait saisi pour de bon. Quel malfaisant ! Même si Sikku n'avait pas tout compris dans le système de fiches de Tikkanen.

Sikku se gratta la barbe. Une semaine. Demain, c'était le jour de rasage. Il attrapa sa boîte de snus et plaça une portion de tabac à sucer sous sa lèvre supérieure. Elle trouva sa place naturellement dans le trou de la gencive.

La lecture de sa fiche l'avait ébranlé. Pas seulement parce que Tikkanen savait tout de sa situation financière, de son emprunt à la banque, de ses deux scooters à crédit, de son quad. Sikku avait bien compris que Tikkanen devait être cul et chemise avec les gars dans les banques. Nom de Dieu, si ça se trouve, eux ils ont pu se faire les Russes, et pas moi. Quel gros salopard, ce Tikkanen. Ce qui l'avait le plus troublé, Sikku, c'était les détails sur l'histoire de sa famille. Comment elle avait perdu pied au fil des décennies sur l'île de la Baleine. Le pire, c'était que Juva Sikku n'avait jamais vraiment pris conscience de ça. Mais de la voir écrite noir sur blanc, son histoire, ça lui avait fait quelque chose. En revanche, Tikkanen avait bien avancé dans ses contacts pour son terrain. De ce côté-là, l'agent immobilier accomplissait son travail, autant que Sikku pouvait en juger. Les petits signes dans la marge, Sikku ne pouvait pas vraiment en comprendre la signification, mais il identifia le nom d'un gars et ses coordonnées, peut-être le vendeur potentiel. Sikku pensa d'abord soustraire sa fiche, mais il ne savait pas comment tout ça finirait, et si Tikkanen récupérait son fichier mais qu'il ne manquait que sa fiche à lui, l'autre identifierait aussitôt le coupable du vol. Il recopia le contenu de la fiche et la remit en place.

Il finit par se résigner à passer un coup de téléphone à Nils, même si celui-ci avait exigé que le berger ne l'appelle pas.

Sormi répondit froidement, mais quand Sikku, sans entrer dans le détail, lui annonça une découverte, le plongeur l'écouta. Le berger reprit un peu confiance et conseilla à Nils de récupérer des vêtements chauds car Sikku allait l'emmener sur le vidda en scooter des neiges. En dépit de sa surprise, Sormi avait acquiescé sans discuter, pour écourter la conversation.

Une heure plus tard, après avoir laissé sa Skoda devant un chalet où il entreposait du matériel, Juva Sikku traçait la piste en scooter, pas peu fier de transporter un passager aussi prestigieux. Pour un peu, il aurait fait le tour de la ville dans cet équipage. À coup sûr, le plongeur serait content de lui.

Nina avait entendu la nouvelle à la radio. Elle demanda à Klemet de passer par l'hôpital. Il lui jeta un regard pas très amène mais elle s'en ficha. Il la déposa devant l'entrée et continua vers le commissariat. Nina trouva rapidement la chambre de Tom Paulsen. Le plongeur était en compagnie d'un médecin qui les laissa seuls.

Tom sourit, mais cela lui coûtait. Il avait l'air très pâle, les traits tirés et de sombres cernes sous les yeux. La lumière vive de la chambre n'arrangeait rien.

– Ça va mieux, je suis moins groggy. Je pouvais à peine parler ce matin.

– Tu as mal ?

– On me bourre de médicaments, je ne sens plus grand-chose pour l'instant, mais la blessure est très nette. Le réflexe de Nils m'a sauvé la vie. Il t'a contactée ?

– Il devait ?

Tom fit un geste pour attraper son téléphone mais cela lui arracha une grimace. Nina le lui tendit.

– Regarde ce numéro. Mon superviseur Leif Moe me l'a donné, il s'agit de celui d'un ancien plongeur norvégien qui traîne dans le coin. Tu t'étais intéressée au sujet, alors j'ai pensé que tu pourrais peut-être le retrouver. Moi, je n'ai pas réussi.

– Je pensais que tu t'intéressais aux plongeurs français ?

– C'est une autre histoire. Nils Sormi t'en parlera, s'il te contacte comme je l'espère. Le Français, c'est son histoire à lui, je ne peux rien t'en dire.

51

Nina appela Klemet et celui-ci ne se gêna pas pour râler en disant qu'il n'était pas chauffeur de taxi.

– J'ai un numéro de téléphone qui pourrait nous intéresser, le coupa Nina.

Elle le lui donna.

– Nous devrions passer à l'*Arctic Diving* pour montrer nos photos au superviseur de Paulsen et Sormi. Il pourrait savoir des choses. Tom m'a dit qu'il devait être sur place.

– Même pas, il est au commissariat, en train de remplir des déclarations pour l'accident de ton Paulsen. Je viens te chercher, on le verra ici.

Vingt minutes plus tard, ils étaient face à Leif Moe. L'ancien plongeur regardait les photos que lui montraient les policiers.

– Celui-ci. Il est venu me voir. Il a une plus sale gueule encore sur la photo.

– Peut-être parce qu'il est mort, précisa Nina.

Leif Moe paraissait découvrir la nouvelle. Nina lui expliqua les circonstances de sa mort.

– Les médicaments. Oui, il paraît que pas mal d'anciens s'en bourrent. Si c'est pas une misère.

Les autres portraits ne lui disaient rien. Ni celui du Polonais, ni celui d'Anta Laula. Après le départ de Leif

Moe, Klemet et Nina passèrent quelques coups de téléphone. La brigade criminelle lança aussitôt des recherches sur le numéro de téléphone portable de Knut Hansen.

Anneli avait reçu un coup de fil de Morten Isaac. Il restait quelques rennes retardataires à récupérer. Le chef de district avait insisté pour qu'elle pare au plus pressé pour les rattraper, avec de l'aide s'il le fallait. Isaac lui avait proposé l'un de ses scooters pour accélérer le mouvement. Anneli n'avait pas voulu contrarier Isaac et avait accepté. Les indications étaient assez précises. En quelques heures, Jonas Simba et d'autres éleveurs avaient trouvé la plupart des rennes ainsi que plusieurs faons. L'avenir risquait d'être plus dur pour ceux-là puisqu'ils avaient été séparés de leur mère. Jonas Simba lui avait passé un appel peu de temps avant pour lui signaler un dernier faon qu'il avait aperçu aux jumelles. Anneli voyait bien dans quelle partie de la vallée il se trouvait. Il s'agissait d'une zone plus isolée, à l'écart de la voie de transhumance. Des promeneurs à scooters avaient dû s'aventurer trop loin et effrayer un petit groupe de rennes. Les gens n'apprenaient jamais. Anneli et Erik avaient plusieurs fois invité des amis norvégiens étrangers au monde du renne à venir assister à des rassemblements de rennes, au marquage ou au tri. Ceux-là avaient ensuite une meilleure compréhension des contraintes de l'élevage. Mais cette ouverture n'était pas populaire parmi tous les bergers. Beaucoup d'entre eux estimaient que moins les Scandinaves mettraient leur nez dans leurs affaires, mieux ils se porteraient.

Anneli avait pourtant confiance. Les éleveurs contribuaient à ce que la montagne demeure vivante. Ils assuraient le dialogue avec les âmes du vidda. Quand elle allait se recueillir près des pierres sacrées qui parsemaient la Laponie, Anneli ne manquait jamais de partager ses espoirs avec l'esprit du lieu. Erik souriait parfois quand il la voyait se livrer à ce qu'il appelait ses petits secrets de la toundra. Il ne croyait pas trop à tout ça. «Mais je crois en toi», lui avait-il dit. Anneli sourit en repensant à la mine d'Erik dans ces cas-là. Son air dubitatif. Le même Erik ne manquait pourtant jamais d'aller déposer une petite offrande au pied de ces pierres. Au nom du respect des anciens, disait-il. Des vivants et des morts qui étaient passés par là. Il lui parlait de leur honneur de bergers qui savaient ce qu'ils devaient à la nature. Chacun avait ses petits secrets de la toundra et Anneli l'avait aussi aimé pour cela. C'était pourtant cette nature qu'on leur enlevait, leur honneur en tant qu'éleveur. Si on leur enlevait ce droit à vivre de leur terre, quel honneur resterait-il aux hommes du vidda ?

Elle s'assura qu'elle avait un lasso dans la sacoche et partit à la recherche du dernier faon.

Nils Sormi s'était étonné de reconnaître les contours des vallées que Juva Sikku avait suivies. Un dédale invraisemblable pour un œil étranger. Mais bien qu'il s'en défende, Nils Sormi connaissait cette terre. Il y venait avec ses amis pour mener ses virées d'après-plongée. Ces régions reculées lui avaient également servi de terrains de jeu il y a bien longtemps, quand il était enfant. Avant qu'il ne découvre ce milieu des plongeurs, avant qu'il ne découvre ce Français. Bon Dieu, jura Nils. Il revit le héros de son enfance tel qu'il s'était présenté face à lui quelques jours plus tôt. Et cette panique qui l'avait envahie, un sentiment jusqu'ici absent de son registre d'émotions.

Il avait promis à Paulsen de repasser le voir en fin d'après-midi. Tom voudrait à coup sûr savoir où il en était de ses recherches, si Nils allait tenir sa promesse de retrouver le vieux plongeur. Sormi était inquiet pour son ami. Les médecins l'avaient rassuré. Mais son inquiétude avait une autre source. Tom serait-il encore en mesure de plonger ? Sa vie ne venait-elle pas de s'arrêter ? Nils repoussa cette pensée. Il se laissa à nouveau envahir par la vue des collines enneigées qui les entouraient. Juva Sikku évitait certains passages de rivières apparemment glacées qu'il devait juger trop fragiles. Les derniers jours avaient été plus chauds. Sormi devait admettre que Sikku était un pilote hors pair. Ils empruntèrent une vallée que Nils ne connaissait pas. Juva lança son puissant scooter à l'assaut d'une pente plus sauvage, vira encore, contourna des amoncellements de roches qui semblaient plantées debout, grimpa à nouveau, traversa un champ de bouleaux nains à mi-pente, passa un col et déboucha sur un plateau. Il surplombait un fjord. Le scooter parut soudain se jeter dans la mer. Simple effet d'optique. Il descendit seulement de quelques mètres en pente douce dans un recoin à l'abri du vent. Nils Sormi découvrit deux gumpis. Derrière l'un d'eux, il aperçut une remorque qui permettait de transporter plusieurs personnes ou des bagages et fournitures.

– Ce n'est pas mon gumpi habituel, lui confia Juva Sikku après avoir coupé le moteur. Quand je ramasse une nana, je l'emmène ici. Ça leur plaît, tu peux en être sûr. Avec une vue pareille.

– Personne ne sait que tu as ça ici ?

– Bah, les filles que j'amène, elles seraient bien infoutues de retrouver de toute façon. Je leur fais faire des tours pour les paumer. J'ai eu des Russes il n'y a pas longtemps. Les flics m'ont demandé où je les avais planquées, je leur ai dit que c'était l'autre gumpi, celui que j'utilise pour la surveillance de mon troupeau. Tu penses bien qu'elles ont pas été foutues de dire autre chose.

Juva Sikku paraissait content de lui. Il fit entrer Sormi à l'intérieur de l'un des gumpis. Celui-ci était aménagé comme un lupanar kitsch, avec un goût de merde. Totalement incongru ici, se dit Nils. On sentait que Sikku avait dû se donner du mal pour en faire un lieu confortable. À la place des lits superposés que l'on y trouvait d'habitude, Sikku avait aménagé un lit simple mais qui prenait toute la largeur du gumpi. Il était envahi de coussins mauves et dorés. Le berger avait également décoré les murs de papier peint doré. À gerber, se dit Nils.

– Je voulais juste te le montrer, dit Sikku avec un clin d'œil. À l'occasion, je te le prêterai. Il le fit entrer dans l'autre gumpi. Celui-ci servait de débarras. Les lits superposés étaient encombrés de sacs de couchage, de combinaisons et de vêtements. Sikku invita Nils Sormi à s'asseoir sur le banc parallèle à la table étroite et aux lits. Sikku se dépêcha d'allumer le poêle, mit une casserole de neige à chauffer. Il écarta ensuite plusieurs cartons et posa une grosse boîte à chaussures sur la table.

Nils Sormi le regarda. Il n'avait aucune envie de jouer aux devinettes avec Sikku.

– J'avais pensé lui mettre une bonne raclée, comme tu voulais. Et puis j'ai réfléchi. Et je me suis dit que lui prendre son fichier, ça serait pire qu'une raclée pour Tikkanen. Tu peux me faire confiance Nils, pire qu'une raclée. J'ai vu Tikkanen aujourd'hui, il est comme un fou à courir partout dans Hammerfest à la recherche de son putain de fichier.

Nils ouvrit la boîte. Des centaines de fiches étaient classées. Ordre alphabétique.

– Tu as vu une fiche à mon nom ? lui demanda Sormi.

– Je n'ai pas regardé, je te jure. J'ai regardé la mienne, bien sûr, mais rien sur toi. Écoute, je vais te laisser et…

– Bonne idée. N'oublie pas le café d'abord.

Pendant que Sikku s'affairait, Nils commença à feuilleter le contenu de la boîte. Ce qu'il découvrit le laissa pantois.

52

– Je pensais qu'un type qui s'était donné le mal de se faire fabriquer des faux papiers nous donnerait plus de fil à retordre.

La commissaire avait rappelé la patrouille P9 alors que Klemet et Nina se trouvaient encore à l'hôtel de police. Ellen Hotti ne cacha pas son étonnement.

– Il y a quelque chose qui cloche avec lui. Son vrai nom serait Per Pedersen.

– Comment l'avez-vous trouvé ?

– Nos petites astuces. Assez facilement en fait. Nous avons épluché ses appels. Première surprise, il n'utilisait pas de carte prépayée, mais un abonnement. Sous son faux nom bien sûr, mais il avait donné une adresse e-mail nécessaire pour valider son abonnement. Par cette adresse, en recoupant avec d'autres sites où cette adresse a été utilisée, nous sommes remontés à une adresse IP d'ordinateur et de là on a pu remonter assez facilement à pas mal d'infos sur lui, avec, comme je te le disais, des traces de paiement, un numéro de carte bancaire, et je te laisse imaginer tout le reste. On a vu notamment qu'après avoir loué leur camionnette à Alta, ils sont allés jusqu'en Suède, à Kiruna et Jukkasjärvi, où ils ont dû passer deux jours, avant de revenir dans le coin. Ils ont emprunté la route qui traverse la Finlande, par Karesuando. Bizarre, je te dis. Le sentiment des gars qui ont travaillé là-dessus est qu'il s'agit de quelqu'un qui est, comment dire, désuet. Il n'est plus dans le coup. Un peu comme s'il s'était arrêté à l'époque de la guerre froide. Ou qu'on avait affaire à un espion ou un truand à l'ancienne qui n'a pas réalisé le boom des technologies et ce que ça impliquait en termes de traçage, en dépit de tout ce que les journaux racontent sur les atteintes à la vie privée, les écoutes. Il est capable de fournir des faux papiers irréprochables, il a donc les contacts humains qui lui permettent ça, mais il n'est pas fichu de penser qu'on a pu le suivre comme s'il avait un nez rouge au milieu d'une foule. Voilà donc ton Per Pedersen. C'est bien la même photo. Il vient du sud de la Norvège. Et tu vois, il s'agit d'un type qui a reçu une formation de nageur de combat dans les années 1970, ce qui colle plutôt avec les premières supputations des gars de la Criminelle, et notamment avec le type de sabotage du cabanon où Depierre est mort, par exemple. Ses méthodes datent. C'est presque touchant.

– Nageur de combat, il l'est resté combien de temps ? Qu'a-t-il fait ensuite ?

– Il est resté trois ans dans la marine norvégienne. Puis il a commencé dans la plongée commerciale. Envoyé directement en mer du Nord. On est en train de fouiller tout ça.

– Je ne comprends toujours pas ce qu'un type comme ça pouvait bien faire avec Anta Laula. Vous disiez que Laula avait fait de la plongée aussi dans le temps. Ils se seraient connus comme ça, alors ?

– C'est une hypothèse.

– Et ce Polonais, Kowalski ? Regarde sa photo. À quoi il vous fait penser ?

Nina détailla une fois de plus la photo.

– Kowalski et Pedersen. L'un est une montagne, et puis le petit sec à côté. Un couple étonnant. Pedersen devait bien faire dans les cent vingt kilos, mais il était tout en muscles encore. Un type usé. Pas étonnant à en croire ce qu'il prenait comme médicaments.

– L'autopsie de Kowalski montre un organisme tout aussi usé. Lui, en plus, il buvait et il fumait. Et aussi adepte d'un sacré cocktail de médicaments. Sec comme une trique. Vous pensez qu'il a aussi été plongeur ?

– Si Kowalski est un ancien plongeur, ça rend cet autre ancien plongeur, le Français, encore plus intéressant. A-t-on affaire à une équipe ? Est-ce que le plongeur français pourrait alors être impliqué dans la mort de ce médecin, Depierre, puisque Pedersen était déjà décédé lorsque Depierre a trouvé la mort ?

– Pour qui, pour le compte d'une compagnie, alors ?

– Nos équipes ont mis Dahl sur écoute depuis un moment.

– Tu aurais pu nous le dire, explosa Klemet.

– Calme-toi, tu oublies que tu fais partie de la police des rennes.

– Et alors, on est de la police tout de même. Tu sais bien que nous sommes impliqués dans cette affaire, et depuis le début en plus, je te le rappelle.

– Si tu veux tout savoir, Klemet, j'ai même une équipe spéciale qui est arrivée d'Oslo. La mort du maire, cet accident du caisson. Les gens d'ici sont bouleversés. Il faut des réponses.

– Et alors, on avait un principal suspect, ce Pedersen, et il est mort.

– Mais il n'était pas seul. Et puis vous avez ce mystérieux plongeur français qui se baladerait dans la nature. Est-ce qu'il est encore dans le coin ? Quel est son rôle, s'il en a un ?

Klemet gardait son air buté face à la commissaire. Nina le tira par la manche.

– J'ai une idée, viens.

L'air ténébreux, Klemet emboîta le pas à Nina. La voix d'Ellen Hotti les poursuivit dans le couloir.

– C'est ça, et ne m'oubliez pas, j'ai des obsèques mercredi, et vous êtes de la fête.

Nina connaissait assez Klemet pour voir qu'il fulminait et prenait sur lui. Elle le tira par la manche pour l'arrêter.

– Pedersen errait comme un vagabond dans sa camionnette. On n'a pas retrouvé de téléphone portable. Ça ne veut pas dire qu'il n'en avait pas, mais on n'en a pas. Pas trace non plus d'ordinateur portable. Il a pu le jeter aussi, bien sûr. Mais il avait une adresse e-mail, on le sait, donc il avait besoin de se connecter.

– Tu penses à un café Internet ?

– On est à Hammerfest, pas à Stockholm ou Oslo. Les cafés Internet, ici ? Je parierais plutôt pour la bibliothèque.

Lorsqu'ils montrèrent la photo de Per Pedersen à la bibliothécaire de permanence, celle-ci le reconnut.

– Un colosse pareil, vous pensez, et bel homme en plus.

La femme avait une soixantaine d'années et son regard pétillait.

– Il est venu plusieurs fois, il s'asseyait là-bas à chaque fois. Pas très bavard, malheureusement. Il voulait consulter des journaux et il passait du temps sur Internet, aussi.

– Vous vous rappelez quels jours il est venu ?

– Ça, c'est facile.

Elle pianota sur son ordinateur et nota des dates sur un post-it.

– On peut vous emprunter son ordinateur ?

– Qu'est-ce qu'il a fait ?

– C'est un contrôle de routine dans le cadre d'une enquête, rien de plus.

Nina remonta facilement dans l'historique de consultation des pages Internet aux dates indiquées. Elle trouva des centaines de pages consultées, mais l'ordinateur avait sans doute eu d'autres utilisateurs.

– Il venait quand ?

– Toujours à l'ouverture, le matin, et il restait une bonne heure. Je lui apportais un petit café, dit-elle en riant.

Nina imprima certaines pages et se tourna vers la bibliothécaire.

– Vous pourriez nous ressortir les journaux qu'il a consultés ?

La femme poussa un long soupir.

– Eh ben vous, vous croyez au père Noël. Remarquez, c'est pas compliqué, il voulait le journal d'ici des derniers mois.

– Je prends, lui dit Nina.

Elle se fit rapidement une impression.

– Tu vois ? dit-elle pour Klemet, qui suivait par-dessus son épaule.

– Beaucoup de choses sur les projets en cours.

Nils Sormi n'était pas sorti du gumpi depuis des heures. Il faisait doux. Juva Sikku passait régulièrement la tête par la porte pour lui demander s'il avait besoin de quelque chose, sans doute aussi dans l'espoir de glaner un compliment. À voir ses yeux bouffis, le berger passait son temps à dormir dans le gumpi voisin. Le plongeur le laissait dans l'ignorance.

Nils devait admettre que Tikkanen avait mis au point un système d'une grande efficacité. L'agent immobilier consignait scrupuleusement le moindre rendez-vous, la moindre demande, la progression de ses recherches. Il complétait ses fiches à intervalles réguliers, les agrémentait parfois de coupures de presse, de petites annonces. On comprenait qu'il avait tissé un savant réseau de relations et Tikkanen était à ce point précis qu'il notait en règle générale qui lui avait donné telle information. Nils n'avait pas le courage ni le besoin de tout passer en revue, mais l'examen de ses propres fiches, car il en avait plusieurs, et de celles de ses connaissances, ne manqua pas de l'étonner. Sous son air torve et fuyant, Tikkanen avait développé un don étonnant. En tout cas, il était désormais évident que ce gros salopard n'avait jamais eu le terrain de la corniche à son intention. Pire, il n'avait même pas essayé. En croisant les fiches, que ce soit celle du maire, de son adjoint et d'autres édiles locales, il apparut clairement que Tikkanen l'avait baladé. Le gros était tellement sûr que son fichier resterait à l'abri des regards indiscrets qu'il n'avait guère pris de précautions dans ses notes. À côté de la demande de terrain faite par Sormi, avec la date précisée, l'endroit même, Tikkanen avait marqué en marge le mot «impossible». Inutile de contacter la mairie, avait-il même précisé, terrain inconstructible. Sormi ne pouvait que deviner le plan de Tikkanen, mais le gros devait penser que cela mettrait en danger ses contacts avec la mairie. Tikkanen avait laissé planer le doute uniquement pour profiter des contacts de Sormi.

Le plongeur réfléchissait. Tikkanen devait payer. Nils trouverait. Il se replongea dans le fichier, renvoyant d'un geste de la main Sikku qui venait encore aux nouvelles.

L'après-midi avançait et Klemet voyait combien Nina devenait à nouveau nerveuse. La proximité du rendez-vous avec son père. Klemet n'était pas optimiste.

Cet homme était une épave. Klemet ne voyait pas très bien ce qu'ils pourraient en tirer. Sur le fond, Nina avait sans doute raison d'avoir voulu entrer en contact avec lui. Il en était d'autant plus convaincu maintenant que le profil de Per Pedersen se précisait. Mais Ellen Hotti continuait à leur mettre la pression d'ici aux obsèques de mercredi. Elle voulait des résultats pour éviter le ridicule face au parterre de notables de la région et d'Oslo qui ne manqueraient pas de lui demander qui avait mis sens dessus dessous cette paisible petite ville arctique qui n'aurait jamais dû connaître d'autre nuisance que celle de cette torchère qui polluait le ciel.

Klemet était prêt à jouer le jeu, pour Nina. La perspective ne lui déplaisait pas. Tom Paulsen était à l'hôpital, et leur petite romance en avait pris un coup, surtout que la copine suédoise de Sormi semblait passer beaucoup de temps avec le plongeur blessé. Klemet n'aurait pas su dire ce qui existait réellement entre les deux jeunes. Pour l'instant, elle continuait à éplucher les copies d'articles.

Klemet, de son côté, s'attachait aux listes d'appels passés et reçus sur l'appareil de Fjordsen. Le maire d'Hammerfest se servait beaucoup de son mobile. Les appels du 25 avril, son dernier jour, étaient peu nombreux. Normal, puisque Lars Fjordsen était décédé tôt ce jour-là. En plus c'était un dimanche. Il vit tout de suite que Pedersen, l'ancien nageur de combat, avait appelé le maire ce matin-là. Il ne vit aucun autre appel les jours précédents. L'appel était bref. Le temps de se présenter et de donner un rendez-vous ? Pedersen connaissait-il Fjordsen auparavant ? Après l'histoire du caisson de décompression où les deux pétroliers avaient trouvé la mort et où les prostituées russes avaient identifié le même Pedersen peu de temps avant, il ne pouvait guère y avoir de coïncidence. Mais la réflexion d'Ellen Hotti ne cessait de travailler Klemet. Comment un gars formé aux nageurs de combat, une unité d'élite, pouvait-il laisser autant de traces derrière soi ? Bien sûr, le hasard entrait en jeu. La malchance. Les gens avaient trop tendance à voir les malfrats comme des types géniaux qui anticipaient tous les coups. Trop gavés de séries télé. Klemet savait par expérience que, souvent, beaucoup de délinquants n'étaient pas toujours très futés et faisaient de grosses âneries. Mais là, c'était encore autre chose. Et Klemet ne voyait pas quoi. Il repensa au cocktail de médicaments. Il appela son ami légiste de Kiruna, attaché à temps perdu à la police des rennes. Le médecin consulta la liste des médicaments. Il marmonnait, devenant parfois intelligible comme pour mettre l'accent sur un point.

– … un psychostimulant pour soutenir l'activité cérébrale, de la Fluoxétine pour les atteintes à la mémoire liées à une dépression… du Rispéridone, un antipsychotique qui calme les angoisses et combat les flash-back, du Stesolid contre l'angoisse et les états de tension nerveuse, tiens, et même du Zolpidem contre l'insomnie. Plusieurs d'entre eux sont quasiment des drogues et créent une dépendance. Et des effets secondaires pas rigolos. Du lourd. Je t'épargne les détails. De toute façon, tu n'y comprendrais rien.

– Toujours un plaisir de te parler.

– Mais ton gars était bien atteint. Dépression, troubles du comportement, problèmes de mémoire, de concentration j'imagine, ça ressemble à du syndrome de stress post-traumatique, avec des choses qui se rajoutent à ça. Un sacré numéro que tu as tiré là.

Klemet reprit la liste de numéros. Fjordsen avait beaucoup de contacts. Certains numéros étaient en Russie. Il appela Ellen Hotti et demanda une recherche sur ces numéros. Il y ajouta un autre numéro étranger.

Les recherches ne furent pas longues. Côté russe, il s'agissait d'institutions de la ville de Mourmansk. Ellen

Hotti lui précisa que la ville d'Hammerfest avait des projets en commun avec la capitale de la péninsule de Kola. L'autre numéro récent était le téléphone portable de Raymond Depierre, le médecin français. Les deux hommes se connaissaient donc.

Nina lui fit signe. Klemet raccrocha.

– Je ne comprends pas, commença Nina. Pedersen s'intéresse aux travaux en cours à Hammerfest, ceux qui concernent l'extension du terminal de Suolo. Mais pendant plusieurs jours il s'est passionné pour les mythes sami, pour l'importance des pierres particulières dans les croyances sami.

– Laula ?

– Possible, mais quoi ? Et pourquoi ?

– Il s'intéresse au rocher de l'île de la Baleine ?

– Pas en particulier, pas d'après ce que je peux voir en tout cas. Tu crois que ces pierres ont une importance aujourd'hui pour les Sami, franchement ? Beaucoup de ceux que je rencontre semblent parfaitement à l'aise dans notre monde moderne, même s'ils travaillent avec les rennes.

– Sans doute. Mais tu as vu Anneli, et elle n'est pas seule. Erik était pareil. D'autres aussi. Beaucoup de Sami ne le diront pas en public, mais ils restent attachés à ce genre de choses. Tout ce côté sacré, c'est justement ce que les Scandinaves ont essayé de leur enlever au cours des siècles passés. Ces histoires de chamans, de tambours, de pierres sacrées, de joïks, tout ça était apparenté par les pasteurs luthériens à des expressions diaboliques, hérétiques. Les tambours ont été brûlés, mais tu ne brûles pas un rocher sacré.

– Peut-être, sauf si, pour certains, déplacer un rocher sacré revient à brûler un tambour.

53

Anneli était bredouille. En dépit d'indications assez précises, elle n'avait pas su retrouver le faon. En temps normal, un faon abandonné par sa mère n'aurait pas été une mission prioritaire pour un éleveur. Il avait peu de chances de survivre aux prédateurs. Pour Anneli, ce faon prit une importance démesurée. Elle prenait des risques. Et, dans son état, cela frisait l'imprudence. Mais la vie qu'elle portait en elle la faisait redoubler d'efforts. Elle ne s'arrêta qu'après plusieurs heures. On l'attendait au campement. Elle reviendrait. Elle se le jura. Sur le chemin du retour, elle passa le long du lac qui menait au rocher. Leur rocher. Elle se lança à flanc de colline et aperçut leur pierre pointue et dressée vers le ciel. Elle s'approcha et s'accroupit. Elle voulait sentir le bois de renne, passa la main derrière la roche. Le contact lui fit du bien. Elle s'apaisa, écoutant ses battements de cœur reprendre un rythme raisonnable. Pourquoi ce faon la mettait-il dans un tel état ? La nausée reprit le dessus, elle s'adossa au rocher pour reprendre son souffle.

Elle se leva après un moment, observant les montagnes. Elle était seule. La relative chaleur de ces derniers jours laissait une empreinte marquante sur la nature. La fonte s'accélérait. Elle reprit la route. Il lui restait beaucoup à faire. Mais elle reviendrait.

Le lien du père de Nina avec l'extérieur, comme il s'était défini, avait donné rendez-vous à la policière au pub de Skaidi. Klemet avait insisté pour accompagner Nina à nouveau. Il se tiendrait en retrait. Ils étaient arrivés légèrement en avance, mais là encore Nina reconnut la forme de son père. Même impression. Une forme avachie, vaincue, sans l'énergie suffisante pour redresser un corps trop fatigué. Était-il lui aussi bourré de médicaments, comme ce Per Pedersen dont le profil commençait à s'affiner, celui d'un soldat perdu de l'industrie pétrolière ? Il portait un anorak élimé mais propre. Il était assis dos à la salle, voûté, mains dans les poches, devant une tasse de café. L'ami de son père était à une table près de l'entrée. Il fit un signe de tête à Nina lorsqu'elle l'aperçut. Elle se dirigea vers lui.

– Tu as un nom ?

– J'ai un numéro, cela suffit. Si tu veux trouver mon nom, tu le trouveras, mais cela ne t'avancera pas pour ce que tu souhaites. Je ne ferai rien qui aille contre la volonté de Todd.

– Je ne te demande rien de tel.

Nina ne connaissait pas cet homme et hésitait.

– Je ne l'ai pas vu depuis une douzaine d'années. Et je retrouve un homme usé, avec lequel je ne peux pas communiquer. Il prend des médicaments, il souffre ?

– Je préférerais que ce soit lui qui te parle.

– Mais tu as bien vu la dernière fois…

– La dernière fois était la première fois. Tu débarques dans sa vie. À quoi tu t'attendais ?

Nina n'avait pas l'intention de laisser un étranger lui faire la morale. Son père ne changeait pas de position, ignorant la discussion qui se tenait dans son dos. Elle avait tant de questions à lui poser. Et le temps pressait.

Elle tira une chaise à elle et s'assit en face de l'homme.

– Comment il est depuis hier ?

– Si je te dis qu'il n'a pas dormi de la nuit, qu'il s'est endormi au petit matin, assommé de fatigue, qu'il a été réveillé par un cauchemar, comme toutes les nuits, et qu'il est sorti pour trouver de l'air au milieu de la caillasse qui entoure le lieu où il ne fait que survivre depuis si longtemps.

L'image de ce père déambulant hagard dans un paysage minéral et hostile oppressa la jeune femme. Elle tenta de la repousser.

– Tu étais là ?

– Disons que je n'étais pas loin. Mais je sais. Je connais sa vie.

– Pourquoi il est comme ça ? Il est malade ?

– Alors, tu ne sais rien sur lui ?

– J'avais dix ans quand il est parti. Qu'est-ce que je devais comprendre ? Ma mère ne m'a rien dit par la suite. Soi-disant pour me protéger.

– Alors, ne la juge pas trop sévèrement. Le mal dont souffre ton père est invisible. Lui-même n'a compris que bien tard. Trop tard.

Comment pouvait-elle se mesurer à ça ? C'était injuste. Pourrait-elle jamais rattraper tout ce temps perdu ? Elle revoyait son père la veille et se dit que cela semblait impossible. Il était trop détruit. L'homme attendait.

– Tu ne m'as pas dit ce qu'il avait.

– Il te le dira. Peut-être.

– Comment a été sa journée jusqu'à votre arrivée ici ? Qu'a-t-il fait ?

– Il a fouillé dans ses affaires. Mais il s'est surtout préparé toute la journée à cette nouvelle rencontre. Il s'est forcé à dormir un peu quand même, à manger, tout en fonction de l'heure du rendez-vous pour tenter d'être au mieux de sa forme au moment où tu vas aller t'asseoir en face de lui. Hier, c'était trop tôt, mais il a voulu venir quand même. Il a eu peur toute la journée que tu ne veuilles pas revenir après l'avoir vu dans cet état hier.

Nina sentit à nouveau une boule se nouer dans sa gorge.

– Il se bat contre lui-même, jour après jour, heure après heure, il n'a pas de pire ennemi.

– Mais, d'habitude, que fait-il ?

– Tout son temps passe à essayer de survivre. À rayer ses espoirs les uns après les autres, mais à trouver au milieu de cette désolation une raison d'être.

Nina voyait que l'homme ne voulait pas trop en dire.

– Pourquoi est-il venu s'installer en Laponie ? Car il vit entre ici et Utsjoki, n'est-ce pas ?

– Je ne sais pas. Le calme, l'absence d'hommes, l'isolement, le bout du monde. Tu devrais y aller maintenant. Il a essayé de se programmer pour ce rendez-vous, mais tu disposes de peu de temps. Et ne lui en veux pas.

– De quoi ?

– Ne lui en veux pas.

Nina haussa les épaules et se leva. Elle adressa un signe à Klemet puis alla se poster près de son père. Elle lui mit la main sur l'épaule.

– Bonjour, papa.

Il haussa la tête, paraissant la découvrir.

Elle s'assit en face de lui.

Mal rasé, yeux creusés.

– Les photos.

– Oui, je t'ai demandé si tu en avais. Mais d'abord, comment tu vas ? Tu as pu te reposer ? Pas moi, je n'ai pas pu.

Elle essaya de sourire.

– J'ai tout brûlé.

– De quoi parles-tu ?

– Les photos, d'avant, la plongée. J'ai tout brûlé.

Nina avait espéré faire appel aux souvenirs de son père à partir de clichés. Et pouvoir ainsi identifier des gens. Cette idée se révélait fumeuse. Mais jamais elle n'aurait pu imaginer cette situation. Son père était tendu. Prêt à casser.

– Ce n'est pas grave.

– Pas grave ? Pour qui ?

– Tu sais, maman n'a jamais…

– Ne me parle pas d'elle.

– Non, bien sûr.

Il gardait les mains sur des livrets couverts de cuir bleu foncé ou vert, ainsi qu'une pochette. Il poussa le tout vers elle.

– C'est tout ce qui me reste de cette époque.

Nina retourna le premier livret. Des lettres dorées étaient gravées sur la couverture. *Professional diver's log book*. Une autre inscription tenait lieu de logo avec l'inscription *Association of offshore diving contractors*.

– Eh bien, ne reste pas plantée comme ça, ouvre.

Nina ne releva pas ce ton qui la blessait et feuilleta le livret de plongeur professionnel de son père. Il contenait ce qui paraissait être des rapports de plongée, avec des séries de renseignements très détaillés propres à chaque sortie. Elle feuilleta rapidement le contenu de la pochette. Des formulaires jaunis, un concentré administratif de vie de labeur sous les eaux. Pouvait-elle questionner son père, ou fallait-il attendre encore ? Recréer du lien d'abord lui sembla une meilleure idée. Elle essayait de se concentrer sur les documents, mais sans arriver à les lire. Elle dut l'admettre, elle essayait en fait d'éviter de regarder son père. Elle supportait mal de le voir dans un tel état de déchéance. Elle jeta un œil à Klemet qui lui lança un regard interrogatif. L'enquête. Ils n'avaient pas le temps d'attendre.

– Je suis contente de te savoir proche. J'aimerais te rendre visite, que nous prenions du temps pour nous.

– Ah oui ?

Le ton était vif. Nina essayait de repenser à la mise en garde de l'homme près de la porte.

– Quand tu voudras bien sûr. Maintenant que nous savons l'un et l'autre que nous sommes voisins.

– Je ne suis pas vraiment sûr d'être de compagnie très agréable.

La nervosité de son père grimpait d'un cran. La main droite tapotait la table, une paupière tremblait, le regard plongeait dans l'examen de la table. Nina ne disposait plus de beaucoup de temps.

– Tu connais un ancien plongeur qui s'appelle Per Pedersen ?

Il releva vivement la tête vers elle. Mauvais signe. Ses yeux se mouillèrent.

– Je ne peux pas me rappeler les anciens plongeurs. Je ne peux pas. Je ne veux pas.

– Mais pourquoi ? Et si, moi, je te montrais des photos ?

Il se leva d'un coup, renversant sa chaise. Tout le monde se retourna. D'agressive, sa voix s'était faite presque suppliante.

– Tu ne comprends pas. Quand je repense à des plongeurs, je revois des morts, des collègues que je n'ai pas pu sauver.

Nina s'était levée à son tour. Elle voulut s'approcher de lui, prendre son bras, il se dégagea.

Il lui échappait à nouveau. L'homme de contact s'était rapproché.

– Ça va, Todd, nous y allons. Nina, je vous recontacterai bientôt.

54

Nils Sormi n'avait pas vu les heures défiler. Il avait promis à Tom de repasser dans la soirée, mais il était trop tard maintenant. Il sortit du gumpi et fut frappé par le soleil qui luisait avec une intensité étonnante à cette heure aussi avancée. Il avait réussi à se faire une petite idée de la situation. Le jeu de Tikkanen lui apparaissait plus clairement. L'agent immobilier avait fait preuve de malice et de culot. Et d'une totale absence de scrupule. Durant la dernière heure, le visage d'Erik Steggo avait plané sur ses découvertes. Depuis qu'il avait remonté son corps, Nils s'était demandé pourquoi la nausée s'était emparée de lui en découvrant l'identité du noyé. Sa part d'innocence. Nils Sormi croyait comprendre maintenant. Sa jeunesse avait été tracée loin du monde sami et de ses traditions. Lui avait-on volé quelque chose ? Il ne le pensait pas. Il avait aimé passionnément ce monde de plongeurs sans peur. Il l'aimait toujours. Mais l'accident de Tom le secouait.

Il avait découvert au fil des fiches de Tikkanen combien l'agent immobilier avait monté les uns contre les autres. Le fait que le terrain convoité par Nils sur les hauteurs d'Hammerfest soit occasionnellement utilisé par les rennes d'Erik Steggo et des autres éleveurs du district 23 n'était en fait qu'un leurre. Tikkanen avait laissé croire que c'était le problème quand ça ne l'avait jamais été. D'ailleurs, tout ce coin n'était plus utilisé comme pâturage depuis belle lurette. La corniche était inconstructible pour des projets comme le sien et le Finlandais l'avait toujours su. L'objectif de Tikkanen était tout autre, Nils en était maintenant persuadé. Il visait les terrains situés entre Hammerfest et le pont de Kvalsund, là où les développements industriels étaient prévus, il entendait contribuer à vider l'île de tous les éleveurs afin de pouvoir mener ses affaires immobilières en toute tranquillité, que ce soit avec les pétroliers ou avec la mairie. Exécutant le sale boulot pour eux, même si personne ne lui avait demandé de le faire. Steggo avait été une victime de ce sale jeu. Je n'en savais rien, se dit Nils, je ne savais pas que c'était comme ça. Il s'était fait manipuler par Tikkanen, et ça l'énervait plus que tout.

Juva Sikku sortit de l'autre gumpi et parut surpris de voir Sormi à l'extérieur. Il lui adressa un salut de la tête, comme s'il venait de le voir. Et Sikku ? Que gagne-t-il dans l'histoire ? Il avait vu la fiche de l'éleveur. Sikku, mine de rien, était peut-être celui qui tirerait le mieux son épingle du jeu, grâce à cette ferme du côté de la frontière finlandaise. Tikkanen avait fait des propositions semblables à d'autres éleveurs, mais la plupart avaient refusé.

– Alors, tu vas te lancer dans l'élevage de rennes dans une ferme ?

Sikku hocha la tête, comme s'il était pris en défaut.

– C'est l'avenir. Entre les industries qui se développent et le réchauffement climatique, on est coincés.

– Beaucoup d'éleveurs ne sont pas de ton avis, apparemment.

Sikku fit un geste de la main.

– Les autres… Et il va leur rester quoi ? Ils disent qu'élever des rennes n'est pas un métier mais un mode de vie. Ils en font une question d'honneur. Ils sont tellement fiers. L'honneur, ça ne fait pas bouffer.

440

Sormi regardait les montagnes à leurs pieds et prit un air songeur.

– Non, ça ne fait pas bouffer…

– Ah, content que tu sois d'accord.

– … mais ça a de la gueule.

Klemet et Nina avaient rejoint le chalet de la police des rennes. En dépit de l'heure tardive, Nina ne savait plus si elle était fatiguée ou surexcitée, les nerfs à vif, sur le point de s'écrouler ou capable de tenir éveillée vingt heures de plus.

Elle décortiquait la rencontre avec son père. Sa question qu'elle pensait innocente, la chaise renversée, les yeux mouillés. La nuit n'existait plus, le soleil se couchait à peine. Comme s'il veillait tout le temps. La nature frémissait, on le sentait dans l'air. Klemet était adorable, prévenant, il lui avait fait du café et il avait lui-même préparé le repas. Elle avait appelé Tom. Le plongeur ne se plaignait pas. Il était seul ce soir. Nils Sormi l'avait prévenu qu'il ne pourrait pas passer le voir non plus, mais il avait demandé à Elenor, rentrée de Stockholm, de venir lui tenir compagnie dans la soirée. Nina n'avait pas besoin de s'inquiéter. Tom avait parlé d'une traite. Sa voix était essoufflée. Elle lui raconta les retrouvailles avec son père. Il lui avait souhaité bonne chance.

Les policiers attaquèrent les documents laissés par Todd Nansen.

Nina commença par un rapport de plongée à la suite d'un accident. En annexe, la feuille que lui tendait maintenant Klemet précisait, comme devait l'exiger la procédure, le nom de la personne prévue pour porter les premiers secours, la désignation et les moyens à mettre en œuvre pour contacter le service médical d'urgence, le nom et les coordonnées du médecin et de l'inspecteur du travail qui suivaient l'entreprise. Du charabia administratif somme toute normal. Mais le doigt de Klemet se fit pesant. Le nom du médecin était Raymond Depierre.

Nina continua à feuilleter le dossier. Un autre document précisait les dates et durées des absences pour raison de santé, des certificats présentés pour justifier ces absences et le nom du médecin qui les avait émises, les attestations délivrées par le médecin du travail. Encore de la procédure administrative classique, comme on en trouvait dans toutes les professions. Le nom de Raymond Depierre apparaissait à nouveau.

À côté de Nina, Klemet s'agitait sur son ordinateur portable. Il faisait des recherches sur Depierre. Nina continua à parcourir le dossier. Son père avait brûlé toutes les photos, mais le dossier, qu'il ne devait pas consulter si souvent, contenait de vieilles coupures d'articles du *Stavanger Aftenblad*, le quotidien régional de Stavanger, la capitale norvégienne du pétrole, et du *Finnmark Dagblad*, le quotidien d'Hammerfest. Les articles parlaient de plongée, de contrats, de records. On voyait des hommes souriant devant un caisson de décompression, ou un plongeur, casque sous le bras, devant une tourelle suspendue et prête à être immergée. Nina essayait de reconnaître son père. Mais elle devait d'abord chasser l'image qui s'était fixée dans sa rétine, ce vieillard voûté à l'air abattu, qui avait bien peu à voir avec les sourires triomphants affichés par ces jeunes hommes sûrs d'eux et éclatants de santé. Des Tom Paulsen plus que des Todd Nansen. Les traits de son père tel qu'elle l'avait vu pour la dernière fois une douzaine d'années plus tôt étaient encore précis, mais elle commençait à douter. Elle trouva enfin un article qui le citait. Il racontait qu'une compagnie britannique avait sécurisé un puits très prometteur. Le père de Nina – son nom était écrit – posait à côté de trois autres plongeurs et de cadres d'une compagnie pétrolière. Todd Nansen portait une moustache épaisse, il avait le regard gai, les cheveux ébouriffés du retour d'une plongée, un bel homme en pleine possession de ses moyens. Elle fut soulagée. Cette image la réconciliait un instant avec son père. Comment avait-il pu dégringoler ainsi ?

Un article du *Stavanger Aftenblad* était particulièrement élogieux pour décrire une expérience de plongée. Il datait de 1980. Nina ne connaissait rien aux conditions de ce métier, mais le compte rendu évoquait un exploit. Les plongeurs avaient réalisé au centre d'essai de Bergen, NUI, un test de plongée à trois cents mètres de profondeur baptisé Deepex I. Les hommes n'avaient pas été envoyés physiquement à cette profondeur, mais ils avaient été mis sous la pression qui règne à cette profondeur tout en restant dans l'enceinte du caisson hyperbare à terre. Elle se rappelait ce que Gunnar Dahl lui avait dit. Des ajustements étaient nécessaires. Mais le représentant de Norgoil lui avait assuré que tous leurs tests avaient été validés. Il n'y avait pas de raison d'en douter, puisque les gisements étaient bien exploités. Ce test n'était pas le premier, rappelait l'article. Il y avait eu deux tests à cent cinquante mètres l'année précédente. À sa connaissance, son père n'avait pas fait partie des plongeurs d'essai. Mais il devait s'intéresser à ces questions. Au cours de ces tests, précisait l'article, on testait du matériel, des procédures techniques de soudure sous-marine par exemple, des nouvelles tables de décompression et on s'intéressait aussi aux connaissances de base des réactions humaines, physiologiques et psychologiques à l'exposition hyperbare. Un plongeur était cité, qui disait qu'il était plus dur pour l'homme d'aller à trois cents mètres sous l'eau et d'en revenir que de faire un aller-retour sur la Lune. Sur un autre papier évoquant Deepex I, d'une revue technique cette fois, les équipes techniques et médicales au complet étaient présentes, avec le sourire de rigueur. Nina donna un coup de coude à Klemet. Raymond Depierre, encore lui, était présenté comme l'un des médecins de Norgoil, la compagnie publique norvégienne qui avait cofinancé l'expérience. Le journal le citait comme l'un des trois médecins ayant validé Deepex I.

Ce fut bientôt au tour de Klemet d'envoyer un coup de coude à Nina. Dans une interview au quotidien économique *dn*, un représentant du Directorat du pétrole déclarait que Deepex I allait permettre de passer un cap dans l'exploration des eaux profondes à la recherche de gaz et de pétrole sur le socle norvégien. L'avenir de la Norvège en tant que pétromonarchie semblait assuré. Tout le monde avait les meilleures raisons de sourire. Le représentant du Directorat s'appelait Lars Fjordsen. Son lien avec le Directorat avait débuté bien avant de le diriger dans les années 1990.

Pour la première fois depuis son enfance, Nils Sormi allait passer la nuit en pleine toundra. Juva Sikku lui avait laissé le choix, le ramener en ville ou passer la nuit sur place. Elenor tenait compagnie un moment à son binôme. Nils décida de rester. L'air renfrogné de Sikku s'éclaira, comme s'il venait de recevoir le plus beau cadeau du monde. La mine incrédule, il s'agita d'un gumpi à l'autre pour préparer à manger et mettre un lit en ordre.

– Tu seras bien, Nils, tu seras bien, tu vas voir.

Il leur servit des bières glacées et il trinqua avec Nils qui ne put faire autrement. Il va vraiment croire qu'on est les meilleurs copains du monde maintenant. Comme quand on était gamins, au prétexte qu'Erik me demandait de faire un effort pour lui. Nils trinqua et se tourna vers l'horizon, laissant Sikku à ses occupations. En dépit de la lumière, la nuit était déjà engagée. Il commença seulement à ressentir le contrecoup de l'accident de Tom et de ce qui avait suivi. Il humait l'air qui se rafraîchissait. Sur un coin rocailleux où la neige avait fondu, Sikku rassemblait quelques branches de bouleau et des bûches pour préparer un feu. Le berger fit griller quelques saucisses et tranches de pain. Quand ils eurent fini, Nils se leva d'un coup.

– Montre-moi ton troupeau.

Sikku parut surpris, mais n'en dit rien. Ils prirent des vêtements plus chauds et Sikku l'emmena en scooter de l'autre côté de la montagne, dans un coin de la vallée où la neige avait presque entièrement fondu.

Ils firent le reste du chemin à pied. Sikku parlait à voix basse.

– Le gros du troupeau est déjà sur l'île. Mais tu vois en contrebas, près de la rivière…

Nils Sormi voyait. Enfant, il avait dû passer du temps dans des enclos au moment du tri des rennes. Mais ses parents ne l'avaient jamais encouragé à cela. Aujourd'hui, il n'enviait pas la vie des éleveurs. Ne l'avait jamais enviée. En se remémorant les fiches de Tikkanen, il se dit que rien de bon ne pouvait en sortir. Il faudrait moins de rennes, voilà tout. Et les éleveurs qui perdraient leur boulot pourraient toujours travailler dans l'industrie pétrolière. Il y aurait besoin de bras. Ils ne seraient pas perdants. Sikku avait sorti une paire de jumelles de sa combinaison. Nils repensait aux fiches, au visage d'Erik, à ses virées de chasse à la perdrix, à ce pieu planté dans la poitrine de Tom.

– Tu connaissais bien Erik, toi, vous travailliez ensemble ?

– Ben quoi, qu'est-ce que tu veux dire ?

Sikku avait retrouvé l'attitude défensive qui le définissait le mieux.

– Je pensais à Tikkanen, il t'a promis ce terrain là-bas, pour une ferme, d'après ce que j'ai compris.

– Ouais, il m'a promis, et il a intérêt à tenir sa promesse…

445

– En échange de quoi ?

Sikku ne s'attendait pas à la question. Il le regarda nerveusement. Mais l'éleveur était partagé. Il voulait être dans les petits papiers du plongeur. Ne pas perdre sa carte de membre du Black Aurora.

– En échange de rien. Il voulait juste que je renonce à venir avec mes rennes sur l'île, et puis…

Le regard fuyait. Nils ne le lâchait pas des yeux.

– Et puis il voulait que j'essaye de convaincre cette bourrique d'Erik.

– Le convaincre ?

– Lui faire comprendre.

– Et alors, tu as réussi ?

– Avec cette tête de mule ? Tu parles…

– Alors, comment tu l'as convaincu ?

Nils avait haussé le ton, criant presque en collant son nez à celui de Sikku. Le berger était musclé. Il n'aurait pas craint une confrontation physique. Mais Sikku n'était pas de cette trempe. Pas contre Nils. Il recula et trébucha en arrière dans la neige.

– Chuut, tu vas faire peur aux rennes, c'est craintif ces bêtes-là, un geste parfois, et ça suffit pour…

Sikku s'était tu.

– Alors, c'est ça que tu as fait ?

– Quoi ?

– Dans le détroit, c'est ce que tu as fait ? C'est donc vrai ce qui se dit ? Tu as fait exprès de faire des gestes pour faire peur aux rennes et leur faire rebrousser chemin ? C'était ça ? Pour faire comprendre à Erik ? Et puis ça a mal tourné ?

Sikku se releva en époussetant la neige, évitant le regard de Sormi.

– Je ne sais pas de quoi tu parles. C'était un accident tout ça. Et puis j'ai perdu mon renne blanc, moi, dans cette histoire, ça compte pas, ça ?

55

Lundi 10 mai.
Lever du soleil : 1 h 19. Coucher du soleil : 23 h 23.
22 h 04 d'ensoleillement.

Skaidi. 8 h.

Nina et Klemet transformèrent le chalet de la police des rennes en salle opérationnelle. Surtout Nina, en fait. Elle possédait cette façon bien à elle de mobiliser un mur entier pour y coller ses affichettes, photos, post-it. Klemet l'avait déjà vue à l'œuvre.

– Tu oublies qu'on a des murs moins grands que dans les séries américaines, se moqua Klemet.

– Va plutôt scanner ces articles qu'on puisse tirer les portraits des gars.

Scanner, imprimer, Klemet se muait en secrétaire.

– Je te signale que, enquête ou pas, nous avons cette réunion avec Morten Isaac et les éleveurs pour préparer les obsèques de Fjordsen et la surveillance des rennes.

– Tiens, et ça encore, tu le scannes bien en format photo, pas en texte, sinon c'est illisible.

Klemet soupira et tira l'article d'un geste sec.

– Gunnar Dahl va être convoqué au commissariat aujourd'hui ?

– En principe le juge est sur l'affaire et je crois bien qu'il l'entendra formellement.

Ils continuèrent, Klemet à scanner, Nina à imprimer. L'odeur de café envahissait le chalet.

– Tu m'as dit un jour que je ne savais rien de toi, tu te rappelles ?

– Non, mais c'est possible.

– C'est vrai, je ne sais rien de toi.

Nina leva les yeux au ciel.

– Pas sûr que ce soit fascinant.

– Je veux dire ton père…

– Nom de Dieu.

– Quoi ?

Nina venait d'enregistrer sur son ordinateur les photos scannées par Klemet. La fonction de reconnaissance de visages allait dénicher même ceux minuscules auxquels on ne prêtait pas attention à cause de leur taille réduite. Mais quand le logiciel montrait ces visages, ils étaient grossis.

– Tu reconnais ?

– Oui, Anta Laula jeune. D'où tu sors cette photo ?

Nina cliqua sur une touche. La photo complète apparut, celle issue d'un article du *Stavanger Aftenblad*. Le cliché de l'expérience réussie de Deepex 1 à trois cents mètres, réalisée et validée en 1980. Anta Laula disparaissait à moitié dans le fond, parmi ces pionniers qui avaient permis de valider l'exploitation des gisements de gaz et de pétrole dans les eaux norvégiennes.

Quand Nils Sormi en eut assez vu, Juva Sikku le ramena à Hammerfest. Par précaution, Sormi avait laissé le fichier dans le gumpi du berger. Vu la matière explosive qu'il contenait, il valait mieux que Sikku porte le chapeau en cas de problème. Ce dernier le déposa près de son appartement. Le plongeur se rendit à bord de l'*Arctic*

Diving. Le navire de plongée s'apprêtait à appareiller pour une nouvelle mission de maintenance sur une tête de puits. Leif Moe le reçut dans la salle commune. Le superviseur avait une sale gueule. Il avait dû beaucoup picoler la veille. Leif Moe faisait la grimace.

– Je crois que c'est foutu pour Tom.

– Comment ça foutu ? Je lui ai parlé au téléphone hier.

– Discuté avec un toubib hier soir. Il ne pourra plus replonger. Sa carrière de plongeur professionnel est terminée. Il est fini.

– Fini ? Mais Tom a vingt-sept ans, il ne peut pas être fini. Tu dis n'importe quoi.

– Nils, il ne pourra plus replonger. Pour nous, il est fini.

Sormi se leva et marcha vers la vitre. Il s'absorba dans l'observation du quai des Parias, où deux petits bateaux de pêche étaient amarrés. Des pêcheurs préparaient des filets. Plus loin le somptueux Centre culturel arctique payé par les compagnies pétrolières sommeillait. Le temps se couvrait à nouveau mais la forte luminosité donnait des reflets argentés à la mer.

– Et tu vas me faire plonger avec qui ?

Leif Moe parut soulagé de revenir à une discussion de boulot.

– J'en ai un disponible en ce moment, car Einarsen vient de partir sur un chantier au Brésil.

– Ne me dis pas que…

– Henrik Karlsen, un très bon plongeur.

– Ce connard qui pue de la gueule, mais tu veux que je le tue à la première plongée ? Il n'en est pas question, tu entends, pas question.

– Nils, attends, reste, prends quelques jours de congés, et on en reparle.

Nils Sormi avait déjà claqué la porte.

De retour dans sa voiture, il se dirigea vers les bureaux de Norgoil, sur l'île artificielle de Melkøya. Il lui fallut une vingtaine de minutes.

– Ah, Nils, mon petit Nils, quel terrible accident. Nous sommes tous tellement désolés pour ce pauvre Tom. Heureusement, il se remet. Quel soulagement.

Gunnar Dahl s'était levé pour accueillir Nils Sormi dans son vaste bureau dont les vitres surplombaient d'un côté les installations de Melkøya tandis que, par les vitres placées à l'opposé, il pouvait surveiller au loin le chantier du futur terminal du gisement de Suolo où Norgoil était le principal actionnaire et l'opérateur exécutif.

– Que comptez-vous faire pour lui ?

– Norgoil, pour Paulsen ? Je ne comprends pas…

– C'était votre putain de chantier tout ça, et c'était un putain de bordel de chantier. C'est votre faute s'il y avait cette grue au-dessus de lui, elle n'avait rien à faire là avec des plongeurs au-dessous, mais vous voulez tellement tout boucler le plus vite possible, pour gagner plus de pognon, que la sécurité, vous vous en tapez. Alors, je repose ma question, qu'est-ce que vous allez faire pour Tom ? Sa carrière de plongeur est finie, il a vingt-sept ans et ça représentait toute sa vie.

– Allons, allons, ce garçon va se remettre. Et je suis certain que vos assurances vont jouer. Il s'agit d'un accident du travail, vois-tu, et la procédure doit être respectée, c'est important. Je suis bien certain que tout va s'arranger pour lui et votre compagnie fera les choses très bien.

– C'est Norgoil qui a merdé, et tu le sais très bien, Dahl. Comment vous allez dédommager Tom ?

– Je crois que tu es sous le coup de l'émotion, et je le comprends bien. Mais tout ça va s'arranger, et la vie continue. Tiens, regarde quel avenir formidable se profile pour toi et pour nous tous. Viens, approche, jette un œil, nous venons encore de faire une nouvelle découverte de pétrole et de gaz, nous l'annoncerons cet après-midi, dans la zone Johan Castberg, regarde, là, le périmètre Skavl dans le PL532, formidable, regarde ça, le puits exploré par la plateforme West Hercules, entre vingt et cinquante millions de barils, et nous possédons cinquante pour cent de ce puits, et…

– Donc vous n'allez rien faire pour Tom ?

– Un garçon intelligent comme lui retrouvera sûrement quelque chose, je ne me fais pas de souci. Allez, Nils, va te reposer, et transmets mes meilleurs vœux à Tom, et n'oublie pas de nous revenir en pleine forme, tu sais que nous tenons beaucoup à toi, un plongeur de ta valeur, et sami qui plus est, c'est important pour l'image de la compagnie, et pour la tienne, tu le comprends, n'est-ce pas ?

Les dernières paroles de Gunnar Dahl atteignirent à peine Nils. Dehors, il respira un grand coup. Il revit les images du pieu enfoncé dans la cage thoracique de Tom, son regard d'incompréhension, et les photos des restes de Bill Steel et Henning Birge défilèrent également. Il essaya de s'imaginer à quoi aurait ressemblé Gunnar Dahl s'il s'était trouvé dans le caisson au moment de la décompression explosive. Cette idée le calma un peu. Le temps de remonter dans sa voiture, il comprit aussi ce qu'il devait faire.

Kvalsund. 11 h 15.

La patrouille P9 avait donné rendez-vous aux éleveurs du district 23 chez Morten Isaac. Klemet ne voulait pas donner un côté trop formel à la rencontre afin de ne pas braquer les bergers sami. La grogne montait parmi eux. La nouvelle du déplacement du rocher sacré s'était propagée. Beaucoup n'y croyaient pas. Mais ceux qui avaient vu les employés de la Direction des routes étaient fous de rage. L'un d'entre eux avait pris une photo sur son smartphone et la montrait à la ronde, mais certains pensaient encore que la mairie n'oserait pas aller jusqu'au bout. Un moyen de pression pour nous obliger à plier ailleurs, c'est bien leurs méthodes, disait un ancien. La réaction d'Anneli, jetant à terre le tachéomètre, avait fait le tour du district et recueillait un large soutien. Certains parlaient de s'enchaîner au rocher, et les échos de toutes ces émotions couvraient la pièce d'un brouhaha épais lorsque les policiers entrèrent. Le temps que les conversations se tassent à la vue des uniformes, Klemet put se faire une idée de l'état d'esprit. La tension était palpable. Outre Morten Isaac qui finissait de préparer du café, Jonas Simba, Juva Sikku, Anneli Steggo et cinq autres éleveurs occupaient la pièce. Certains venaient serrer chaleureusement la main d'Anneli. Klemet remarqua que Sikku se tenait à l'écart et que Simba le regardait avec un air mauvais. Morten Isaac affichait un air fatigué, traînant les pieds plus que de normal. Il combattait contre tous, autorités, braconniers, industriels, touristes, bergers sami même, depuis une quarantaine d'années. Il réclama le silence et exposa la situation, la disposition des troupeaux sur l'île et sur la terre ferme, ceux encore en transhumance, la perméabilité de la clôture entourant Hammerfest, les endroits où il faudrait porter l'effort. Puis il passa la parole à Klemet. Le policier fut aussi précis et succinct que possible. Des patrouilles de la police des rennes arriveraient en renfort à partir du lendemain mardi pour se positionner et s'accorder avec les éleveurs. Klemet sortit une carte d'état-major afin de marquer les zones sensibles. Il avait convenu avec la mairie qu'il était de la responsabilité de cette dernière de vérifier le bon état des vingt kilomètres de clôture et une équipe avait paraît-il été mise sur pied pour s'occuper de cela. L'affaire ne paraissait pas compliquée.

– Si tout le monde y met du sien, tout se passera bien, et ça nous évitera d'avoir un conflit idiot sur les bras, conclut Klemet.

Le brouhaha reprit. Les bergers considéraient que le conflit relevait de la responsabilité de la mairie et des pétroliers, pas de la leur. Les commentaires fusaient.

– On gardait nos rennes là avant l'invention des voitures.

– Et on sera ici après qu'il n'y aura plus une goutte de pétrole nulle part.

– Eh ben ça c'est pas sûr, si ça continue comme ça.

Morten réclama le silence.

– Nous avons un autre problème à régler. Anneli, ici présente, fait l'objet d'une plainte de la part de l'administration pour avoir porté atteinte au matériel de l'État et les employés ont par ailleurs expliqué qu'ils s'étaient sentis agressés, qu'ils se sentaient mal depuis, et je vous passe les détails. L'administration frappera fort pour faire un exemple.

À part Sikku qui restait silencieux dans son coin et paraissait ailleurs, tous les éleveurs s'indignèrent.

Morten réclama à nouveau le silence.

– L'affaire d'Anneli semble mal engagée, inutile de le nier. Nous l'aiderons de notre mieux. J'ai réfléchi en tout cas. Je me bats depuis bien longtemps et je sens que mon temps est passé.

Tout le monde demeurait silencieux maintenant. Klemet et Nina se mirent un peu en recul, se faisant les plus discrets possible.

– C'est pour ça, et à cause de la situation dans laquelle nous nous trouvons, l'ensemble du groupe et Anneli, que j'ai pensé la proposer au poste de présidente de notre district lors de la prochaine assemblée. S'ils s'attaquent à elle, il faudra qu'ils sachent qu'ils s'attaquent à nous tous.

Klemet regardait les bergers. La surprise était totale. Le policier savait qu'au sein d'un district d'éleveurs, les tensions et les jalousies pouvaient s'avérer nombreuses. Les familles possédant beaucoup de rennes imposaient souvent leur loi, les hiérarchies et les règles non écrites étaient légion. Sikku sortit de sa torpeur et s'apprêta à prendre la parole, mais il se ravisa. Un premier berger, un vieux, l'oncle de Jonas Simba, s'avança et vint donner une accolade à Anneli. La jeune femme était elle-même sous le choc. Ses yeux se mouillaient. L'accolade du vieux donna le signal. Tout le monde vint féliciter Anneli, l'assurer de son vote, et les félicitations valurent aussi pour Morten. On célébrait sa sagesse.

– Bon, dit l'oncle de Jonas Simba, il faudra bien qu'on s'habitue un peu au début à avoir une femme présidente. Pour le reste, Morten, tu as raison. Mais s'ils veulent Hammerfest, ils doivent savoir qu'ils n'auront pas le rocher.

56

Hammerfest. 11 h 30.

Nils Sormi tournait en rond, fou de rage. Écœuré. Révolté. Des sentiments qu'il ne reconnaissait pas. Quelque chose lui échappait. Son meilleur ami se retrouvait jeté comme un vieux torchon, abandonné au bon vouloir des bureaucrates, sa compagnie lui mettait entre les pattes le pire plongeur de la mer de Barents. Et puis cet ancien plongeur français, Jacques Divalgo, le hantait. Pourquoi lui avait-il tourné le dos ?

Nils tenta de raisonner, comme à son habitude dans les situations difficiles. Sang-froid, distance, analyse, solution, action. Absence d'états d'âme. En repensant au plongeur qui puait de la gueule, il revit les SMS reçus lorsqu'il se trouvait en caisson de décompression. Notamment ce fameux *De profundis*. Il n'avait jamais pu remonter la piste de l'expéditeur. Mais était-ce important ? Peut-être pas. Et ces incroyables millions tombés du ciel. Avec cet argent, il aurait pu, il aurait dû aider Jacques. Jacques, qui lui avait transmis sa passion, qui l'avait accueilli dans son monde alors qu'il n'était qu'un gamin de rien. Le grand Jacques, même si sa taille disait le contraire. Il aimait écrire son nom, Jack. Ça sonnait drôlement bien, disait-il avec son accent français qui charmait tant les jeunes Norvégiennes. Il en rajoutait, d'ailleurs. Jack Divalgo. Un vrai nom d'acteur jouant dans un rôle de mafioso. Et pourtant le gars le plus gentil de la planète. Une gueule d'acteur, burinée. Comment avait-il pu changer à ce point ? Où se trouvait-il maintenant ? Nils savait que Tom avait tenté d'en parler à cette Nina, en vain. Il fallait qu'il retrouve le grand Jack. Qu'il lui vienne en aide. Car, de Jack à Tom, rien n'avait changé. On abandonnait les gars qui avaient tout donné comme des vieux torchons.

Nils était arrivé à l'appartement qu'il louait au pied de la corniche. Du dernier étage, il dominait en partie la ville et la vue donnait au loin sur le fjord. Cette vue lui avait donné envie d'aller chercher plus haut encore, sur la corniche. Mais il comprenait maintenant que ce maudit Tikkanen s'était moqué de lui. Il ramassa le courrier et s'attabla face à la mer et aux montagnes. La torchère ne crachait rien aujourd'hui. L'avis qu'il espérait venait d'arriver. Il redescendit jusqu'au dépôt de poste pour chercher la lettre recommandée du bureau d'avocats. Il ne voulait pas se montrer au Riviera Next et alla s'asseoir à la galerie Verk qui exposait des photos noir et blanc de pêcheurs du Nord par Kivijärvi. Il se sentait nerveux. La grande enveloppe à bulles contenait un mot de l'avocat lui confirmant qu'il était bénéficiaire de l'assurance vie d'un donateur anonyme ainsi qu'une liste de procédures auxquelles il faudrait se plier aussi vite que possible afin que Nils Sormi puisse jouir pleinement de ses droits. Une condition devait toutefois être remplie. L'enveloppe en contenait une seconde, elle aussi matelassée. Dans la lettre, l'avocat lui expliquait que cette enveloppe brune, dont il ne connaissait pas le contenu, lui avait été remise avec une notice d'instruction. Il devait suivre les indications contenues dans l'enveloppe. Contre la remise à l'avocat d'une preuve spécifique, il pourrait débloquer le versement de la somme convenue.

Ce genre de petit rébus n'amusait pas Nils. Il ouvrit le pli. Il contenait un petit enregistreur avec une mini cassette. Nils appuya sur la touche lecture. Un air de musique en sortit. Et puis plus rien. De la musique classique. Pas vraiment la spécialité de Nils. Que devait-il comprendre ? Il écouta la cassette jusqu'au bout, puis l'autre face. Il n'y avait rien d'autre que ce morceau inconnu. Les vingt millions risquaient bien de n'avoir été qu'une illusion.

Markko Tikkanen avait passé les derniers jours à errer comme une âme en peine dans tout Hammerfest. Il avait harcelé la plupart de ceux qu'il soupçonnait de lui avoir dérobé son trésor. Les personnes accusées ne comprenaient d'abord pas ce qu'il voulait.

Tikkanen partait du principe que le prochain sur sa liste était le coupable, et il l'entreprenait de cette façon. Sa masse imposante, musclée, estimait-il, impressionnait la plupart des gens. Sa réputation, puisqu'il en avait une, en inquiétait certains. Mais Tikkanen devait d'abord passer outre l'attitude méprisante. On ne commençait malheureusement à le prendre au sérieux que lorsqu'il menaçait de révélations embarrassantes. Le Finlandais disposait d'encore assez de mémoire pour rappeler les éléments les plus gênants à ses clients.

Il avait rencontré deux élus locaux, un journaliste, un paysan, deux cadres du chantier de Suolo, et il restait des éleveurs de rennes, deux plongeurs parmi lesquels Sormi, sans oublier Gunnar Dahl. Tikkanen en avait fait sa liste prioritaire. Voilà comment on le récompensait de rendre service.

Sa mère lui avait toujours dit qu'il était trop bon et que sa naïveté le perdrait. Tikkanen avait pourtant l'impression d'avoir été déniaisé très jeune avec ses activités de filature des clients de l'épicerie familiale. Il en avait vu de belles à force de faire la planque dans les arrière-cours. Mais le jour où sa mère se rendit compte qu'il ne rapportait pas tout ce qu'il savait à propos d'une voisine sous prétexte qu'il était amoureux de sa fille, il avait eu droit à la raclée de sa vie. «Tu veux nous ruiner? lui avait-elle crié. Il suffit qu'on te fasse des minauderies pour que tu perdes la raison?» Foi de Tikkanen, il ne retomba jamais dans le piège.

De ce jour, il commença à faire des fiches, car les fiches, ça ne ressentait pas d'émotions. Les troubles qu'il pouvait éprouver à épier les uns et les autres dans les situations les plus scabreuses, il devait les traduire en mots dans ses fiches, et ça le calmait. Une fiche, ça ne mentait pas, ça n'avait pas le visage poupin et agui-cheur de la perdition, ça ne vous mettait pas la chair sens dessus dessous. Une fiche exigeait aussi qu'on s'occupe d'elle, qu'on la consulte régulièrement, qu'on la mette à jour, qu'elle se sente importante, sinon, elle dépérissait, Tikkanen en avait acquis la certitude. Et si on tentait de le ramollir, il se retranchait aussitôt derrière l'intégrité de ses fiches qui exigeaient une mise à jour.

Il aurait pu reprendre l'épicerie de sa mère avec brio, ou devenir un petit fonctionnaire dévoué prêt à suivre le règlement avec un zèle dévastateur, mais les gens du village commencèrent à en avoir marre d'être épié et il se résolut à quitter la Finlande et à émigrer sur la côte norvégienne. Comme des générations de Finlandais du Grand Nord avant lui, il se rabattit sur cette côte des Barents quand les affaires ne marchaient plus dans l'in-térieur des terres.

Le voleur de son fichier ne réalisait pas les consé-quences de son méfait. Son fichier dépérirait si on n'en

prenait pas soin comme il fallait. Une fiche qui ne bénéficiait pas d'une mise à jour régulière était condamnée à
courte échéance. Tikkanen en avait enterré des comme
ça, et ça lui avait fendu le cœur.

Il reprit sa liste. Un trait noir barrait la plupart des
noms. Il lui restait Dahl, Sormi, Sikku. Que des gens à
qui il rendait service. Une petite voix lui susurrait qu'il
ne devrait pas avoir à se méfier de gens à qui il rendait
service, mais Tikkanen avait appris à accepter la vie avec
ses paradoxes. Avec Dahl, il devait faire très attention. Le
pétrolier avait un pouvoir capable de le réduire à néant.
Un curé pareil, il fallait s'en méfier, et en plus sa mère
lui avait toujours appris à respecter les hommes d'Église,
même si Tikkanen savait pertinemment que Dahl, avec
sa tête de pasteur, n'était pas pasteur, mais ça, c'était
vraiment plus fort que lui. Dahl, il le garderait pour la fin.
Et puis, à bien y réfléchir, il ne voyait pas Gunnar Dahl,
représentant de Norgoil et donc du royaume de Norvège,
prendre le risque de venir lui voler son fichier. Sormi,
le petit Sormi, celui-là en était susceptible. Comme les
autres, il prenait Tikkanen de haut. Normal, puisque ça
faisait partie des services offerts par Tikkanen, que les
gens se sentent en situation de supériorité vis-à-vis de
lui. Cadeau, pensait Tikkanen. Le petit Sormi avait bien
pu s'énerver, rapport à l'histoire de son terrain qui ne
débouchait sur rien. Mais Tikkanen ne voyait pas Sormi
s'embêter à lui voler son fichier pour ça. Pourquoi l'aurait-il fait ? Allons, ça n'a pas de sens. Sormi aurait tout
aussi bien pu s'adresser directement à la mairie, sous
un prétexte quelconque, pour aller aux renseignements.

Il restait Sikku. Ah, celui-là était intéressant. Tikkanen ne voulait pas s'avouer que le berger sami était
aussi le moins dangereux des trois, le plus abordable en
quelque sorte. En plus, Tikkanen avait un peu bousculé
Mme Isotalo, sa secrétaire. La pauvre femme avait fondu

en larmes. C'est elle, entre deux hoquets, qui lui avait rappelé qu'il avait prêté un double de ses clefs à Sikku.

L'agent immobilier n'eut pas de mal à faire une liste des griefs potentiels. Entre l'histoire des prostituées russes où Tikkanen reconnaissait avoir lâché le nom de Sikku à la police un peu vite, les histoires avec les autres éleveurs dans le dos de Sikku dont il avait pu avoir vent et d'autres menus arrangements, la matière ne manquait pas. Et puis Sikku était invisible depuis des jours et ne répondait plus à ses appels, ce qui en soi était le signe d'une bizarrerie suspecte car pourquoi ne voudrait-on pas lui répondre ?

D'un geste décidé, Tikkanen remit en place sa mèche mal gominée et sa ceinture sous son ventre flasque. Il savait par un éleveur – l'un de ceux barrés sur sa liste et qu'il venait tout juste de voir – que le district 23 sortait d'une réunion en vue de préparer les obsèques de Fjordsen. Sikku s'y trouvait, et Tikkanen savait même où Sikku se placerait le surlendemain, le long de la clôture. Là, il ne pourrait plus se cacher.

57

Après le rendez-vous houleux avec les éleveurs du district 23, Klemet et Nina s'étaient livrés à l'inspection d'une partie de la clôture d'Hammerfest. La mairie avait beau avoir promis son imperméabilité, les policiers n'avaient pas envie de prendre de risque car tout retomberait sur eux en cas de problème. Ils avaient pu constater que des équipes de la mairie étaient à la tâche mais vingt kilomètres de grillage, cela faisait beaucoup à vérifier, sans compter que les cas de sabotage n'étaient pas rares. De fait, ils relevèrent deux anomalies et les signalèrent à la mairie.

Trois quarts d'heure plus tard, ils s'engageaient sur le chemin menant au chalet de la police. Un puissant 4×4 attendait. Nina eut la surprise de voir Nils Sormi en sortir. Elle jeta un coup d'œil à Klemet qui affichait une mine froide. La réconciliation semblait encore un peu superficielle. Nina posa la main sur la portière, mais elle se tourna vers Klemet.

– Il serait peut-être temps que tu me racontes ce qui s'est passé entre vous ?

Klemet ne quittait pas le plongeur des yeux. Sormi patientait devant la porte, regardant dans leur direction. Klemet prit sa mine contrariée.

– Une vieille histoire. Tu trouveras ça ridicule, j'imagine.

– Raconte toujours.

– Il y a quelques années j'ai arrêté Nils en flagrant délit de braconnage avec des amis à lui, des plongeurs et d'autres types. Il avait tiré une oie sauvage de Sibérie. Quelques-unes transitent et restent par ici un moment afin de poursuivre leur migration pour l'Afrique. Et ils l'avaient fait griller. C'est une espèce protégée, comme tu le sais.

Nina l'écoutait. La protection des espèces menacées faisait partie des prérogatives de la police des rennes dans la région, mais Nina n'avait pas eu l'occasion d'en voir grand-chose jusqu'ici.

– Tu as fait ce qu'il fallait, alors. Pas de quoi t'en vouloir pour ça.

– Jusqu'à une intervention en haut lieu. Il fallait classer l'affaire. Pas de vagues. Ces plongeurs se révélèrent une espèce encore plus protégée que les oies. On avait besoin d'eux. J'ai dû plier. Fermer ma gueule. Et affronter l'arrogance de Sormi. Et ce petit con ne s'est jamais gêné pour me faire sentir son impunité.

Klemet entra dans le chalet. Nina le vit tout juste faire un signe de la tête en passant. Elle s'approcha du plongeur.

– C'est à toi que je veux parler. Tom m'a dit que je pouvais te faire confiance.

– Pour ce qui est de mon travail de policier et du respect de la justice, tu peux me faire confiance.

– J'ai besoin de ton aide. Et j'aimerais – il fit un signe de la tête en direction de l'intérieur – que ça reste entre nous.

– Si c'est d'ordre professionnel, je partage tout avec Klemet. Si ça te pose un problème, tu peux t'adresser au commissariat d'Hammerfest. Tu sais qu'ils savent être discrets s'il le faut, n'est-ce pas ?

– Alors c'est ça, Klemet n'a toujours pas digéré cette histoire…

– Qu'est-ce que tu voulais me dire ?

– Il s'est passé des choses étranges ces derniers temps.

– Je sais.

Sormi n'affichait aucune arrogance. Il cherchait ses mots, hésitait. Ça ne lui ressemblait pas.

– Tu veux entrer ?

Il parut se décider d'un coup.

– Allons-y. Autant crever l'abcès.

Klemet préparait du café. Sormi regarda autour de lui. Nina l'invita à s'asseoir dans la partie du salon d'où il ne pouvait saisir le détail de son tableau punaisé. Le plongeur resta silencieux. Il observait sa tasse de café. Puis il commença à raconter. Nina était assise à côté de lui, Klemet debout, un peu en recul et dans l'ombre. Il parla du terrain qu'il avait convoité, en vain. Du malentendu et des tensions que cela avait créé avec Erik Steggo d'abord, puis avec Anneli. Il évoqua le rôle de Markko Tikkanen, ses promesses non tenues, sa façon de tirer les ficelles. Puis il en vint à ce plongeur français qui avait réapparu dans sa vie. À sa mauvaise conscience depuis qu'il l'avait rembarré. Cette histoire de plongeur n'intéressait sans doute pas les policiers, mais Tom avait insisté, alors il racontait. Peut-être pourraient-ils l'aider à le retrouver. Il s'appelle Jacques Divalgo.

Le silence se fit. Sormi n'avait toujours pas touché à son café. Nina attendait. Klemet restait immobile, bras croisés, adossé au mur d'affichage de Nina.

Sormi finit par prendre une enveloppe de son blouson. Il en sortit un petit magnétophone et le mit en marche. Un air grave et dur envahit le petit refuge. La mélodie jouée à l'orgue était mélancolique, évoquant une grande tristesse. Sombre, lancinante, laissant entrevoir peu d'espoir, mais d'une beauté époustouflante. Le cœur de Nina se serra. Sormi appuya sur la touche stop. Il ne subsista qu'un silence pesant.

— J'ai reçu cet enregistrement d'un bureau d'avocats. Assorti de la promesse de toucher une très grosse somme d'argent d'une assurance vie. Le bureau d'avocats est tenu au secret. Le seul détail qu'il m'a donné, c'est que le contrat a été préparé depuis des semaines mais les derniers éléments, ce magnétophone avec sa cassette, ne lui sont parvenus par courrier que fin avril. Tom pensait que cette assurance pourrait venir de Bill Steel. Mais depuis que j'ai reçu cette cassette, j'en doute. En tout cas, avec la mort de Steel, cette histoire d'assurance pourrait provoquer de mauvaises associations d'idées dans la tête de certaines personnes. Mais je n'ai rien à voir avec sa mort, ni de près ni de loin. Je veux jouer cartes sur table.

— Je suis ravi que tu t'ouvres à nous de tout ça, mais j'ai du mal à comprendre ta soudaine franchise, dit Klemet.

— Ce que je veux dire, c'est qu'Erik Steggo n'aurait pas dû mourir. Mais est-ce que j'ai vraiment besoin de tout t'expliquer, Klemet ?

Sormi se leva et s'avança vers le policier.

— Tu ne m'aimes pas, et ce n'est pas grave.

Et voilà, se dit Nina, ça dérape à nouveau. Au contact de Klemet, Nils Sormi reprenait une attitude hautaine.

— Ce que j'attends de vous, dit-il en soutenant le regard de Klemet, c'est que vous m'aidiez à dénouer les fils, pour que je touche ce fric et que je puisse soutenir Tom, qui est lâché par les compagnies, et ce plongeur français, si vous pouvez le retrouver.

Deux coqs, une gifle. Nina se leva, craignant un nouveau dérapage, comme au quai des Parias. Elle prit délicatement Sormi par le coude.

– Nous allons faire notre possible.

Mais le plongeur ne l'écoutait pas.

– Divalgo ? Que fait-il là ?

Sormi montrait du doigt le mur d'affichage de Nina. La jeune femme regarda son installation. Klemet se tourna également.

– Quel Divalgo ?

– Mais le plongeur français, bon Dieu. Lui, dit-il en mettant le doigt dessus. C'est lui que je cherche partout.

Klemet prit la photo.

– Lui, un plongeur français ? Tu es sûr ? Parce que, pour nous, ce gars-là s'appelle Zbigniew Kowalski.

Anneli Steggo était rentrée au campement sur les hauteurs de Kvalsund. Elle avait retrouvé Susann qui veillait à ce que le clan ne laisse rien derrière soi lorsque les tentes seraient pliées. Les bergers allaient prendre leurs quartiers d'été sur l'île de la Baleine, là où la plupart des rennes avaient commencé leur remontée vers les zones où les femelles allaient mettre bas, dans le Nord-Est. La période de la naissance pouvait durer des semaines. On était fatigués, mais d'une bonne fatigue, disait Susann. Les enfants étaient dehors longtemps, seuls, libres, au grand jour en pleine nuit, car dans les tentes, le soir, le silence et la paix devaient régner pour trouver un peu de repos.

Pour Susann, Anneli et bien d'autres, la levée d'un camp était un rituel qui prenait une signification spéciale. Depuis que les nomades sami avaient démarré l'élevage de rennes il y a bien longtemps, voilà cinq cents ans ou plus, ils avaient considéré qu'ils n'étaient que de passage sur les territoires qu'ils traversaient. On y restait quelques semaines, puis on continuait vers le nord, vers le sud, au gré des saisons, au gré de ce que la nature pouvait offrir aux rennes. Et, immuablement, des pâturages d'été aux pâturages d'hiver, les voies de la transhumance étaient un long et lent cheminement qui exigeait des hommes la conscience de leur place dans la nature. D'une année à l'autre, il fallait revenir sur ses pas et retrouver la terre en l'état. On ne laissait pas de traces derrière soi, on en faisait un point d'honneur et l'harmonie régnait. Il en allait autrement aujourd'hui. Le nomadisme était mort avec l'arrivée des scooters, des quads et des hélicoptères.

Anneli avait pris Susann à part. Son aînée était déjà au courant de sa promotion au sein du clan. La jeune femme n'avait pas caché son inquiétude. La disparition d'Erik, ces menaces sur l'élevage, et maintenant cette responsabilité. Serait-elle à la hauteur ? Susann l'avait rassurée. Mais la grossesse d'Anneli, en revanche, inspirait de la crainte à Susann. Lorsque la jeune bergère lui dit qu'elle se reposerait sous peu, dès qu'elle aurait retrouvé le dernier faon, Susann entra dans une colère noire. Anneli avait-elle donc perdu la raison ?

– Ce n'est pas à toi d'aller chercher ce faon. J'irai, moi, s'il est aussi important.

– Non, Susann, l'important c'est que ce soit moi qui aille le trouver. Je ne suis pas sûre de savoir pourquoi, mais je pense que je le dois à Erik. Sinon j'aurais le sentiment de le perdre une seconde fois.

Susann avait longuement observé la jeune femme. Elle avait les traits tirés, le teint pâle. Elle dormait mal, mangeait mal, mais sa détermination ne faiblissait pas. Susann finit par la prendre par la main. Elles marchèrent un moment dans la bruyère jaunie et aplatie, évitant les flaques brunâtres. Anneli pouvait sentir la force de la femme irriguer son corps tandis que le soleil chauffait son âme. Elles grimpèrent à mi-pente d'une colline où les plaques de neige ruisselaient de vie. Dans un repli de la montée, un rocher plat et sombre comme une plaque d'ardoise et de la taille d'une peau de jeune renne offrait une plateforme dominant la vallée où le clan avait campé les semaines passées. Des cailloux formaient un petit amoncellement en direction du nord et des pâturages d'été. Des bois de jeunes rennes étaient déposés autour des pierres. Rares étaient ceux qui connaissaient cet endroit. Les Sami craignaient que leurs pierres sacrées ne soient souillées. Beaucoup l'avaient été.

– Ici nous sommes chez Gieddegeašgálgu, chuchota Susann.

Anneli ressentit un vertige et s'assit sur la roche. Elle savait qui était Gieddegeašgálgu. Susann l'avait donc comprise. Elle en fut soulagée et lui serra la main. Gieddegeašgálgu était une créature féminine sami qui vivait à la périphérie des campements et que l'on pouvait invoquer par temps difficile. De celles qui survivaient dans les croyances sami même après plusieurs siècles d'évangélisation.

– Tu sais que c'est une vieille pie qui jacasse, comme moi, sourit Susann, mais elle est aussi capable de ramener un jeune faon égaré. Elle t'accompagnera.

Le téléphone avait surpris Nils-Ante Nango au musée d'Alta, mais la demande de Klemet l'avait enchanté. Il adorait les énigmes et par-dessus tout que son indigne neveu se rappelle qu'il était en vie.

En comprenant que son oncle était tout proche, à trois quarts d'heure à peine, Klemet lui avait dit de venir le rejoindre aussitôt au chalet de Skaidi. Changounette serait ravie de cette petite aventure.

Klemet, Nina et Nils avaient passé une partie du temps à tenter de recoller les morceaux. Nina veillait à ne jamais laisser les deux hommes ensemble. Mais la tension avait fait place à la stupéfaction et celle-ci emportait tout.

Kowalski l'ouvrier polonais inconnu était devenu Divalgo l'ex-plongeur français. Klemet et Nina avaient mis un long moment à digérer l'information. Cela expliquait pourquoi il était resté si peu loquace lors du contrôle. Il avait lâché quelques mots de polonais qu'il connaissait, pour faire illusion, et laissé Pedersen prendre le relais en norvégien. Nils Sormi avait aussi raconté ce qu'il savait d'Anta Laula, personnage énigmatique croisé dans sa jeunesse au milieu du groupe des plongeurs. Il n'avait jamais compris comment ce Sami sombre et fragile y avait gagné sa place, tant il tranchait avec la vigueur et l'insouciance des scaphandriers. Sormi, en revanche, ne connaissait pas ce Pedersen, il ne l'avait jamais vu à l'époque. Les plongeurs tournaient de mission en mission, aujourd'hui encore, et cela n'avait donc rien d'étrange.

Une certitude émergeait. Pedersen, Divalgo et Laula étaient liés par la plongée. La présence de l'ancien éleveur devenu artiste dans la camionnette n'était pas un hasard. Anta Laula avait participé à cette expérience de Deepex I en 1980. L'article du *Stavanger Aftenblad* trouvé dans le dossier du père de Nina montrait que Jacques Divalgo avait aussi fait partie des plongeurs d'essai. Son nom était indiqué. Klemet et Nina n'avaient pas été capables de voir dans le cadavre de l'homme jusqu'ici connu sous le nom de Kowalski le jeune athlète au sourire éclatant de la photo jaunie.

C'était encore ce même test dont Raymond Depierre avait été l'un des médecins. Si Laula était relégué au fond de cette photo, parmi les anonymes, les trois autres plongeurs d'essai à côté de Jacques Divalgo étaient nommés. Une recherche sur Internet leur permit de retrouver facilement la trace de l'un des plongeurs, un Américain, qui avait une page Facebook. Ils lui laissèrent un message.

Cet épisode de 1980 prenait soudain une importance inédite. Lars Fjordsen, le maire d'Hammerfest dont les obsèques devaient être célébrées en grande pompe le surlendemain, avait œuvré au Directorat du pétrole à cette époque, même s'il n'en était pas encore le patron. Quel rôle avait-il joué dans cette expérience ? Était-ce pour la tâche remplie à cette époque qu'il avait été ultérieurement récompensé en prenant la tête du Directorat du pétrole ? Rien ne permettait de le dire sur la base des documents en leur possession. Mais le Directorat était l'autorité de validation.

Certaines questions ne pouvaient être posées en présence de Nils Sormi. L'une d'elles préoccupait Klemet. Gunnar Dahl avait-il utilisé ces hommes en perdition ? Sa convocation imminente chez le juge d'instruction et la commission rogatoire qui en résulterait donneraient d'autres moyens d'investigation à la brigade criminelle. Ce n'était plus du ressort de la police des rennes.

L'arrivée de Nils-Ante et de Mlle Chang interrompit les pensées de Klemet au moment où il s'apprêtait à demander à Nils Sormi de prendre congé. La jeune Chinoise fit le tour du cabanon d'un air enjoué avant que Klemet ait eu le temps de lui signaler qu'en dépit des apparences il s'agissait d'un bureau de la police et que ce qui figurait ici était confidentiel.

Après les présentations, Nils-Ante écouta attentivement le morceau de musique. Il releva la tête, l'air malicieux, et demanda à son neveu de le lui repasser. Il avait sorti son téléphone portable et pianoté dessus. Il écouta à nouveau et regarda son téléphone.

– Le premier morceau est une version d'un classique religieux, commença Nils-Ante.

– Le premier morceau ?

– Tu n'entends donc pas que deux morceaux s'enchaînent ? Avec une espèce de bref final atypique à la fin des deux parties. J'en suis à peu près sûr en tout cas, car je connais bien la seconde partie.

– Admettons. Je ne te savais pas mordu de ce genre de musique religieuse, s'étonna Klemet.

– Pour la première partie, application smartphone de reconnaissance musicale, cher neveu. Il serait temps que la police t'équipe. Et t'apprenne un peu la vie…

Klemet bougonna. Son oncle continua.

– Je ne sais pas qui l'interprète, c'est joué à l'orgue, mais le titre ne fait pas de doute, il s'agit de *De profundis*.

– J'ai reçu un SMS avec ces mots, intervint Nils Sormi.

– Et pourquoi tu n'as rien dit plus tôt ? ajouta sèchement Klemet.

– J'avais oublié, voilà tout. J'ai reçu ça quand j'étais en décompression avec Tom. Pas de numéro d'appel. J'ai reçu deux autres fois ces messages, les mêmes, sans explication. Le premier disait *De profundis*, et le second… *Ahkanjarstabba*, compléta-t-il après avoir regardé son téléphone. Je ne vois pas comment j'aurais pu faire le rapprochement.

– Ahkanjarstabba est le nom du rocher sacré, au détroit du Loup, s'exclama Nils-Ante.

– Oui, je crois bien qu'Anneli avait employé ce nom, se souvint Nina.

– On veut nous envoyer au rocher sacré, enchaîna Klemet.

– On veut m'envoyer, moi, au rocher sacré, rectifia le plongeur.

Klemet l'ignora.

– Et la deuxième partie du morceau ?

– L'application ne l'a pas reconnu, reprit Nils-Ante. Mais je connais bien ce morceau, même s'il est un peu adapté car joué à l'orgue. Il a d'ailleurs été magnifiquement interprété par Mari Boine, une petite jeune pas mauvaise. Il s'agit d'un psaume laestadien, cher neveu très inculte. Dans sa version, la jeune Boine le chante avec un mélange de joïk, ce qui ne manque pas de piquant quand on sait que les chanteurs de joïks étaient considérés comme interprètes du diable par notre Église.

– Et le final ?

– Là, j'avoue que je sèche, dit Nils-Ante.

Il remit l'appareil en marche. Les airs mélancoliques envahirent à nouveau le petit chalet. Une atmosphère d'une grande tristesse teintée de beauté envahissait Klemet. Il n'aurait su l'exprimer en mots, mais il se sentait apaisé pour la première fois depuis longtemps. Chacun paraissait plongé dans ses pensées. Klemet pouvait imaginer que Nina songeait à son père, Nils à Tom. Même Nils-Ante avait un air absorbé et lointain.

Seule Mlle Chang semblait étrangère à cette ambiance douloureuse. Seule à l'écart, devant la grande fenêtre qui filtrait les rayons du soleil, elle ondulait, comme transportée par les arrangements d'orgue qui s'étiraient et avait entamé une danse souple et ralentie, tête rejetée en arrière, faisant corps avec une plume légère qu'elle projetait en l'air de souffles réguliers. Au rythme des accords, elle se contorsionnait sous la plume qui virevoltait dans le rayon de lumière vive. Klemet la regardait, fasciné, et chacun dans le cabanon devint captif de la grâce que dégageait la jeune femme.

Elle réalisa que tout le monde la regardait et s'arrêta. Elle attrapa la plume avant qu'elle ne touche le sol et la mit dans la chevelure de Nils-Ante, au-dessus de son oreille, en lui faisant une bise sur le front.

– Elle est tombée de l'enveloppe quand tu as pris le magnéto, fit la jeune Chinoise d'une petite voix.

– Mon ambre légère, tu nous as transportés le temps d'un soupir dans ton monde merveilleux.

Nils-Ante observa la plume.

– Perdrix des neiges, dit-il. C'était l'animal fétiche d'Anta. Il en sculptait lui-même de magnifiques.

58

Détroit du Loup.

Il fallut à peine une demi-heure pour parvenir au rocher sacré. Klemet et Nina avaient demandé à Nils-Ante et Mlle Chang de les accompagner. Nils Sormi les suivit en voiture et continua jusqu'à Hammerfest où il voulait prendre des nouvelles de Tom Paulsen.

On approchait de la fin de l'après-midi. Klemet gara la voiture près du rocher. Les employés l'avaient enveloppé de larges bandes pour le protéger durant le transport. Du matériel avait été déposé afin de creuser sous la roche et pouvoir la déplacer d'un bloc.

– Si ce n'est pas malheureux tout de même, dit Nils-Ante.

Klemet attrapa une échelle qui avait été laissée par les ouvriers et la plaça contre la pierre. Nina fit le tour du rocher, cherchant un objet déposé à sa base. Les policiers cherchaient méticuleusement. Ils annonçaient à haute voix leurs découvertes, bouts d'os, arêtes, pièces de monnaie parfois ou morceaux de bois de rennes. Rien qui puisse expliquer ce qu'Anta Laula avait voulu dire. Klemet trouva des plumes de perdrix. Et puis quoi ? Il les regardait, perplexe. Celle de l'enveloppe venait-elle d'ici ? Ça ne menait nulle part. Qui connaissait ce nom d'Ahkanjarstabba ? Une recherche Internet avait été désespérément stérile. Seuls les Sami devaient en connaître le nom. Et encore, Klemet n'était pas sûr que les jeunes le sachent. Lui, en tout cas, l'ignorait. L'un des sms reçus par Sormi devait les amener à ce rocher, cela faisait peu de doute. Était-ce pour que l'on découvre le bracelet d'Anta Laula trouvé par Anneli ? Cela paraissait le plus logique. Mais Klemet n'était pas satisfait de ce raisonnement. Car Nils Sormi aurait été bien infichu de tirer la moindre conclusion de la présence ici de ce bracelet, même s'il l'avait trouvé. Tout simplement parce que le jeune plongeur ignorait qu'Anta Laula portait un bracelet identique au moment de son décès. Et ce premier sms ? Ce *De profundis* établissait un lien entre les sms et la musique. Et donc entre ce rocher sacré d'Ahkanjarstabba et la musique composée du *De profundis* et d'un psaume laestadien. Mais quoi ? Pourquoi laestadien ? Que venait faire cette branche traditionaliste luthérienne – dont sa propre famille était originaire – dans cette affaire ? Klemet redescendait de l'échelle pour la déplacer lorsqu'il entendit son oncle crier sur un ton de prophète haranguant la foule.

– *De profundis ! De profundis !*

Klemet secoua la tête. Son oncle faisait le pitre pour sa jeune Chinoise.

– Des profondeurs, Klemet, des profondeurs. Tu cherches là-haut, au lieu de regarder à tes pieds. Dans les profondeurs du rocher. Celui qui a envoyé ces sms est un farceur. Ça renvoie peut-être à la musique, mais pas seulement.

Il brandissait une espèce de boule. Klemet faillit rater les derniers échelons. Nina s'approchait. Nils-Ante nettoyait l'objet sali de boue. Il montrait simplement du doigt là où il l'avait trouvé. Avec ses doigts fins,

Mlle Chang avait réussi à faufiler sa main souple dans une faille du rocher.

– N'est-ce pas là qu'Anneli a retrouvé le bracelet par hasard ? Si ? Je n'en suis pas étonné.

L'objet était tout en rondeurs, en courbes finement ciselées, taillé dans du bois de renne patiemment poli, sans la moindre aspérité. La gueule du petit oiseau, car c'en était un, était tournée vers le ciel. Des gravures couleur brique dessinaient les yeux, et le dos était orné de trois motifs sami. La sculpture pouvait tenir dans la main, si ce n'était le socle, taillé dans un bois de renne plus rustre et épais.

– Quelqu'un a pu le jeter dans cette faille, mais il fallait la finesse de ma douce airelle pour le cueillir.

Nina le prit des mains de Nils-Ante.

– Klemet, le bec, dit-elle.

– Eh bien ?

– Cassé. J'ai déjà vu cet oiseau.

– On en trouve dans le commerce, à Kiruna, dit Klemet. C'est une perdrix des neiges, avec ce bois de renne si clair. Et je peux même te dire que c'est Anta Laula qui les fabrique.

– Je sais, j'en ai vu lors de son exposition à Kiruna. Mais cet oiseau précis était dans la camionnette de Pedersen et Divalgo quand on les a contrôlés. Suspendu au rétroviseur. Le même bec cassé. J'en suis certaine. Et je ne me rappelle pas qu'un oiseau comme celui-ci ait fait partie des objets trouvés dans le véhicule.

Klemet prit l'oiseau à son tour.

– En tout cas, la plume dans l'enveloppe nous y amène.

– Et le bracelet montre que c'est Anta Laula qui a déposé cette perdrix. Le bracelet est sa signature.

Klemet se dirigea vers l'arrière du pick-up. En silence, il sortit le réchaud et prépara un café. Un vent soufflait à travers le détroit. La fonte de la neige laissait des traînées blanches sur les versants des montagnes, leur donnant par endroits une allure zébrée. Autour d'eux, entre le pied de la colline et la rive du détroit, les plaques de neige n'étaient plus que l'exception. La terre s'imbibait d'eau. Des flaques brunâtres alternant avec de la neige et des parcelles d'herbe jaunie et toujours écrasée habillaient le paysage d'une toile de camouflage.

Nils-Ante montrait du doigt un point au-dessus du détroit et chuchotait dans le creux de l'oreille de sa Changounette des mots qui la faisaient s'esclaffer.

Nina observait la perdrix sous tous ses angles. Elle pianotait sur son ordinateur portable.

Comment Anta Laula avait-il imaginé tout cela, lui qui semblait si affaibli ? Mais Susann leur avait dit que le vieux Sami, dans ses moments de lucidité, excellait à organiser des jeux de piste pour les enfants. Klemet servit le café. La présence de la perdrix dans la voiture lors du contrôle de routine pouvait vouloir dire deux choses. Soit Pedersen et Divalgo voyageaient déjà en compagnie de Laula qui, pour une raison inconnue, était absent de la camionnette lors du contrôle. Soit, d'une manière ou d'une autre, cette perdrix était un objet en possession de Pedersen ou de Divalgo, et cet objet les ramenait vers Anta Laula. Un objet précieux conservé en souvenir de quelqu'un. Ou de quelque chose. En tout cas, elle devait les mener quelque part.

Hammerfest.

Nils Sormi était arrivé dans la chambre de son binôme à l'improviste. Un coup de téléphone de Nina venait de l'informer de la découverte de la perdrix. Nils trouva Elenor assise sur le lit de Tom, dans une de ces attitudes ambiguës qu'elle affectait.

– Ah, enfin, je te croyais disparu. Abandonner ton ami comme ça… Heureusement, j'étais là. Ce pauvre Tom, un vrai héros.

Elle le cajolait du regard, passant sa main sur sa blessure. Tom était pâle, il souffrait visiblement. Il lui faudrait des semaines pour se remettre. Sormi demanda à Elenor de l'attendre dans le couloir.

– Appelle-moi donc, je ne compte pas rester dans cet horrible endroit.

Quand elle fut partie, Nils s'approcha de son ami et précéda son explication.

– Elle n'aime pas être seule longtemps, ça la rend nerveuse.

Paulsen ne disait rien. Nils sentait son embarras. Mais il avait plus important à régler. Il lui raconta les événements de la journée, passant toutefois sous silence ses entretiens avec Leif Moe et Gunnar Dahl. Ses découvertes dans le fichier de Tikkanen, sa décision de contacter cette Nina Nansen, l'annonce de la mort de Jacques Divalgo, ces morceaux de musique identifiés par le vieil oncle de Nango, autrement plus sympathique que son neveu.

– On a bien failli se foutre sur la gueule une fois encore. Ta copine flic s'est interposée, je l'ai bien vu. Elle le protège, son binôme.

– Tu crois qu'il y a une histoire entre eux ?

Nils ne releva pas la question.

– Je me rappelle cet Anta Laula de quand j'étais gamin. Je n'ai jamais compris pourquoi Jack et les autres l'accueillaient comme un des leurs. Ils le traitaient, je ne sais pas, bizarrement. Avec respect, alors que ce type était, quoi, une épave, un mec qui marchait à côté de ses pompes. Apparemment, il a participé à une expérience de plongée en 1980. Pas comme plongeur d'essai, mais d'une manière ou d'une autre il y a participé. Je me demande si c'est ça qui a pu le flinguer. Lorsque Jack et les autres revenaient à chaque saison, Anta Laula était là. Je ne sais pas où ils allaient le récupérer, mais il traînait avec eux. Pas bavard. Il est devenu artiste au fil de ces années, apparemment.

– Désolé pour Jacques. Qu'est-ce qu'il faisait avec les deux autres ?

– Je ne crois pas que les flics m'ont tout dit.

– Et cette cassette, cette plume, ces sms, cette assurance ?

– Les sms comme la cassette font référence au *De profundis*, donc ça vient de la même personne, et elle me renvoie à ce rocher, puisque le nom de ce rocher imprononçable n'est presque pas connu. Et ce caillou, on y trouve le foutu bracelet de ce zombie. Qu'est-ce qu'il me voulait, ce type ?

– Qui te dit que c'est lui qui te voulait quelque chose ? Ce zombie est mort avec ton Jacques et ce Pedersen. Ils étaient trois. Ce Pedersen, tu le connais ?

– Je ne sais plus. Ça tournait pas mal, les mecs, à cette époque. Et pour moi, c'était le grand Jack qui comptait. Il m'avait adopté, transformé en mascotte de leur groupe.

– Mais cette assurance alors, ça pourrait venir de lui ?

– Lui ? Il ressemblait presque à un clodo quand je l'ai revu.

– À un clodo, ou à un mort en sursis ?

Détroit du Loup.

Klemet rangeait le coffre de leur pick-up, mais il travaillait au ralenti, l'esprit préoccupé. Il tenait le paquet de café en l'air, geste suspendu.

– Laula ne voulait pas seulement amener Sormi à ce rocher pour y trouver cette perdrix. Ça doit mener ailleurs. J'ignore pourquoi Anta s'est livré à ce jeu de piste – pour protéger quelque chose j'imagine –, mais cette perdrix ne peut pas être une fin en soi.

– Sauf si son but est de révéler à Sormi qu'Anta Laula est le donateur de l'assurance vie.

– Laula ? Mais ça n'a aucun sens. Ils ne se connaissaient pas. Tu as bien entendu comment Sormi en parlait. Tout a un sens, justement. Les deux SMS nous amènent à ce rocher. Le SMS *De profundis* dit à la fois de chercher dans les profondeurs du rocher pour trouver cette perdrix et fait le lien avec la musique. Jusque-là, tout se tient. Mais la seconde partie de la musique, ce psaume laestadien, quel est son sens ? Et, une fois encore, à quoi sert cette perdrix ?

Nina prit délicatement le paquet de café des mains de Klemet et le rangea.

– Changounette, c'est pareil en Chine, les hommes ont du mal à faire deux choses en même temps ? demanda-t-elle en finissant de ranger le coffre.

– L'orgue. Pourquoi de l'orgue ?

Klemet se tourna vers son oncle, échappant au rire de Mlle Chang.

– Je ne connais ce psaume laestadien que dans sa version chantée. Il est ici entièrement joué à l'orgue, comme le premier morceau.

– Quel est le lien avec les laestidiens ? s'agaça Klemet.

– Ce n'est peut-être pas les laestadiens, mais leur orgue qui vous intéresse, ou une de leurs églises.

– Il y a de nombreux orgues dans la région, mais je n'en connais qu'un qui soit lié à Anta Laula. Celui de Jukkasjärvi, près de Kiruna. Il en a sculpté une partie des touches avec son maître Sunna.

59

Mardi 11 mai.

Hammerfest.
Lever du soleil : 1 h 05. Coucher du soleil : 23 h 38.
22 h 33 d'ensoleillement.

Jukkasjärvi (Laponie suédoise).
Lever du soleil : 2 h 50. Coucher du soleil : 22 h 25.
19 h 35 d'ensoleillement.

Laponie intérieure. 8 h 30.

Après deux heures de vol, l'hélicoptère approchait de Jukkasjärvi, à cinq cents kilomètres au sud d'Hammerfest. Pedersen et Divalgo y étaient passés durant leur périple dans le Nord avec leur voiture de location et leur carte bancaire qui laissait leurs traces partout.

Klemet n'avait pas suivi. Un peu forcé. Manque de place. Nils-Ante se devait d'être du voyage pour les aider, et Nils Sormi avait exigé d'en être. Avant que Klemet ait pu réagir à sa demande – non négociable, avait insisté l'oncle –, Nina avait donné son accord.

Nils Sormi, après une nuit visiblement tourmentée, avait attendu d'être dans l'hélicoptère pour se confier à

Nina. Il lui révéla où se trouvaient les gumpis de Juva Sikku et lui fit part de ses conclusions sur le rôle du berger autant que sur l'existence du fichier. Nina avait aussitôt prévenu Klemet.

Il fallait rassembler les preuves, mais il paraissait désormais évident que Tikkanen avait, directement ou non, poussé Juva Sikku à effrayer les rennes, ce qui avait entraîné la mort de Steggo. Prouver la préméditation relevait de la gageure.

Durant tout ce survol de la Laponie, Nils Sormi était resté absorbé par le paysage. Comme s'il le découvrait pour la première fois.

– Ça te plaît ?

Il avait esquivé d'une plaisanterie, disant qu'il se sentait plus à l'aise dans l'eau.

– Mais tu es sami quand même, ça doit te faire quelque chose ?

– Ah bon ? Tu es gentille de me le dire. Je suis norvégien, comme toi, rien d'autre.

Nina lui avait demandé des nouvelles de Tom. Là encore, il avait évité de répondre précisément.

– Il est bien entouré, avait-il seulement dit dans le micro du casque, sans détourner le regard du paysage.

À deux cents kilomètres au nord du cercle polaire, la toundra était encore dans ses habits de peine. Mais des teintes vives ne tarderaient pas à en transformer l'allure. L'Écureuil se posa derrière l'église, en bordure du fleuve. La petite bâtisse en bois peinte au rouge de Falun datait du début du XVIIe siècle, à l'époque où un marché sami avait été institué. Nils-Ante mena d'un pas rapide le trio. Il poussa la porte.

Nina aperçut le triptyque de Laestadius au fond de l'église. Ses couleurs éclataient. Elle avait eu beau faire son stage de police des rennes à Kiruna, à une vingtaine de kilomètres de là, elle n'était jamais venue jusqu'à cette petite église où l'empreinte du fondateur du mouvement laestadien était criante de beauté et de vitalité, avec ses personnages en rondeur taillés dans le bois. Nina s'avança sur la moquette rouge, effleurant les bancs en bois gris aux banquettes bleues. Tout le temple était en bois. Il s'en dégageait une chaleur contagieuse. Pour un peu, Nina se serait assoupie sur un banc. Nils et Nils-Ante s'étaient arrêtés derrière elle.

– Et maintenant ? dit Nils.

– Tu crois trouver une réponse dans ce triptyque ? demanda Nils-Ante.

Le tableau central représentait Jésus devant sa croix, d'énormes gouttes de sang lui tombant du front et se transformant en fleurs. À gauche, devant un pasteur Laestadius au doigt menaçant, on voyait un éleveur avec son renne, un fermier cassant un tonneau et un couple à l'allure repentante. À droite, on voyait le même pasteur Laestadius à genoux devant une Sami s'élevant, la tête devant le soleil lui dessinant une auréole, tandis que d'autres personnages vivaient le renouveau spirituel que Laestadius avait diffusé dans toute la Laponie, avec sa stricte doctrine.

– La jeune femme qui s'élève s'appelait Maria.

La voix venait de derrière eux. Un homme s'approchait. Il portait le costume sombre et le col blanc des pasteurs. Il était assez âgé mais avait bonne allure.

– Voyez, on ramène le renne volé, on renonce à l'alcool, au péché. *Vous, buveurs et voleurs. Vous, fornicateurs et prostituées, convertissez-vous*. La parole de Laestadius a sauvé les gens d'ici.

Le pasteur s'avança. Il se planta devant le jeune plongeur, qui parut décontenancé. Il fut le premier à rompre le silence.

– Je m'appelle Nils.

Le pasteur resta un moment à l'observer.

– Tu es Niila. On m'a dit que si tu arrivais jusqu'ici, c'était que tu étais mûr. Ce que tu cherches serait là-haut.

– Qui t'a dit ça ? demanda Nina.

– Anta, et deux hommes qui l'accompagnaient.

– Quand sont-ils venus ?

– Je dirais il y a deux semaines environ, vers fin avril.

Cela coïncidait. Juste après la mort de Fjordsen, au moment même où Laula venait de disparaître du campement, peu de temps avant le vernissage de son expo à laquelle il ne s'était pas montré. Ça collait aussi avec les retraits et paiements effectués par carte bleue à Kiruna, tout près d'ici.

– Que venaient-ils faire ?

– Je ne sais pas. Ils sont montés. Anta a joué de l'orgue, et ils sont repartis au bout d'un quart d'heure peut-être.

L'oncle de Klemet se dirigeait déjà vers le petit escalier montant à l'étage. Il arriva devant l'orgue.

– Niila ? demanda Nina.

– La forme sami de Nils, précisa Nils-Ante. Si ça se trouve, le morceau a été enregistré sur cet orgue.

– Il existait à l'époque où Laestadius venait prêcher ici ?

– Non, Laestadius a vécu au milieu du XIXe siècle, cet orgue est neuf, il date de la fin des années 1990.

L'instrument n'était pas très grand, mais parfaitement adapté à l'église. Les touches du clavier étaient en bois de renne pour les blanches, en bois de bouleau pour les noires. Elles étaient ornées de gravures fines au ton brique. Deux claviers superposés étaient surmontés d'une rangée de vingt-quatre boutons finement ornés de dessins et destinés à différents effets.

– Qu'est-ce que voulait dire ce pasteur, sur ma maturité ? On aurait dit qu'il m'attendait.

– Eh bien justement, à toi de t'y mettre, l'encouragea Nils-Ante.

– Je ne sais pas, moi. Il faut jouer cet air ?

– On peut essayer, dit Nils-Ante en s'installant.

Il resta un instant concentré puis se lança. Les notes de l'orgue envahirent le petit temple. Nils et Nina l'entouraient. Que devaient-ils espérer ? Il ne se passait rien. Apparemment. Ils restèrent silencieux. Rien. Nils-Ante réécouta l'enregistrement, rejoua à nouveau. Rien. En bas, le pasteur avait disparu.

Nina fit le tour de l'orgue. Une petite porte permettait d'accéder à l'intérieur.

– Il faut trouver la clef, elle doit être par là.

Ils la trouvèrent bientôt dans une boîte clouée en haut de l'escalier. Nina entra dans le ventre de l'orgue. On pouvait y tenir debout. Elle examina les tubes, les pièces de bois. Une lampe éclairait l'espace. Que cherchaient-ils ? D'après la lettre de l'avocat, il s'agissait de documents. Mais sous quelle forme ? Des papiers, une clef USB ? Il y avait mille cachettes pour une clef USB. Mais, si c'était important au point de devoir mettre au point ce stratagème complexe, une clef USB qui pouvait se révéler défaillante n'était peut-être pas une bonne idée. Ce devait être autre chose.

Elle ouvrit ce qu'elle pouvait ouvrir, en vain. D'après le pasteur, les trois hommes n'étaient restés qu'un quart d'heure et n'avaient pas quitté l'étage.

– Cherchons partout.

Nina et les deux hommes firent le tour de l'étage. Rien.

– Il doit y avoir quelque chose quelque part. Ça n'a pas de sens de nous faire venir ici, sinon.

Nils-Ante s'était rassis derrière l'orgue. Il tirait sur les différents boutons et l'orgue soufflait ses combinaisons.

– Cet Anta était en tout cas un sacré personnage, dit Nils-Ante alors que Nina revenait à ses côtés. Tu entends cet effet ? C'est le ton d'un tambour, un tambour chaman. Il se tourna vers Nils. Tu ne le sais peut-être pas, mais les tambours de chaman ont été interdits pendant trois cents ans par l'église luthérienne, et Anta a réussi à réintroduire en douce le tambour dans le cœur même de l'institution, dans l'église. Écoute…

Nils-Ante tira le bouton situé à l'extrême droite et un roulement sortit de la tuyauterie.

– Tu entends ça, le son du tambour. Quelle trouvaille. Et quelle revanche.

Nina se pencha. La touche représentait une croix avec un point épais au centre, et deux personnages stylisés se tenaient sur chaque branche horizontale de la croix. Elle reconnut ce qui servait de symbole pour le soleil sur de nombreux tambours chamans, comme sur le tambour volé cet hiver à Kautokeino par Mattis. Son regard glissa sur les autres touches, tout aussi fines, et elle tâta soudain les poches de son uniforme. Elle sentit la boule ronde de la perdrix et la sortit. Sur le dos de l'oiseau, les trois motifs dessinés étaient exactement les mêmes que ceux des trois touches les plus à droite.

Anneli était repartie assez tôt ce matin pour mettre toutes les chances de son côté afin de retrouver son faon. Elle avait à nouveau emprunté un scooter de Morten Isaac. Tout en suivant le cours gelé de la rivière, elle repensait aux bons mots de Susann, son incantation à Gieddegeašgálgu, son énervement quand une dernière fois elle avait tenté de la convaincre de la laisser partir à sa place chercher le faon. Anneli s'arrêta un instant. Dans cette partie du plateau plus élevée, la neige fondait moins rapidement que sur la côte. La débâcle n'était pas autant entamée qu'ailleurs mais il fallait malgré tout redoubler de prudence, faire des détours. Heureusement, les rivières étaient encore largement saisies par le froid. Anneli avait appris avec Erik à franchir les cours d'eau courante en scooter, ce qui consistuait l'un des passe-temps favoris des jeunes de la région, entraînant son lot d'accidents.

La journée était agréable, mais Anneli aurait préféré que le froid de la nuit se prolonge. Elle était partie depuis une demi-heure et approchait de l'endroit où le faon avait été vu pour la dernière fois. La neige devait encore être bonne dans cette partie en lisière d'un pâturage traditionnellement utilisé par Juva Sikku durant la demi-saison hiver-printemps. Il s'agissait d'une zone légèrement excentrée dont les hauteurs dominaient magnifiquement le fjord du Loup dans sa partie occidentale. On apercevait en face la grande île de Seiland où dans le temps une partie de sa famille avait eu ses rennes l'été. Elle se sentit en confiance. Elle prit sa paire de jumelles et observa les alentours. Elle aperçut un mouvement à flanc de colline, au fond de la vallée. Le faon. Enfin. Il était toujours en vie. Elle fit le point. Sentit des frissons. Il s'agissait d'un lynx. L'un des pires prédateurs de rennes. La saison de chasse au lynx était déjà terminée depuis un mois et demi. Son père lui avait raconté que, du temps de sa jeunesse, on ne trouvait pas de lynx en Laponie. Les premiers étaient arrivés vers 1980 dans le Finnmark. «Exactement à la même époque où on manifestait contre la construction du barrage d'Alta», disait-il, et il ajoutait toujours qu'il était certain que les Norvégiens s'étaient arrangés pour introduire le lynx en Laponie pour affaiblir encore un peu plus les éleveurs. «Une sale guerre», disait-il. Anneli était née quelques années plus tard et n'avait connu qu'une Laponie avec des lynx. Ils étaient peu nombreux, mais redoutables. Celui-ci était-il sur la trace de son faon ? L'avait-il déjà trouvé ? Elle observa la direction qu'il suivait. Elle n'était pas armée. Elle fouillait nerveusement le paysage de ses jumelles et stoppa. Calma sa respiration pour faire à nouveau le point. Là-bas, cette fois-ci, aucun doute, son faon, si fragile, si seul. Le lynx se dirigeait vers lui d'un pas tranquille, sûr de sa proie. D'un coup, elle se décida et tourna la poignée de l'accélérateur à fond.

La description de Nils Sormi était assez précise. Klemet avait pu se faire une idée raisonnable de la zone à fouiller. Elle était vaste, mais les points d'accès peu nombreux et le relief accidenté limitaient la possibilité d'y amener un gumpi. Par acquit de conscience, il avait visité tôt ce matin le gumpi de Juva Sikku, celui qu'il utilisait en ce moment pour la surveillance de son troupeau. L'abri était inhabité. Il s'était dirigé ensuite vers les hauteurs du fjord, suivant les indications de Sormi, à une dizaine de kilomètres à vol d'oiseau. Il lui avait fallu une demi-heure de détours prudents pour parvenir sur la colline.

Perdu dans ses pensées, Klemet ne remarqua pas qu'au loin, on l'observait aux jumelles.

Il reconnut la description du plongeur, le col d'abord, puis le plateau. Il dominait le fjord au-dessus du détroit du Loup. Klemet lança doucement son scooter vers le fjord et après quelques mètres aperçut les deux gumpis clandestins de Sikku, à l'abri d'un contrefort. Il observa prudemment les alentours. Personne. Il repéra des traces fraîches de patins mais elles étaient recouvertes d'une fine couche de glace brillante. La pellicule qui s'était formée avec le froid de la nuit après la fonte de la veille. Personne n'était venu ici au moins depuis hier. Cela coïncidait avec les déclarations de Sormi. Derrière les deux gumpis s'accumulait le bric-à-brac habituel de ces campements de fortune. Des bidons, des remorques, des sacs plastiques, des bûches, des lassos, des restes de carcasse d'un renne qui commençait à émerger de la neige au rythme du dégel. La forme du tas de bois attira l'attention de Klemet. Il s'avança et reconnut les restes d'une embarcation. Une partie de la barque avait été débitée pour faire du petit bois et alimenter le poêle. Le fond en était encore intact. Klemet fut frappé d'une évidence. Il s'agissait de celle utilisée par Erik Steggo. Sikku ne l'avait pas brûlée, trop certain qu'elle ne serait pas retrouvée ici. Il examina ce qui restait du canot. Le fond était abîmé, des planches disjointes, voire cassées. Mais était-ce la conséquence de l'accident, ou bien l'œuvre de l'homme ? Un examen plus poussé serait nécessaire. Pour l'instant, Klemet se contenta de prendre des photos. Il visita ensuite les gumpis. Le policier trouva sans difficulté le carton à chaussures du fichier Tikkanen. Il ne comptait pas le consulter sur place. Sikku pouvait débarquer n'importe quand, et peut-être pas seul. Et Dieu sait ce qu'il aurait en tête. Il ne put résister à la tentation de vérifier si une fiche était à son nom. Il y en avait une. Klemet n'était pas un client potentiel pour Tikkanen et la fiche était en conséquence. Mais elle précisait toutefois à quelle patrouille il appartenait, quelle était sa zone de surveillance, ses points de chute au fil des saisons, ses coordonnées et même une partie de son état civil, avec sa naissance à Kiruna, ses études en partie à Kautokeino. Incroyable. Si les autres fiches dénotaient un tel degré de précision, le contenu de cette boîte était une bombe. Et une bénédiction pour eux. Jamais la police n'aurait pu se livrer à la confection d'un tel registre. Qu'elle le fasse et que cela vienne aux oreilles de la presse, on les aurait accusés de tous les maux. Il plaça le fichier sur la boîte à l'arrière de son scooter. Il décida d'emporter aussi les restes de la barque. Sikku, en apprenant sa venue, pourrait la faire disparaître. Il avança son scooter jusqu'à la remorque, l'arrima et fixa la coque du canot en l'enveloppant dans des couvertures prises dans un gumpi

pour la protéger. Il la cala avec les coussins kitsch et se
remit en route, impatient de lire les fiches. Qui sait, les
réponses étaient peut-être là, et Ellen Hotti leur avait
donné un ultimatum jusqu'au lendemain matin avant le
début des funérailles.

60

Jukkasjärvi. Laponie suédoise.

Un son de cloche envahit la petite église en bois. Nina venait de tirer le deuxième bouton. Il représentait une perdrix au-dessus d'une étoile. Sur le troisième bouton étaient dessinées deux étoiles l'une au-dessus de l'autre, avec des lignes pointillées dans le prolongement de l'étoile supérieure. Lorsque Nina tira, un souffle envahit l'édifice. Le vent. Nils-Ante, sourcils froncés, posa sa main sur celle de Nina pour l'obliger à arrêter. Il réfléchissait, yeux fermés, tête dodelinante. L'oncle de Klemet, spécialiste du joïk et musicien reconnu, se jouait une mélodie silencieuse.

– Nina, l'enregistrement.

Elle le mit en marche.

– À la fin, directement.

Marche rapide. Ils patientèrent quelques secondes, la fin du psaume, laissant la place au court final. Nils-Ante regarda Nina les yeux pétillants. Puis il tira sur les trois boutons de droite en même temps. Une composition musicale leur parvint aux oreilles, la même que dans l'enregistrement.

– Jamais je n'ai entendu une telle chose, dit Nils-Ante. Les trois effets combinés forment une mélodie. Ça doit être unique en Suède.

– Venez voir, leur cria Nils, de l'autre côté.

Nina et Nils-Ante contournèrent l'orgue. Le plongeur tenait dans une main une pochette contenant une épaisse liasse de documents. Il montrait de l'autre un tiroir dont le mécanisme d'ouverture avait été déclenché lorsque les trois effets avaient été joués ensemble.

Le plongeur montra la page de garde à Nina. Une lettre écrite en anglais.

« Tu as peut-être trouvé ce jeu de piste étrange. Ce n'est pas de gaîté de cœur. J'avais besoin des services d'un avocat pour que les choses soient faites comme il fallait mais, par expérience, je ne savais pas si je pouvais lui confier ce dossier. Le fait que tu puisses lire ces lignes me prouve que j'ai eu raison d'avoir confiance en toi. Quand tu les liras, je ne serai plus en vie. »

Signé Jack.

Juva Sikku reposa ses jumelles et jura. Il avait craint un instant que le gros Tikkanen n'ait trouvé sa trace, même s'il devait bien reconnaître qu'il avait beaucoup de mal à imaginer le Finlandais sur un scooter, perdu dans la toundra. Il était à peu près sûr maintenant que l'engin qu'il voyait s'éloigner au loin appartenait à la police. Quoique… la police patrouillait toujours à deux. Il réajusta ses jumelles. C'était bien la police. Il jura encore. Le pilote venait juste d'aller voir son gumpi de surveillance, et à voir la direction prise, ce foutu flic allait tout droit vers ses deux autres abris. Il y serait dans une vingtaine de minutes tout au plus. Sikku réfléchissait à s'en faire mal au crâne. Le fichier ne devait pas tomber entre les mains de la police. Ce serait une catastrophe. Nom d'un foutu chien, ça ne pouvait être que Nils Sormi qui avait donné l'emplacement à la police. Sikku ne comprenait pas. Son monde s'écroulait. Sormi, lui faire un coup pareil… Et sa ferme en Finlande ? Non, il fallait mettre le fichier en lieu sûr avant que la police ne tombe dessus. Il tourna la poignée à fond et bondit en direction de la vallée. Il avait encore une chance d'arriver avant le policier qui ne pouvait pas connaître à ce point l'emplacement exact. Il plongea vers la vallée, protégé du regard du policier sur sa gauche par une crête. Il ne pouvait se permettre de prendre les précautions d'usage, mais il n'était pas champion de scooter pour rien. Son engin lancé à toute puissance sursautait dangereusement mais Sikku était survolté, tous muscles tendus, mâchoires serrées à s'en faire mal. En contrebas, à cinq cents mètres devant sur sa droite, il aperçut un autre scooter qui allait aussi dans la direction des gumpis. Impensable. Un autre flic ? La malchance totale. Le scooter de droite allait bientôt traverser la rivière au fond de la vallée de Kvalsund. Juva devenait fou de rage. Il voyait le fichier, la ferme, Tikkanen, Sormi, tout se mélangeait. Il stoppa son engin, respiration emballée, cœur affolé. Droit devant lui, il vit l'objet de l'attention du pilote de droite, un faon qui s'engageait sur une crête, et, en contrebas, quelques centaines de mètres derrière lui, un lynx qui le suivait d'un pas souple et gagnait rapidement du terrain. Il se sentit soulagé un dixième de seconde. Un berger. Il prit ses jumelles. Cette silhouette… Ces longs cheveux blonds qui dépassaient du casque. Il reconnut la tenue que portait Anneli lors de la réunion. Pas de danger de ce côté-là. Il repartit à pleine vitesse, insensible aux branches de bouleau qui lui fouettaient le visage, jeta un œil vers la gauche, où la crête le protégeait toujours, puis à droite, juste à temps pour voir le scooter s'engager pour traverser la rivière glacée, et disparaître dans l'eau. Sikku s'arrêta. La glace avait rompu. Il regarda vers la gauche, vit le scooter de la police apparaître de derrière la crête et poursuivre au loin sa route vers ses gumpis à flanc de colline. Devant, il avait perdu de vue le faon mais voyait le lynx poursuivre sa route d'un pas décidé. Il se sentait oppressé. À droite, le calme avait recouvert la rivière. Le conducteur ne refaisait pas surface. Sikku hurla de rage. En voyant la rivière couler en contrebas à travers la glace rompue, il revit Erik Steggo disparaître dans les flots, entraîné dans le tourbillon. Nils avait-il raison ? C'est lui qui avait provoqué la mort de Steggo. Tikkanen l'avait donc manipulé à ce point ? Sikku n'avait jamais voulu le reconnaître. Il avait fallu que l'accusation vienne de Sormi lui-même, et ça, plus que tout, l'avait blessé comme un coup de poing en plein crâne. Il se sentait groggy. Dans un état second, il se lança vers la rivière. En quelques dizaines de secondes, il parvint sur la berge. Il courut, ôta son manteau en peau de renne et, sans hésiter, se jeta dans l'eau glacée.

Nina n'avait pas ouvert la bouche depuis que l'hélicoptère avait redécollé de Jukkasjärvi. Casque sur les oreilles, elle feuilletait le dossier. Elle relisait pour la troisième fois les deux feuillets manuscrits écrits par Divalgo à Sormi. Elle reprit à haute voix.

« Quand nous sommes arrivés à Hammerfest, nous voulions comprendre ce qui s'était passé ici il y a trente ans quand plusieurs d'entre nous avaient été blessés lors de plongées ou d'expériences. Des blessures qui n'étaient pas reconnues officiellement. En cherchant, nous avons découvert tous ces nouveaux projets. Découvert que les promesses d'aujourd'hui étaient les mêmes qu'hier. Nous avons voulu avoir une explication avec Fjordsen. Ce qui est arrivé était un accident. »

– Ça sous-entend que Steel, Birge et Depierre n'étaient pas des accidents, dit-elle dans le micro pour Sormi, en brandissant les feuilles.

Mais Divalgo n'en disait rien. Elle continua.

«*Anta Laula a été lâché à l'époque. Ça continue aujourd'hui. Rien n'arrêtera le pétrole. C'est toujours la même histoire. Ce qu'ils ont fait aux plongeurs et ce qu'ils ont fait à Anta Laula est une honte. Sous une autre forme, ils continuent maintenant et les Anta Laula d'aujourd'hui payent le prix fort.*»

Dans les oreillettes, la voix de Nils-Ante prit le dessus.

– Je vous entends parler des plongeurs, c'est bien beau, tout ça. Mais Anta Laula ? C'est lui qui a amené le petit Sormi jusqu'à Jukkasjärvi. D'après ce que tu dis, Nina, tes plongeurs voulaient s'acquitter d'une dette vis-à-vis des Sami. C'est pour ça qu'ils t'amènent ici, petit, au plus profond de la Laponie. Autrement, ils auraient pu trouver une cachette plus simple, un coffre de banque à Hammerfest, par exemple. Anta a perdu ses pâturages à cause des projets pétroliers et la possibilité de vivre dignement comme un éleveur. Et, ensuite, il a perdu la santé au cours de cette maudite plongée d'essai.

Nina continua la lecture pour elle-même. Pedersen et Divalgo avaient rassemblé des rapports techniques, des comptes rendus médicaux, quelques articles de presse. Un dossier à charge, implacable. Certains passages étaient surlignés d'une main tremblante et annotés en marge avec parfois des rafales de points d'exclamation. Derrière chaque ligne, elle ne voyait pas seulement Laula ou Divalgo, elle imaginait son père.

Les documents se rapportaient aux opérations de plongée pour l'industrie pétrolière pendant la période pionnière, de 1965 à 1990. L'époque de son père. Les examens rassemblés par les deux plongeurs montraient que la plupart des anciens de la mer du Nord souffraient de maladie pulmonaire obstructive, d'encéphalopathie, d'une baisse d'audition et de stress post-traumatique. Un tiers souffrait de lésions cérébrales. Un expert disait que les autorités publiques chargées de contrôler et d'autoriser les opérations de plongée avaient souvent accordé des dérogations aux règles de sécurité. Nils, qui lisait en même temps qu'elle, traduisit pour Nina.

– On s'arrangeait pour que les plongeurs restent le plus longtemps possible à travailler à des profondeurs où l'homme n'avait jamais été auparavant. Et puis on les remontait aussi vite que l'on pouvait pour raccourcir le temps passé en décompression, un temps que les compagnies jugent improductif, bien sûr, mais où nous sommes toujours très bien payés.

Le témoignage se poursuivait. «*Les tables de décompression utilisées pour le retour à la surface des plongeurs n'ont été standardisées qu'en 1990, de sorte qu'auparavant les compagnies pétrolières avaient pu réduire les durées de décompression afin de baisser leurs coûts de main-d'œuvre et d'améliorer leur position concurrentielle.*»

Les documents mettaient à jour une complicité à tous les niveaux pour accélérer l'exploitation du pétrole. Un médecin racontait comment, dans les années 1970, les rapports prévenant des dangers de la plongée profonde disparaissaient au fond de tiroirs. Nils prit des feuillets agrafés des mains de Nina. Une liste de plus de soixante plongeurs décédés en mer du Nord. Avec pour chacun leur nom, leur âge, leur nationalité, la cause de leur décès. Noyade, décompression explosive, accident de décompression. La plupart d'entre eux étaient décédés dans le secteur britannique de la mer du Nord. Les autres, côté norvégien. Une autre liste indiquait les noms d'une vingtaine de plongeurs norvégiens qui s'étaient suicidés. Conséquence de la plongée, d'après le dossier. Le nom du père de Nina aurait pu être couché là. Un autre médecin témoignait que les anciens plongeurs étaient plus vieillis que la moyenne, ils avaient du mal à trouver un emploi. «*Beaucoup d'entre eux montrent des symptômes du stress post-traumatique à cause de tout ce qu'ils ont vécu durant leurs plongées. Ces plongées ont aussi eu des effets sur leur système nerveux et les poumons.»*

Ce médecin d'un grand hôpital de la côte ouest avait écrit une lettre au Directorat du pétrole et aux compagnies pétrolières en réclamant l'arrêt de la plongée profonde pour la remplacer par la technologie sans hommes, car elle estimait que la plongée profonde était trop dangereuse. *«On ne sait pas comment récupérer les plongeurs, comment mener les plongées tout en leur évitant d'être blessé. Mais le Directorat du pétrole n'a pas vraiment cru ce que nous avions trouvé.»*

Très tôt, les autorités norvégiennes avaient été mises au courant des risques de la plongée profonde, des incertitudes et des approximations sur les tables de décompression qui déterminaient à quelle vitesse on pouvait remonter les plongeurs. Mais elles avaient choisi le pétrole avant la santé des plongeurs. Dans la marge, les points d'exclamation s'alignaient comme des soldats prêts à partir au combat. Droits comme la justice. Vibrants de colère.

L'ancien responsable de la sécurité d'une compagnie de plongeurs apportait un témoignage qui faisait froid dans le dos. *«Dès le début des années 1970, comme la demande offshore a été soudainement multipliée, à cause des nombreuses découvertes du pétrole, et que les compagnies voulaient tout développer très vite, il y a eu une très grosse demande, ce qui fait que le petit groupe de plongeurs compétents des débuts, issus de la Marine et de la Navy, a été très vite absorbé et s'est retrouvé au milieu d'une masse de plongeurs qui savaient à peine nager. Il n'y avait pas de formation proprement dite en dehors de la Navy, il n'y avait pas de standard du point de vue technique, les équipements étaient fabriqués au fur et à mesure qu'on avançait. Il n'y avait pas de législation dans la mesure encore une fois où il s'agissait d'une activité nouvelle, et le résultat ne s'est pas fait attendre. Au début des années 1970, on a eu des masses d'accidents. Sur l'ensemble de la mer du Nord, dès 1974, on avait dix accidents par an, accidents mortels. Je ne parle pas des accidents où le plongeur ne mourait pas. »*

Nils retourna les feuillets et les rendit à Nina.

– Sans tous ces morts de la mer du Nord, jamais la Norvège n'aurait été capable de se lancer en mer de Barents pour exploiter le gaz et le pétrole qui nous attendent.

– La question maintenant est de savoir ce que Pedersen et Divalgo avaient en tête en rassemblant tout ça, et les conséquences qu'ils en ont tirées, dit Nina. Pedersen, au moins lui, est en tout cas relié à la mort du maire d'Hammerfest, qui a dirigé le Directorat du pétrole, et à celle de Steel et Birge.

Nils lui reprit le dossier des mains.

– Ça ne te paraît pas clair ? Dénoncer une injustice au plus haut niveau de l'État. Fjordsen est impliqué jusqu'au cou dans cette absence de règles ou ces dérogations au bon plaisir des compagnies.

– J'avais compris, dit Nina, mais après ? Et Steel et Birge ?

– C'est toi la flic. Mais ils ont dû être impliqués dans ces décisions à l'époque.

– Et cette assurance, pourquoi toi ?

Nils secoua la tête.

– Ils attendent quelque chose de moi, j'imagine. De toute façon, mon projet de baraque sur la corniche n'était qu'un mirage.

61

Vallée de Kvalsund.

Klemet vit tout de suite que quelque chose clochait. Il avait coupé par la vallée de Kvalsund pour revenir vers la route en remontant la rivière quand il aperçut le scooter. À la vue de la glace brisée, il comprit. Comme il s'approchait, il distingua une forme à terre. Il reconnut Juva Sikku, visage bleu, transi, dans sa combinaison de scooter, qui entourait de ses bras le manteau en peau de renne sur lequel il était allongé. Il grelottait, voulait parler, ne pouvait pas. Le scooter était le sien. Klemet se jeta sur la remorque pour attraper des couvertures et recouvrit le berger. Celui-ci faisait des signes vers la peau de renne. Klemet se pencha et ouvrit l'épais manteau. Anneli, recroquevillée, livide, trempée. Il apporta les dernières couvertures de la remorque. La jeune femme était inanimée, mais vivante. Pas besoin d'explication pour comprendre ce qui s'était passé. Klemet passait de l'un à l'autre, les frottant, les frappant, posant ses mains chaudes sur leurs visages, sur leurs mains. Anneli ne bougeait toujours pas. Sikku était sur le point de s'effondrer, à bout, secoué de spasmes. Klemet appela les urgences. Deux hypothermies aggravées, hurla-t-il, magnez-vous. L'hélico de permanence effectuait une rotation sur une plateforme pour évacuer un malade. Klemet leur donna des instructions pour détourner l'hélico rentrant de Laponie suédoise puis se jeta à nouveau sur la remorque. Il rencontra le regard apeuré du faon qu'il avait récupéré juste à temps sur les hauteurs et attaché derrière lui. Le policier tira les restes de la barque et la jeta à terre. Il prit Anneli dans ses bras et l'allongea dans les couvertures et les coussins sur la remorque. Il tira Sikku à lui. Le berger se laissait faire, hagard, empesé. Klemet l'allongea près d'Anneli et l'enveloppa. Il plaça le faon entre eux deux. L'animal n'osait pas bouger. Il les encorda. Sikku le regardait. Il n'était plus que souffrance, n'arrivant pas à desserrer sa mâchoire, incapable de contrôler ses tremblements. Klemet se planta devant lui. Il prit le reste de la barque et demeura quelques secondes face au berger. Ce dernier cligna des yeux, masque douloureux, impuissant, vaincu. Sans un mot, le policier souleva le canot et, d'un coup de reins, le fit disparaître à travers la glace brisée de la rivière.

L'hélicoptère de Jukkasjärvi arriva au moment où Klemet parvenait au point de rendez-vous. Il avait laissé sa voiture sur le vaste emplacement dégagé pour le rocher sacré. Klemet voulut déshabiller Anneli et Sikku, mais le pilote, également secouriste, l'en empêcha. Les vêtements, même mouillés, limitaient les fuites de chaleur. Le pilote les aida à ingurgiter un peu de thé chaud. Anneli ouvrit un instant les yeux en sentant le liquide chaud, avant de sombrer à nouveau. Le pilote décolla aussitôt après en emportant les deux blessés et Nils Sormi vers l'hôpital d'Hammerfest. En les voyant s'envoler, Klemet aperçut les trois jeunes gens entassés sur la banquette arrière, Nils Sormi bras étendus autour de Sikku et Anneli pour les réchauffer contre lui.

De retour au chalet de la patrouille P9 et après le départ de son oncle et de sa compagne, Klemet appela Ellen Hotti pour lui résumer les derniers événements. Elle lui annonça que Gunnar Dahl arrivait chez le juge.

– Garde ça discret, si tu veux mon avis.

– Tu penses bien que je ne vais pas le crier sur les toits alors que la moitié de ses patrons seront là pour les funérailles.

– Je ne pensais pas à ça. Mais à part le fait que Dahl se serait porté caution pour la camionnette, ce qui est loin d'être évident, nous n'avons rien de concret contre lui.

– Ça n'empêche, on a des questions à lui poser.

Klemet aussi voulait savoir. Si Dahl s'était servi de Pedersen et Divalgo comme hommes de main pour éliminer deux concurrents, comment avait-il réussi à les réduire au silence ? Les médicaments à forte dose ? Le toubib avait bien indiqué que le conducteur, Divalgo, était chargé à bloc. Les deux autres aussi, d'ailleurs. Mais cela expliquait-il l'accident ? Impossible à prouver. Et Klemet ne voyait pas quel motif Dahl aurait eu contre Fjordsen ou même Depierre, le toubib français.

– Heureusement, il te reste la nuit pour déchiffrer toute cette paperasse, ironisa la commissaire en raccrochant.

Klemet s'était lancé dans l'examen des fiches. Sormi ne lui avait pas menti. Tikkanen avait tiré beaucoup de ficelles et, pourtant, il ne voyait pas le moyen de faire tomber l'agent immobilier.

Nina avait étalé les documents. Le sol en était recouvert. Les rapports de médecins et les expertises techniques rassemblées par les deux anciens plongeurs étaient accablants.

En lisant dans l'hélicoptère la lettre que Jacques Divalgo lui avait laissée, Nils Sormi avait réalisé sa méprise. Le Français, son idole de jeunesse qu'il avait rejetée, était celui qui lui avait légué cette assurance vie. Divalgo avait réalisé, trop tard, les conséquences de son action. En tant que plongeur d'essai, il avait contribué à l'époque à valider des tests qui n'auraient pas dû l'être. Il s'était tu. Par loyauté, appât du gain, autant de raisons sur lesquelles il n'était pas utile de s'appesantir. Au cours de ce test Deepex I, plusieurs plongeurs avaient été blessés. Dont Anta Laula. Le Sami n'était pas plongeur, il avait été recruté le temps de l'essai avec un autre civil, afin de servir de sujet de référence, des organismes de terriens face à des organismes déjà éprouvés par les pressions des profondeurs. Laula venait de perdre son travail comme éleveur de rennes sous la pression immobilière qui gagnait déjà Hammerfest, et il avait accepté. La paye était importante. Mais il ne comprenait pas à quoi il s'engageait. Ce test l'avait brisé. Il n'était pas préparé. N'avait jamais été confronté aux terribles risques de la décompression, aux douleurs inhumaines. Le test avait été validé, car les contrats à la clef étaient gigantesques.

«*Essaye de ne pas nous juger, Nils. Comprends aussi que notre colère vient de loin, des profondeurs de la mer et de notre âme trahie. Avec Pedersen, on nous avait appris à ne laisser personne derrière. Or on nous a abandonnés.*» Divalgo continuait sur ce ton. Il citait ce codex. Les plongeurs avaient été trahis, mais les Sami aussi. «*Avec Anta Laula, j'ai compris une chose, une dette d'honneur, c'est sacré comme un rocher sacrificiel. Quand on a compris ce que nos plongées, notre test, entraînaient au fil des ans, l'expropriation des éleveurs, ça nous a fait exploser. Toi, Nils, plus qu'un autre, nous t'avons entraîné dans notre épopée. Aujourd'hui, je m'en veux. J'espère que tu sauras réparer. Pour moi, pour Pedersen, pour Laula, c'est trop tard.*»

À la lecture de ces éléments, Nina se souvint des post-it quasi illisibles retrouvés dans la camionnette des plongeurs. Elle les sortit du classeur où ils avaient été rangés. Avec l'aide de Klemet, de post-it en fiche, de rapport en déduction, ils comprenaient maintenant que ces post-it retraçaient les préparatifs. Comptes rendus d'observation sur le flotel, horaires, téléphones, habitudes de Fjordsen, ses rendez-vous, contacts pour obtenir des rapports. Une toile poussive établie dans la douleur par des hommes dont la mémoire flanchait, qui sans doute n'étaient pas à l'apogée de leurs capacités. Jamais pourtant ils n'avaient dévié de leur objectif. Post-it après post-it.

Sur le coup de 3 heures du matin, la sonnerie d'un appel Skype retentit dans le chalet. Nina réalisa que Klemet et elle ne s'étaient pas parlé depuis une bonne heure, chacun plongé dans sa tâche.

L'ex-plongeur américain Gary Turner contacté via Facebook s'excusa de ne pas avoir appelé plus tôt. Il était 18 heures en Californie et il avait été occupé toute la journée au garage. Lorsqu'il comprit plus en détail ce qui amenait une police européenne à s'intéresser à lui, son visage s'assombrit instantanément.

– Personne n'a réagi, à l'époque ? demanda Nina.

– Écoutez, on était très bien payés et on nous faisait clairement comprendre que si on l'ouvrait, on se faisait rapatrier par le premier avion. C'était comme sur les plateformes, vous comprenez, si tu l'ouvrais, hop, le premier hélico, *back home, bye bye* tout le monde, adieu la belle vie, les Rolex et les bagnoles de sport, les nanas à gogo. Alors on fermait sa gueule, on serrait les dents, pour pas se retrouver sur liste noire. Parce que si t'allais voir le toubib, ça revenait à trahir la compagnie, vous pigez ? La plongée profonde était centrale pour le développement du plateau continental. Sans plongeurs, pas de pétrole, c'était aussi simple que ça. S'il avait fallu attendre des vrais tests validés, vous seriez encore en train d'attraper votre saumon à la canne à pêche en attendant de l'exploiter votre pétrole, la voilà la vérité. Alors, l'État, les toubibs, les compagnies, tout le monde a fait semblant de rien sur les risques et mis le pouce en l'air.

– Vous avez connu un plongeur du nom de Todd Nansen ?

– Nansen, vous dites ? Pas sûr.

– Il avait été chasseur de baleine avant.

– Celui-là ! Ouais, non, je l'ai pas connu, mais Jack m'en avait parlé. Je crois bien qu'ils avaient plongé ensemble. Un chic type apparemment, un peu rêveur, mais on l'était tous un peu.

– Et cette expérience ? Vous y étiez avec Jacques Divalgo et Anta Laula, un Sami ?

– Jack, ouais, Jack. Cette saloperie de Deepex 1… Je vais vous dire, moi. J'ai démarré dans la Navy en 1970. Navy Seal, ça vous dit quelque chose ? Pas très loin de là où je suis maintenant, à Coronoda. Vous savez, *the only easy day was yesterday*, ce genre de choses. On faisait des stages de sabotage et des trucs comme ça. Mais j'étais aussi vachement entraîné question sécurité. Comme Jack, lui il a fait les nageurs de combat en France avant de se retrouver dans ce merdier. Mais là, c'était n'importe quoi. On nous a descendus à la pression du fond en vingt-quatre heures, et puis on avait sept jours de travaux et d'expériences au fond. À l'époque, on connaissait pas vraiment les effets à long terme de la plongée profonde. Mais pour nous, en plus du pognon, c'était vachement sexy d'en être. Vraiment spectaculaire, vous voyez ? Tous les gars impliqués, on avait l'impression d'être à l'avant-garde. Faut vous dire qu'à cette époque, c'est en Norvège qu'on plongeait le plus profond au monde. Au monde, vous comprenez ?

– En quoi cette expérience a échoué, d'après vous ?

Sur l'écran, le visage de Gary Turner s'assombrit une fois de plus.

– Alors, écoutez bien. À un moment par exemple, on était à cent vingt mètres, et d'un coup, comme ça, pang, ils nous ont amenés à cent quatre mètres. Ça paraît con, hein ? Seize mètres, c'est quoi ? Normalement, ils auraient dû nous remonter en douze heures. Vous entendez ? Douze heures. Ces chiens en blouse blanche nous ont remontés en une minute. Ouais, vous m'avez entendu. N'importe qui, médecin ou technicien, savait que ça provoquerait un mal de décompression. On se tordait de douleur dans le caisson, comme des bêtes, je vous jure, un des types s'est mis à hurler, on suppliait d'arrêter. Et vous savez quoi, ils n'ont pas stoppé.

Nina vit le plongeur déglutir et détourner un instant le regard. Il reprit calmement après quelques secondes.

– Ils ont continué encore un moment avant de nous remettre sous pression à cent vingt mètres. C'est pas du Mengele ça, peut-être ? Vous êtes norvégienne non, alors faites-moi plaisir, n'oubliez jamais comment votre pays s'est enrichi. En risquant délibérément la vie de plongeurs hier et en bafouant les droits de vos Sami aujourd'hui.

Gary Turner mit fin à la conversation d'un clic sec.

62

Mercredi 12 mai.
Lever du soleil : 0 h 42. Pas de coucher du soleil.
23 h 18 d'ensoleillement.

Chalet de la patrouille P9, Skaidi. 5 h.

Après une nuit sans sommeil, Klemet se rafraîchissait au ruisseau, torse nu, se frottant la poitrine de la dernière neige pour effacer la fatigue de cette nuit qui n'en avait pas été une. Il regardait son ombre avec des sentiments mitigés. Le prochain coucher de soleil était programmé le 29 juillet, peu après minuit. La nuit durerait alors une vingtaine de minutes. D'ici là, son ombre allait le suivre, du matin au soir, du crépuscule à l'aube, sans une seconde de répit. Klemet ne savait pas ce qu'il préférait. L'absence d'ombre durant la nuit polaire le perturbait. Il ne se sentait pas entier. Mais il allait vivre deux fois plus de jours épié par son double rampant. Il avait beau se savoir rationnel, puisque policier, cette ombre qui l'espionnait sans relâche finissait par l'irriter. Il éclaboussa son ombre et cela lui fit du bien, comme lui fit du bien la caresse légère du soleil.

Il patienta un instant devant le chalet où Nina finissait de se préparer. Elle avait une tête à faire peur. Comme ces gamins au-delà de la fatigue qui résistent mécaniquement alors qu'ils sont épuisés. On a envie de les secouer pour leur dire «Dors, arrête de lutter, tu es vraiment fatigué !» et ils vous regardent avec des yeux grand ouverts et hallucinés, comme s'ils ne comprenaient pas ce que vous disiez. Et repartent de plus belle d'un pas de robot.

Le faon lapait le contenu d'une écuelle. Il s'écarta en tirant sur la corde à l'approche de Klemet. Il était d'une finesse émouvante. Survivrait-il, si fragile, maintenant que le lien avec sa mère était rompu ? L'ombre de l'animal se reflétait sur le bois du cabanon. Elle ne tremblait pas.

Les différentes patrouilles de la police des rennes mobilisées pour les funérailles s'étaient positionnées de bonne heure après un briefing chez Ellen Hotti dès 6 h 30, alors que la messe et la mise en terre ne se dérouleraient que dans l'après-midi. La commissaire ne voulait prendre aucun risque. La P9 s'était vu affecter un périmètre sur les hauteurs d'Hammerfest. Nina avait l'air absent et ne pouvait se départir du sentiment que quelque chose leur échappait, et que la réponse se trouverait peut-être auprès de son père.

– Ton instinct ? lui avait dit Klemet.

Il regretta aussitôt ses mots.

Lui aussi était fatigué.

Il tâcha de se concentrer sur leur mission.

La plupart des femelles allaient maintenant mettre bas dans la partie orientale de l'île, dans une zone calme. Traditionnellement, c'était plutôt les rennes mâles qui se dirigeaient vers la ville et en chercheraient la fraîcheur au plus fort de l'été.

Sur les conseils de Klemet, Ellen Hotti s'était entretenue avec le juge. Officiellement, Gunnar Dahl avait été entendu en tant que témoin. Aucun lien n'avait été trouvé entre lui et Pedersen pour la location de la voiture. Pedersen s'était servi du nom de Dahl comme caution à son insu. Et pour brouiller les pistes.

Klemet fit un tour d'horizon aux jumelles. Quelques rennes se promenaient au loin le long de la clôture qui cernait la ville. Qui était prisonnier ?

Une courte messe aurait lieu dans l'église tout en angles, en contrebas. Le cimetière se situait entre l'église et le flanc de la falaise au sommet de laquelle Klemet et Nina observaient les alentours. Des gens arrivaient de tous les coins de la région, mais d'Oslo aussi, de Stavanger, voire même de l'étranger car Fjordsen avait noué de nombreux contacts à l'époque où il siégeait au Comité du prix Nobel de la Paix et au Directorat du pétrole. La radio de Klemet grésilla. La patrouille P3 s'identifia. Elle se trouvait au nord du dispositif, là même où Klemet avait tenté de repousser des rennes quelques semaines plus tôt. Trois rennes avaient franchi la clôture. Une barrière avait été ouverte. Ça commençait bien. Les policiers les avaient pris en chasse mais les rennes ne semblaient pas vouloir obtempérer. La voix du policier était tendue. Les ordres d'en haut avaient été clairs. Des éleveurs leur prêtaient main-forte. Sur les ondes, ça discutait tactique d'encerclement, palabres avec les éleveurs, priorités sur les routes à barrer. Tout le monde était aux cent coups. Bon Dieu, pensa Klemet, on en est là. Il reprit ses jumelles. Au loin, il aperçut la silhouette d'un collègue qui avançait en battant lentement des bras pour rabattre un renne vers la clôture. Pathétique, pensa Klemet. Et ridicule en plus. Nouveau grésillement. Du côté du quartier de la Prairie. Plusieurs rennes venaient de faire leur entrée. Il prit sa carte. La zone de Jonas Simba. Encore une sacrée tête de lard. M'étonnerait pas que ce soit lui qui ait ouvert, cette fois. Klemet savait très bien que les éleveurs étaient fous de rage avec ces

histoires. Si ça continuait, les funérailles allaient se terminer en rodéo. Il s'en fichait. Depuis ce matin, il n'avait
même pas répondu à plusieurs coups de fil, d'Eva, de son
pote légiste et de Nils-Ante.

Il aurait dû être fatigué mais ne le sentait pas. Il jeta
un œil à son ombre. Elle paraissait en pleine forme.
Il regarda sa montre, appela un gars de la P5 pour lui
demander de jeter un œil sur leur coin.

Il récupéra sa voiture au parking du Black Aurora et,
avec Nina perdue dans ses pensées, ils se mirent en route
vers l'hôpital. Et merde à la clôture.

Markko Tikkanen avait passé la veille au soir à réfléchir à la meilleure façon de faire entendre raison à Juva
Sikku. Plus il avait ressassé son raisonnement, plus il
s'était dit que Sikku devait savoir. Il était arrivé à la
conclusion qu'attendre l'éleveur vers la clôture serait le
plus discret. Tout le monde aurait l'attention captée par
les funérailles. Il avait hésité quant au choix de l'instrument dont il devait s'équiper. Non pas que Tikkanen ait
besoin d'une arme, non, sa seule force physique devait
suffire à impressionner un Sikku. Mais pour le principe.
Que Sikku n'ait pas une idée stupide, veuille se défendre
ou je ne sais quoi. Tikkanen ne pouvait pas se permettre
de tout faire capoter maintenant. Le développement
d'Hammerfest allait entrer dans une phase décisive. La
mer de Barents et l'Arctique étaient le nouvel eldorado
des hydrocarbures. De plus en plus de compagnies
allaient mettre le cap pour ici. Les travaux pour l'île
artificielle de la raffinerie du gisement de Suolo entraient
dans leur phase terminale. Hammerfest était la base de
développement logistique de tout ça et Tikkanen avait
mis des années à cerner les terrains clefs. Des années
de contacts, d'intrigues, de sourires, de bons offices.
Tikkanen avait agi comme un bon professionnel. Il ne

comprenait pas ceux qui lui imposaient de soi-disant courbettes ou humiliations. Ceux-là n'avaient pas le sens du commerce. Tikkanen, lui, était un commerçant. Le sourire était un instrument de vente, il en usait avec le même détachement que des ramettes de papier pour imprimer ses petites annonces à afficher en vitrine. On ne moralisait pas sur une ramette de papier. La preuve qu'il savait faire la part des choses, c'est qu'il ne souriait jamais quand il ne travaillait pas. Le sourire était un instrument professionnel. Il ne fallait pas l'user. Encore une chose qu'il avait apprise de sa mère. Elle avait le sourire vendeur, et la mine collectrice de dettes. Cette dernière était plus naturelle, même si elle se faisait un devoir d'afficher un sourire quasi parfait, comme sur les magazines de mode avec lesquels elle avait appris à son fils à s'entraîner. Tikkanen savait que, lorsqu'elle souriait, quelque chose n'allait pas. Il se demandait s'il devait sourire en abordant Juva Sikku. Il était idéalement placé maintenant le long de la clôture, mais ne voyait pas l'éleveur qui était censé être de surveillance à l'extrémité de la ville, au-dessus du chantier de Suolo. Il s'était garé à une centaine de mètres, là où une voiture s'arrêtait maintenant. Un policier s'avança dans sa direction. Le Finlandais était sûr de ne pas avoir de fiche sur lui. Un inconnu. Tikkanen se composa vite fait un sourire et jeta son bout de bois. Le policier le salua. Un Suédois, de la police des rennes. Il lui demandait si Tikkanen était de surveillance ici, parce que, d'après la carte du Suédois, c'était lui. L'éleveur qui aurait dû être là avait eu un empêchement. Il était à l'hôpital. Tikkanen bafouilla, sourit, s'excusa, remercia, sourit à nouveau et courut. Il regarda sa montre. Il avait pensé profiter des funérailles pour ses affaires. Il lui restait encore un peu de temps. Il pensa à son bout de bois. Le policier s'étonnerait de le voir revenir pour ça. Tikkanen décida qu'il n'en avait pas besoin.

Il arriva sans encombre à l'hôpital, se ravisa, prit une clef anglaise dans son coffre comme il l'avait vu dans des films, se renseigna à l'entrée pour savoir où était son bon ami Juva Sikku. Il fallait qu'il se dépêche, car l'éleveur devait sortir bientôt. Ce n'était donc pas si grave, quelle chance. Tikkanen se dit que le sourire commercial ne marchait pas pour ce genre de circonstance, alors il ne sourit pas. Il sentait son cœur battre la chamade. Il transpirait sans s'en rendre compte. En manque. La disparition de son fichier commençait à l'influencer physiologiquement. Plusieurs jours déjà. Plus qu'il ne pouvait en supporter. Il mit la main sur la poignée quand il sentit une pression sur son épaule. Avant de se retourner, il pensa à sourire. Klemet Nango lui faisait face. Sa collègue à l'air fatigué auprès de lui. Le policier n'avait pas l'air de sourire.

– C'est fini tes petites affaires, Tikkanen.

Tikkanen souriait toujours, mais il ne comprenait pas. Le policier se mit à le fouiller. Tikkanen sentit un seau de sueur s'abattre sur lui. Un autre policier venait de faire son apparition derrière Nango. Nango tirait maintenant la clef anglaise de l'intérieur de sa poche.

– Drôle d'outil pour un agent immobilier en visite dans un hôpital.

– Mais je…

– Tu venais resserrer les liens d'amitié avec ton complice ? Ne te fatigue pas, c'est moi qui ai ton fichier.

Nouveau seau de sueur.

– Un simple fichier clients, vraiment, rien de…

– Tu as malheureusement raison Tikkanen, rien de… Mais mon collègue ici présent va t'embarquer quand même car, vois-tu, avec ton caisson qui a explosé, tu étais en infraction vis-à-vis des règles de la commission Hygiène, sécurité, prévention en milieu hyperbare établie par le ministère de la Santé publique. Le juge pense t'inculper pour complicité d'homicide involontaire. Ça ne rendra pas justice à Erik Steggo, mais tu finiras par payer pour ça aussi.

Anneli était déjà sortie de l'hôpital. Klemet pensait retrouver la jeune femme sur le quai des Parias où elle se rendait. Elle l'avait quitté. Il trouva Nils Sormi. Sur la terrasse du Bures. Le plongeur était seul.

Il invita Klemet à s'asseoir. Nina était restée dans la voiture, avec des coups de téléphone à passer.

– C'est la première fois que je m'assieds de ce côté. Les gars du Riviera Next vont jaser.

– Qu'est-ce que tu fiches ici ?

Nils Sormi écarta la question.

– J'ai vu Anneli. Elle vient de repartir se reposer. Le contrecoup, sûrement. Elle sait aussi ce qui l'attend. Elle est courageuse.

Klemet montra du menton l'*Arctic Diving*.

– Tu repars quand ?

– Pas tout de suite. En fait, je ne sais pas si je vais repartir.

– Ton binôme ?

– Pas seulement. D'ailleurs, ma copine s'est prise de passion pour son nouveau héros. Tom n'est pas vraiment en état de lui résister. Elle le cajole. Elle ne l'intéresse pas vraiment, mais ça lui fait du bien en ce moment. Je crois qu'il a quelqu'un d'autre en tête, mais c'est comme ça.

Klemet pensa à Nina. Comment allait-elle le prendre ? Elle avait sans doute d'autres chats à fouetter en ce moment.

– Remarque, même si tu quittes la plongée, tu ne manques pas d'argent, maintenant.

– Ouais, cette assurance, c'est comme si Jacques savait qu'il n'en avait plus pour longtemps.

Klemet regarda le plongeur sans comprendre.

– Le contrat a été établi il y a quelques semaines seulement. Jacques sentait que ça allait mal se terminer.

– Quand a été rédigé ce contrat d'assurance ?

– Il est daté de fin avril.

Klemet réfléchit. Tout collait. Les plongeurs avaient rassemblé les documents, les avaient cachés dans l'église de Jukkasjärvi avec l'aide d'Anta Laula qui connaissait la cachette secrète puisqu'il l'avait fabriquée lui-même. Ces sms pour mettre Sormi sur la piste. Les bracelets qui reliaient Laula au rocher sacré. La perdrix et ses dessins. Ils avaient eu le temps d'enregistrer la cassette et de l'envoyer à l'avocat qui l'avait glissée dans l'enveloppe. Le contrat avait été négocié auparavant.

Et maintenant, cette lettre où Divalgo annonçait qu'il ne serait plus en vie lorsque Sormi la lirait. Ce dernier ne parut pas remarquer le trouble de Klemet.

– Anneli attend un enfant.

Klemet sortit de sa réflexion. Il ignorait la grossesse de l'éleveuse.

– Le gamin aura besoin d'aide. Elle aura besoin d'aide.

– Ne me dis pas que tu vas devenir éleveur de rennes.

– Non, pas de risque. Mais j'ai vu que des jeunes essayaient d'introduire le parapente à moteur pour la surveillance des rennes, à la place des hélicos. Je pourrais essayer de développer ça, investir. Ça me plaît bien, ces gars ont l'air aussi fracassé que les plongeurs.

– Le pognon en moins.

– Possible.

– Tu as changé. Tu sais, j'avais pensé te raconter l'histoire de ta famille, une vieille histoire, et…

– Le passé ne m'intéresse pas, le coupa Sormi.

– Oui, tu as raison, ce n'était pas très important de toute façon. Ça ne l'est plus.

à nouveau. Les quatre porteurs de cercueil s'écartèrent pour éviter les animaux apeurés. Ils bougèrent dans des directions différentes et faillirent faire tomber le cercueil. Ellen Hotti en avait presque laissé tomber son téléphone. Klemet se décida à calmer Jonas Simba pour laisser le vétérinaire terminer son œuvre. Tout le monde commentait, criait, s'indignait. Au bout de l'allée centrale, un dernier renne broutait sur une tombe, tournant le dos à l'assemblée. Une nouvelle fléchette l'endormit rapidement tandis que le pasteur bondissait d'un groupe à l'autre pour remettre de l'ordre et calmer les esprits.

Route E6.

Nina venait d'arriver au point de rendez-vous sur la route E6, bien avant Karasjok et la frontière finlandaise. À Hammerfest, la cérémonie devait se mettre en place, l'église se remplir. La mise en terre n'aurait lieu que dans la soirée. Elle avait fini par convaincre Klemet de la laisser partir. Elle ne s'était pas rendu compte de sa vitesse, luttant contre la fatigue, enfilant à plusieurs reprises les virages à la limite de la sortie de route. Brusques poussées d'adrénaline qui lui faisaient du bien un court instant. L'ombre de son père l'attendait au parking convenu.

– Comment est-il ?

– Tout ça remue beaucoup de choses en lui. Il ne sait pas bien… avec toi. Il a vécu toutes ces années avec l'idée que tu étais perdue pour lui. Que tu le repoussais.

– Mais j'ai expliqué, c'est ma…

– Il t'a visiblement promis un jour, après une de ses crises nocturnes, qu'il ne se suiciderait jamais. Il a tenu parole. Je ne sais pas comment il a fait pour résister. Il écrit, parfois.

517

Nina fronça les sourcils. Avait-il pu lui promettre une chose pareille ? Elle essayait de se rappeler, elle se maudissait. On n'oublie pas des mots comme ça ! Une fois son père était sorti en pleine nuit, et elle l'avait attendu. Était-ce cette fois-là ? Pouvait-on vraiment perdre le souvenir d'une telle promesse ?

Ils continuèrent en scooter. Nina s'endormit presque contre le dos du conducteur. Dans un demi-brouillard, elle découvrait un paysage très différent de celui des environs de Kautokeino ou de Skaidi. Le terrain était bien plus plat mais elle apercevait au loin des montagnes inconnues. Elle mettait les pieds pour la première fois dans cette partie désertique de la Laponie. Ils longeaient une rivière encore gelée. Le visage fouetté par l'air froid, ses sens s'éveillèrent à la désolation qui l'entourait. Là où la neige avait fondu, seule de la caillasse jaillissait. Nulle trace de végétation à part du lichen. Et son père reclus dans ce bout du monde, avec pour seul lien cet homme peu loquace. Nina repensait à ce qu'il lui avait dit sur le parking. Ses crises, sa promesse. Et maintenant son silence, sa rugosité, sa distance.

Ils longeaient toujours le cours d'eau gelé et passèrent entre deux petites montagnes. Par-dessus l'épaule de son pilote, Nina aperçut une cabane au bord d'un lac. Au-delà, l'étendue plane d'une toundra sans fin. De ce côté-ci, la neige se faisait plus rare. La dureté plus frappante. La fin du monde était ici.

Le chalet était en bois peint en gris clair, rehaussé de blanc autour des fenêtres. Un revêtement noir couvrait le toit constitué d'une seule pente très douce. L'entrée s'ouvrait face au petit lac, à une vingtaine de mètres de la porte. Un peu à l'écart, une petite construction triangulaire abritait sans doute les toilettes. Une banquette affaissée et déchirée reposait contre un mur. Son père attendait. Il patienta jusqu'au dernier moment avant de tourner le regard vers eux. Sa silhouette avachie se redressa et il se leva. Pantalon épais, grosse veste fourrée aux poches usées. Un grand carnet dépassait de l'une d'elles. Nina se demanda s'il s'était préparé comme les fois précédentes, adaptant son sommeil à l'heure du rendez-vous pour s'assurer d'avoir l'esprit le plus clair possible. Je dois avoir une aussi sale tête que lui songea-t-elle.

– Je vous laisse. Je vais pêcher dans les environs. Si vous avez besoin, vous avez une cloche à l'entrée.

Nina remercia de la tête et regarda l'homme partir à pied. Elle retardait le moment d'affronter son père. Il n'avait toujours rien dit.

– Merci pour les documents que tu m'as prêtés. Ça nous a permis de progresser beaucoup dans notre enquête. Il restera des zones d'ombre, j'imagine.

Il fallait qu'elle lui parle des anciens plongeurs, mais redoutait sa réaction de l'autre jour. Elle lui demanda comment il vivait ici, depuis quand. Il restait debout, fixa son regard sur un point et lui raconta ce qu'elle voulait entendre. Phrases courtes, hachées, lasses. Dès que Nina se hasardait sur un terrain plus personnel, il se braquait. Elle lui parla de son départ une douzaine d'années plus tôt, il s'énerva. À chaque question sensible, une diversion.

Elle voulut découvrir son antre. Il la fit entrer. Elle fut frappée par le mur qui lui faisait face. Il était couvert de post-it, comme la camionnette de Divalgo et Pedersen. Il suivit son regard, se tapa la tête du doigt. Cet air perdu.

– Tout fout le camp. Ces saloperies de plongées. Ça vous bousille les bonhommes. Mais c'est malicieux, ça se voit pas, c'est là.

Il se tapait à nouveau la tête. Il était au bord des larmes. Une simple évocation et il sombrait. Nerfs à vif. Il pouvait exploser à tout moment, comme l'autre jour.

Il puisait dans ses réserves, mobilisait le peu d'énergie disponible, et ça filait vite. Nina regarda autour d'elle. Un lit de camp, un sac de couchage. Une table et une chaise. Deux tabourets autour du poêle. Une malle, une étagère près de la cuisinière. Les post-it. Elle ne pouvait dégager son regard de cette mosaïque de l'oubli. Près du lit de camp, dans une boîte à chaussures, elle vit des emballages de médicaments. Son père s'était assis devant la table, regard perdu par la fenêtre. Elle retourna les boîtes. Reconnut des noms. Fluoxétine, Rispéridone, Zolpidem. Les mêmes que Pedersen et Divalgo prenaient. Des post-it, des médicaments. Signes extérieurs de dérive. Sans un mot, son père montra du doigt la malle. Ses forces filaient. Elle ouvrit le coffre. Sur une couverture, elle vit des enveloppes. Comme s'il les avait préparées pour elle. Un signe du menton.

– Ce que tu n'oses pas demander est là, dit-il d'un ton fatigué et lointain.

Son père sortit du cabanon. Les lettres étaient datées de ces dernières semaines. Pas trace d'expéditeur. Lui devait savoir. Elles avaient été lues et relues. Elle ouvrit la lettre la plus ancienne, de début avril. Elle commença à lire. Puis la suivante. Toutes adressées à un certain Midday. L'auteur des lettres décrivait la cavale de soldats perdus. Il fallut un temps à Nina pour comprendre que ces lettres, une dizaine en tout, étaient adressées par Jacques Divalgo à son père. Un Divalgo qui luttait face à un Pedersen de plus en plus incontrôlable. Le troisième homme décrit dans les lettres, à n'en pas douter, était Anta Laula. Lente déchéance au fil des mots, décrivant un homme de plus en plus enragé, Per Pedersen, alias Knut Hansen, que l'auteur des lettres, Divalgo le Français, parvenait de moins en moins à maîtriser. Un Pedersen dépassé par ses fantômes. Et Divalgo, étouffant, surnageant, dépassé par cette dérive qu'il cherchait à stopper. Qu'il stoppe. *Quand tu les liras, je ne serai plus en vie.* Divalgo avait planifié leur accident final, pour en finir. Entraînant Anta Laula avec eux. L'ancien éleveur était-il complètement lucide lorsqu'il s'était prêté aux préparatifs nécessaires, les bracelets, la perdrix, la cachette de Jukkasjärvi ? Comprenait-il vraiment comment tout cela allait se terminer ? Divalgo avait-il réussi à le convaincre de commettre ce… cet acte ? Nina se rendit compte qu'elle n'osait pas prononcer le mot. Suicide. Ce mot que son père avait prononcé un jour et qu'elle avait oublié.

Son téléphone vibra. Elle sortit, son père était assis sur la banquette. Il ne tourna même pas la tête. Épaules affaissées. Le visage de Klemet s'afficha sous le numéro appelant.

– Ça va ?

– Non.

– Je t'avais dit que j'aurais dû venir.

– Comment ça se passe chez toi ?

– Le cirque. Des rennes qui se baladent, des barrières ouvertes, les éleveurs gueulent et crient à la provocation, Ellen me fait la tronche, le vétérinaire endort les rennes les uns après les autres, le cercueil de Fjordsen au milieu de tout ça, tu imagines.

Nina sourit. Cela lui fit du bien. Elle réalisa combien elle était tendue depuis son arrivée dans ce paysage lunaire.

– Écoute, le légiste m'a appelé. Pedersen et Laula sont morts d'une overdose de médicaments avant la noyade.

– Ça confirme ce que je viens de comprendre d'après les lettres que Divalgo a écrites à mon père ces dernières semaines, où il l'appelait à l'aide. Il les aurait entraînés dans la mort avec lui.

– Quelque chose comme ça.

Ils restèrent silencieux quelques secondes.

– Tu veux que je vienne ?

– Merci, mais je dois être seule.

Son doigt glissa lentement sur l'écran pour effacer l'image de Klemet. Elle regarda son père, il observait le paysage. Indifférent. Un léger tremblement de la mâchoire trahissait sa tension. Elle mit les lettres dans ses mains. Il se mordit la lèvre. Sur le point d'exploser. De s'écrouler. Le soleil était au plus bas. Lui aussi. Mais l'astre ne glisserait plus sous l'horizon. Et son père ?

Nina s'assit à côté de lui. Elle montra le carnet dans sa poche.

– Je peux ?

– C'est pour toi.

Elle ouvrit le carnet noirci de l'écriture de son père. Elle commença à lire. Carnet de déroute. Il demeurait immobile, poing serré sur les enveloppes de Divalgo.

Après un long moment, elle referma le carnet. Il ne bougeait toujours pas.

Elle prit sa main. Il se raidit. Elle le regarda avec un sourire triste, glissa les doigts rugueux dans ses cheveux et se posa contre son épaule. Le regard de son père se détourna, mais il n'enleva pas sa main. Ils restèrent ainsi. Elle fut presque surprise par sa voix, après de longs instants.

– Midday. Midday et Midnight.

Elle attendait.

– C'est comme ça qu'on nous appelait. Différents, mais ensemble, on était un.

– Jacques Divalgo, c'était ton binôme, n'est-ce pas ?

Il leva le poing, visage douloureux, montrant les lettres froissées, ces appels à l'aide auxquels il n'avait pas su répondre. Et durant toute cette nuit il raconta pour la première fois ses profondeurs, ses trahisons, des mots d'ombre qui parlaient de promesse et de caresse, de mal et de peur.